JN258778

シンプル
理学療法学
シリーズ

高齢者
理学療法学
テキスト

改訂第2版

監修
細田多穂
編集
山田和政
小松泰喜
木林 勉

南江堂

監　修

細田多穂　ほそだ　かずほ　埼玉県立大学 名誉教授

編　集

山田和政　やまだ　かずまさ　星城大学リハビリテーション学部リハビリテーション学科 教授

小松泰喜　こまつ　たいき　日本大学スポーツ科学部競技スポーツ学科 教授

木林　勉　きばやし　つとむ　金城大学大学院総合リハビリテーション学研究科 教授

執筆者（執筆順）

山田和政　やまだ　かずまさ　星城大学リハビリテーション学部リハビリテーション学科 教授

越智　亮　おち　あきら　星城大学リハビリテーション学部リハビリテーション学科 准教授

堀　信宏　ほり　のぶひろ　平成医療短期大学リハビリテーション学科 教授

小久保晃　こくぼ　あきら　岐阜保健大学短期大学部リハビリテーション学科 助教

木村菜穂子　きむら　なほこ　愛知医療学院短期大学リハビリテーション学科 講師

河野健一　こうの　けんいち　国際医療福祉大学成田保健医療学部理学療法学科 准教授

竹内真太　たけうち　しんた　国際医療福祉大学成田保健医療学部理学療法学科 講師

五味雅大　ごみ　まさひろ　帝京科学大学医療科学部理学療法学科 講師

小松泰喜　こまつ　たいき　日本大学スポーツ科学部競技スポーツ学科 教授

浅川育世　あさかわ　やすつぐ　茨城県立医療大学保健医療学部理学療法学科 教授

岡本加奈子　おかもと　かなこ　宝塚医療大学和歌山保健医療学部リハビリテーション学科 准教授

山田拓実　やまだ　たくみ　東京都立大学健康福祉学部理学療法学科 教授

今岡真和　いまおか　まさかず　大阪河﨑リハビリテーション大学リハビリテーション学部 准教授

松林義人　まつばやし　よしと　名古屋女子大学医療科学部理学療法学科 講師

森尾裕志　もりお　ゆうじ　湘南医療大学保健医療学部リハビリテーション学科 教授

中尾陽光　なかお　ようこう　湘南医療大学保健医療学部リハビリテーション学科 准教授

田中敏明　たなか　としあき　北海道科学大学保健医療学部理学療法学科 教授／東京大学先端科学技術研究センター・高齢社会総合研究機構シニアプログラムアドバイザー

古名丈人　ふるな　たけと　前札幌医科大学保健医療学部 教授

永井将太　ながい　しょうた　金城大学大学院総合リハビリテーション学研究科 教授

白石成明　しらいし　なりあき　日本福祉大学健康科学部リハビリテーション学科 教授

片田圭一　かただ　けいいち　石川県立中央病院リハビリテーション室 室長

久原聡志　くはら　さとし　産業医科大学病院リハビリテーション部心臓リハビリテーション室 主任

木林　勉	きばやし　つとむ	金城大学大学院総合リハビリテーション学研究科 教授
佐藤明紀	さとう　あきのり	北海道文教大学医療保健科学部 リハビリテーション学科 教授
高取克彦	たかとり　かつひこ	畿央大学健康科学部理学療法学科 教授
仲　貴子	なか　たかこ	帝京平成大学健康医療スポーツ学部リハビリテーション学科 講師
桜木康広	さくらぎ　やすひろ	社会福祉法人憲寿会介護老人保健施設千秋苑リハビリテーション課
吉松竜貴	よしまつ　たつき	東都大学幕張ヒューマンケア学部理学療法学科 講師
野崎展史	のざき　ひろふみ	日本理学療法士協会事務局
山田　実	やまだ　みのる	筑波大学人間系 教授
新井武志	あらい　たけし	目白大学保健医療学部理学療法学科 教授
仙波浩幸	せんば　ひろゆき	神奈川県立保健福祉大学保健福祉学部リハビリテーション学科 教授

「シンプル理学療法学シリーズ」監修のことば

近年，超高齢社会を迎え，理学療法士の需要が高まるとともに，理学療法士養成校数・学生数が急激に増加している．現代の理学療法教育には，この理学療法士を目指す多くの学生に対する教育の質を保証し，教育水準の向上および均質化に努める責務がある．

しかし既存の教科書は，教育現場の実際を重視するというよりも，著者の意向・考え方を優先するきらいがあり，各疾患別理学療法のアプローチを個々に暗記する形式のものが多い．一方で，学生には，学習した内容を単に“暗記する”ということだけではなく，“理解して覚える”ということが求められている．そのため講義で学んだ知識･技術を確実に理解できる新しい形の教科書が望まれている．そこで，これらを具現化したものが「シンプル理学療法学シリーズ」である．

編集にあたっては本シリーズの特長を次のように設定し，これらを過不足のないように盛り込むことを前提とした．

1. 理学療法の教育カリキュラムに準拠し，教育現場での使いやすさを追求する．
2. 障害を系統別に分類し，障害を引き起こす疾患の成り立ちを解説した上で，理学療法の基礎的なガイドラインを提示する．このことにより，基本的な治療原則を間違えずに，的確な治療方法を適応できる思考を養えるようにする．
3. 実際の講義に即して，原則として 1 章が講義の 1 コマにおさまる内容にまとめる．演習，実習，PBL（問題解決型学習）の課題を適宜取り込み，臨床関連のトピックスを「memo」としてコラム形式で解説する．また，エビデンスについても最新の情報を盛り込む．これらの講義のプラスアルファとなる内容を教員が取捨選択できるような構成を目指し，さらに，学生の自習や発展学習にも対応し，臨床に対する興味へつながるように工夫する．
4. 網羅的な教科書とは異なり，理学療法士を目指す学生にとって必要かつ十分な知識・技術を厳選する．長文での解説は避け，箇条書きでの簡潔な解説と，豊富な図表・写真を駆使し，多彩な知識をシンプルに整理した理解しやすい紙面構成になるように努める．
5. 学生の理解を促すために，キーワード等により重要なポイントがひとめでわかるようにする．また，予習･復習に活用できるように，「調べておこう」，「学習到達度自己評価問題」などの項目を設け，能動学習に便宜をはかる．

また，いずれの理学療法士養成校で教育を受けても同等の臨床遂行能力が体得できるような，標準化かつ精選された「理学療法教育ガイドライン＝理学療法教育モデル・コアカリキュラム」となり得ることをめざした．これらの目的を達成するために，執筆者として各養成施設で教鞭をとられている実力派教員に参加いただいたことは大変に意義深いことであった．

前版では，以上の編集方針に加えて，さらにわかりやすさに重きを置いた紙面構成・デザインの一部変更（脇スペースを活用して欧文スペルや用語解説を掲載するなどの工夫）を行った．

シリーズ発刊からちょうど 10 年が経過し，このたび改訂第 2 版の刊行の運びとなった．改訂第 2 版では，これまで多くの支持を得ている本シリーズの基本方針はそのままに，時流に乗った教科書であり続けるよう本文をフルカラー化して視覚的理解の促進にいっそうの重点を置いた．

既存の教科書の概念を刷新した本シリーズが，学生の自己研鑽に活用されることを切望するとともに，理学療法士の養成教育のさらなる発展の契機となることを期待する．

最後に，発刊・編集作業においてご尽力をいただいた諸兄に，心より感謝の意を表したい．

平成 29 年 11 月

埼玉県立大学名誉教授　細田 多穂

改訂第2版の序

厚生労働省が発表した「令和2年簡易生命表の概況」によれば，我が国の平均寿命は，男性81.64歳，女性87.74歳と報告されている．また，同省による2021年9月15日時点での「全国の100歳以上の高齢者数」は，86,510名とされており，統計を取り始めた1963年の153名から指数関数的に増加し続けている．人生50年の時代ははるか昔の話である．男性では81歳を，女性では87歳を超え，男女ともにより長く人生を楽しむことができる時代になったともいえる．しかし，高齢者は罹患しやすく，心身の老化も重なり，疾患の重症化や障害の重度化を招くことが多く，理学療法の現場では高齢患者を担当する機会が増える中，治療プログラムを進めるうえで難渋するケースも多い．

2017年3月，高齢者に対する理学療法を実施するうえで必要な知識をコンパクトにまとめたテキスト「高齢者理学療法学テキスト」が刊行され，この間，本書をご活用の先生方から様々な意見を頂戴した．今回，いただいた貴重な意見を踏まえて第2版の改訂を行った．大きな改訂は以下の通りである．

・第2章では，高齢者をより理解するため，「老年学 gerontology」の内容を膨らませ，排尿・排便，体温調節，睡眠，免疫，内分泌における加齢変化についても追加し充実させた．
・第3章では，老年症候群を新たに分類分けして解説した．また，第6～第13章の疾患別理学療法で扱う疾患の理解を深めるため，それらの発生率，死亡順位，要介護の原因などについて記載した．
・第4章では，特に，運動機能の評価について CS-30，片脚立位テストなど臨床で頻繁に用いられる評価法について追加した．
・疾患別理学療法について臨床現場で関わる機会の多くなった悪性腫瘍を取り上げ,「高齢者の悪性腫瘍（がん）と理学療法」として新たに章を設けた（第13章）．
・第14章では，タイトルを「地域在住高齢者と理学療法士」に変更し，リハビリテーションマネジメントの概念について解説を加えた．
・第15章は，旧第5章のタイトルである「高齢者の健康寿命の延伸」とし，旧第5章と旧第15章の内容を併せて記載した．
・章立ては全15章のままとし，統計数値は可能な限り最新のものに書き換えた．

本書が，学生諸君にとって高齢患者の臨床場面において安全で効果的な理学療法を実施するための学びの書となることを期待したい．また，引き続き，本書を活用して講義を担当される先生方や学生諸君からの忌憚のない意見やご批判をいただければ幸いである．

最後に，本書の改訂にあたり，精力的に改訂作業に取り組んでいただきました執筆者の皆様と編集作業のお手伝いをいただきました南江堂の内田慎平氏，吉野正樹氏に，編者を代表して感謝の意を表します．

令和3年10月

編者を代表して　山田　和政

初版の序

わが国の高齢化率は1960年に5.7%であったが，2010年には23.0%となり，過去50年間で4倍以上になった．さらに2014年には26.0%となり，国民の4人に1人以上が高齢者という時代を迎えた．そして，2016年，高齢者は3461万人に達し，高齢化率は27.3%とさらに高率となっている．このように高齢化が進むなか，三世代世帯（祖父母，夫婦，子どもが同居している世帯）が世帯総数に占める割合は，1990年では13.5%，2000年では10.6%，2010年では7.9%と下がり続け，2015年には6.5%と過去25年間でおよそ半数となった．

上記から見えてくることは，当然，理学療法の現場において高齢患者を担当する機会が増えているということ（むしろ大半が高齢患者と言っても過言ではないかもしれない）であり，その一方で，祖父母との同居が減少し，日常，高齢者と触れ合う機会が少なくなっているということである．

残念ながら，ヒトは加齢とともに心身機能が衰える．そのため，高齢者は疾病に罹患しやすく，多種類の疾患と複数要因による症候を同時に保有することが多くなる．また，予備能が低く，回復力が低下していることから，疾病の重症化と障害の重度化をきたす危険性がある．また，社会から一線を退き，生活環境が変化した高齢者が抱く心理や感情も現役世代とは大きく異なる．

これらを踏まえると，高齢患者に理学療法を実施する上で，その前提として"高齢者を理解すること"が重要となる．高齢者の多くが望んでいることは単なる長寿ではなく，最後まで質の高い人生を送ることである．本書では，それに応えるべく，高齢患者の理学療法に必要な知識，技術について以下の内容に重点を置き，執筆を進めてきた．

- 高齢者をイメージできる
- 加齢に伴う心身機能の変化を理解できる
- それを踏まえ，理学療法を実施する上での留意点を理解できる
- 老年期に発症しやすい疾患の具体例から高齢患者の理学療法を深めることができる
- 今後の高齢者に対する理学療法士の役割を知ることができる

また，半期で行われる15回の講義回数に合わせて15章で構成した．

我々は，本書が高齢者理学療法学の核心を突く教科書としてゆきたいと考えており，本書を活用して講義を担当される先生方や学生諸君からの忌憚のないご意見，ご批判を頂ければ幸いである．

最後に，本書の発刊にあたり，さまざまなご助言を頂きました埼玉県立大学細田多穂名誉教授，ならびに編集のお手伝いを頂きました南江堂の藤原健人氏と吉野正樹氏に感謝の意を表します．

平成28年12月

編者を代表して　山田　和政

目　次

1

ライフステージと高齢者像 …… 1

A　老化とは …… 山田和政　1
1 加齢と老化 …… 1
2 生理的老化と病的老化 …… 2
3 老化のメカニズム …… 3
B　高齢者のイメージ …… 3
1 老いから想像するもの …… 3
2 世代ごとの高齢者像 …… 4
a. 中高年世代が抱く高齢者像 …… 4
b. 高齢世代が抱く高齢者像 …… 4
3 高齢者の定義と分類 …… 越智 亮　6
C　老年期の発達課題と「老い」の受容 …… 6
1 老年期の発達課題 …… 6
2「老い」の受容 …… 8
D　高齢者の心理 …… 堀 信宏　9
1 身体的変化の視点からみた高齢者の心理 …… 9
2 社会的・経済的変化の視点からみた高齢者の心理 …… 10
3 家庭内の変化の視点からみた高齢者の心理 …… 11
4 過去への執着 …… 12
5 老年期の不安感・喪失体験 …… 13
E　高齢者に理学療法を実施するうえでの心構え …… 山田和政　14

2

加齢に伴う身体機能・精神機能の変化 …… 15

A　高齢者の身体的特徴 …… 15
1 身体（形態）構造 …… 小久保 晃　15
a. 体格，体型，姿勢 …… 15
b. 骨，関節 …… 16
c. 筋肉（筋肉量） …… 16
2 運動機能 …… 木村菜穂子　17
a. 筋力，筋持久力 …… 17
b. 瞬発力 …… 17
c. 起立，歩行，身の回り動作 …… 17
3 感覚機能 …… 18
a. 視　力 …… 18
b. 聴　力 …… 18
c. 平衡感覚 …… 19
d. 味　覚 …… 19
e. 嗅　覚 …… 19
f. 体性感覚 …… 19
4 生理機能 …… 河野健一，竹内真太　20
a. 呼　吸 …… 20
b. 循　環 …… 20
c. 代　謝 …… 21
d. 消　化 …… 22
e. 嚥　下 …… 22
f. 排尿，排便 …… 22
g. 体温調節 …… 23
h. 睡　眠 …… 23
i. 免　疫 …… 23
j. 内分泌 …… 23
B　高齢者の精神（認知）的特徴 …… 五味雅大　24
1 精神と認知の関係 …… 24
2 知　能 …… 24
a. 知能の構造 …… 24
b. 老年期の知能の特徴 …… 25
3 記　憶 …… 25
a. 記憶の分類 …… 25
b 記憶の種類 …… 26
c. 老年期の記憶の特徴 …… 26
4 感　情 …… 27
5 人　格 …… 28
a. 老年期人格の固定観念 …… 28

b. 5人格特性の生涯発達 …… 28
c. 人格と長寿 …… 29
6 意欲，生きがい …… 29

3

老年症候群 …… 31

A　高齢者疾患の特徴 …… 小松泰喜　31
B　老年症候群の概要 …… 32
1 老年症候群とは …… 32
2 老年症候群の分類 …… 32
a. Ⅰ群（加齢変化に影響を受けない症候群）…… 33
b. Ⅱ群（前期高齢者で増加する症候群）…… 33
c. Ⅲ群（後期高齢者で増加する症候群）…… 33
3 老年症候群と生活機能障害 …… 34
C　代表的な老年症候群 …… 35
1 フレイル・サルコペニア …… 浅川育世　35
a. フレイル …… 35
b. サルコペニア …… 36
2 認知障害をきたすもの …… 岡本加奈子　36
a. 認知症 …… 36
b. 睡眠障害，せん妄 …… 37
c. う　つ …… 38
3 移動能力の障害をきたすもの …… 山田拓実　39
a. 寝たきり …… 39
b. 転倒・骨折 …… 39
c. ロコモティブシンドローム …… 40
4 栄養・摂食障害をきたすもの …… 浅川育世　42
a. 低栄養 …… 42
b. 脱　水 …… 43
5 失禁をきたすもの …… 44
a. 尿失禁 …… 44
b. 便失禁 …… 44
D　高齢者がかかりやすい疾患 …… 山田和政　45
1 大腿骨頸部骨折 …… 45
2 変形性膝関節症 …… 45
3 脳血管障害（脳卒中）…… 46
4 パーキンソン病 …… 46
5 糖尿病 …… 47
6 心疾患（心筋梗塞，狭心症）…… 47
7 呼吸器疾患 …… 47
8 悪性腫瘍（がん）…… 48

4

高齢者の生活機能評価 …… 49

A　運動機能の評価 …… 今岡真和　49
1 30-seconds chair-stand test（CS-30）…… 50
a. 特　徴 …… 50
b. 実施方法 …… 50
c. 注意点 …… 50
d. 評価の信頼性 …… 50
2 5回いす立ち上がりテスト …… 50
a. 特　徴 …… 50
b. 実施方法 …… 50
c. 注意点 …… 51
d. 評価の信頼性 …… 51
3 片脚立位テスト …… 51
a. 特　徴 …… 51
b. 実施方法 …… 51
c. 注意点 …… 51
d. 評価の信頼性 …… 51
4 ファンクショナルリーチ …… 51
a. 特　徴 …… 51
b. 実施方法 …… 51
c. 注意点 …… 52
d. 評価の信頼性 …… 52
5 Sort Physical Performance Battery（SPPB） …… 52
a. 特　徴 …… 52
b. 実施方法 …… 52
c. 注意点 …… 52
d. 評価の信頼性 …… 52
6 Timed "Up and Go" test（TUG）…… 52
a. 特　徴 …… 52
b. 実施方法 …… 53
c. 注意点 …… 53
d. 評価の信頼性 …… 53

7 2.4m歩行速度 …… 54
a. 特 徴 …… 54
b. 実施方法 …… 54
c. 注意点 …… 55
d. 評価の信頼性 …… 55
8 6分間歩行距離 …… 55
a. 特 徴 …… 55
b. 実施方法 …… 55
c. 注意点 …… 55
d. 評価の信頼性 …… 55
9 転倒スコア（FRI-21，FRI） …… 56
a. 特 徴 …… 56
b. 実施方法 …… 56
c. 注意点 …… 56
d. 評価の信頼性 …… 56
10. The 25-question Geriatric Locomotive Function Scale（GLF-25） …… 57
a. 特 徴 …… 57
b. 実施方法 …… 57
c. 注意点 …… 57
d. 評価の信頼性 …… 57
11 握 力 …… 57
a. 特 徴 …… 57
b. 実施方法 …… 57
c. 注意点 …… 57
d. 評価の信頼性 …… 58
B 生活環境の評価 …… 松林義人 58
1 cost of care index（CCI） …… 58
a. 特 徴 …… 58
b. 項目と尺度 …… 58
2 Zarit介護負担尺度（ZBI） …… 58
a. 特 徴 …… 58
b. 項目と尺度 …… 60
C 日常生活動作の評価 …… 森尾裕志，中尾陽光 60
1 障害高齢者の日常生活自立度（寝たきり度）判定基準 …… 60
a. 特 徴 …… 60
b. 項目と尺度 …… 61
2 Barthel Index（BI） …… 61
a. 特 徴 …… 61
b. 項目と尺度 …… 61
3 機能的自立度評価法（FIM） …… 61
a. 特 徴 …… 61
b. 項目と尺度 …… 61
4 基本チェックリスト …… 61
a. 特 徴 …… 61
b. 項目と尺度 …… 61
D 認知・精神機能の評価 …… 65
1 ミニメンタルステート検査（MMSE） …… 65
a. 特 徴 …… 65
b. 項目と尺度 …… 65
2 改訂長谷川式簡易知能評価スケール（HDS-R） …… 66
a. 特 徴 …… 66
b. 項目と尺度 …… 67
3 モントリオール認知評価試験（MoCA） …… 68
a. 特 徴 …… 68
b. 項目と尺度 …… 68
4 Wechsler成人知能検査第3版（WAIS-Ⅲ） 68
a. 特 徴 …… 68
b. 項目と尺度 …… 68
5 Wechsler記憶検査（WMS-R） …… 68
a. 特 徴 …… 68
b. 項目と尺度 …… 68
E QOLの評価 …… 松林義人 68
1 Mos short-form-36-item（SF-36v2） …… 69
a. 特 徴 …… 69
b. 項目と尺度 …… 69
2 高齢者うつ尺度（GDS） …… 70
a. 特 徴 …… 71
b. 項目と尺度 …… 71
3 意欲の指標（VI） …… 72
a. 特 徴 …… 72
b. 項目と尺度 …… 72

5

高齢者の理学療法を実施するうえでの留意事項 …… 73

A 高齢患者の一般的特徴 …… 田中敏明 73

B　安静の弊害と廃用症候群(生活不活発病) …… 75
C　高齢者の理学療法に伴うリスク管理 …… 77
1 血圧，不整脈 …… 77
2 リハビリテーション安全ガイドライン …… 78
3 その他の注意すべきリスク …… 78
a. めまい …… 78
b. 脱　水 …… 78
c. 体温調節 …… 79
d. 転　倒 …… 80
e. 骨粗鬆症 …… 80
D　低・過栄養と栄養管理 …… 古名丈人，小松泰喜　80
1 エネルギーバランス …… 80
2 低栄養の評価，把握 …… 81
a. 対　象 …… 81
b. 血清アルブミン値 …… 82
c. 形態測定 …… 82
d. 栄養管理 …… 82
E　運動と負荷量設定方法 …… 84
1 効果的な運動とは …… 84
2 運動強度の設定方法 …… 84
a. 心拍数を用いた設定 …… 84
b. 力学的負荷による設定 …… 85
c. リスク管理 …… 86
F　NCDs（非感染性疾患）の理解 …… 86
1 NCDsとは …… 86
2 身体活動の重要性 …… 87
3 行動への介入 …… 87

6
高齢者の骨・関節障害と理学療法①
大腿骨頸部骨折 …… 山田和政　89
A　疾患の概要 …… 89
1 障害像 …… 89
2 症　状 …… 91
B　治療の概要 …… 91
C　理学療法の概要 …… 93
1 術　前 …… 93
2 術後から退院まで …… 93
3 退院後 …… 94
症例検討 …… 95
1 患者プロフィール …… 95
2 理学療法経過 …… 95

7
高齢者の骨・関節障害と理学療法②
変形性膝関節症 …… 小松泰喜　99
A　疾患の概要 …… 99
1 障害像 …… 99
2 症　状 …… 100
B　治療の概要 …… 102
1 保存療法 …… 102
2 手術療法 …… 102
a. 関節鏡視下手術 …… 102
b. 高位脛骨骨切り術 …… 102
c. 人口膝関節置換術 …… 103
d. 手術療法における留意事項 …… 103
C　理学療法の概要 …… 103
1 保存療法 …… 104
a. 筋力増強運動 …… 104
b. 関節可動域運動 …… 104
c. 有酸素運動 …… 104
2 手術療法 …… 104
a. 術　前 …… 104
b. 術　後 …… 105
c. 退院後 …… 105
症例検討 …… 105
1 患者プロフィール …… 105
2 理学療法経過 …… 106
a. 初期評価と保存療法の経過 …… 106
b. 人工膝関節全置換術にいたるまでの経過 …… 107
c. 術後から退院にいたるまでの経緯 …… 108
d. 生活機能向上に向けた理学療法ゴール …… 108

8
高齢者の中枢神経障害と理学療法①
脳血管障害（脳卒中） 永井将太 111
A 疾患の概要 111
1 障害像 112
2 病 態 112
B 治療の概要 114
1 脳梗塞 114
2 脳出血 115
3 くも膜下出血 115
C 理学療法の概要 116
1 急性期 116
2 回復期 117
3 生活期 117
症例検討 118
1 患者プロフィール 118
2 理学療法経過 119
a. 急性期の理学療法 119
b. 回復期の理学療法 120
c. 生活期の理学療法 120

9
高齢者の中枢神経障害と理学療法②
パーキンソン病 白石成明 123
A 疾患の概要 123
1 障害像 123
2 症 状 124
B 治療の概要 125
C 理学療法の概要 127
症例検討 129
1 患者プロフィール 129
2 理学療法経過 130

10
高齢者の代謝障害と理学療法 糖尿病 片田圭一 135
A 疾患の概要 135
1 障害像 135
a. 疫 学 136
b. 発症機転 136
2 症状（高齢糖尿病患者の特徴的症状） 136
B 治療の概要 137
C 理学療法の概要 141
1 理学療法開始時 141
2 理学療法実施から退院まで 142
3 退院後 143
症例検討 144
1 患者プロフィール 144
2 理学療法経過 144

11
高齢者の循環障害と理学療法 心疾患 久原聡志 149
A 疾患の概要 149
1 障害像 149
2 症 状 150
B 治療の概要 151
C 理学療法の概要 152
1 急性期 153
2 回復期 154
症例検討 155
1 患者プロフィール 155
2 理学療法経過 155

12
高齢者の呼吸器障害と理学療法
呼吸器疾患 木林 勉 159
A 疾患の概要 159
A-1. 慢性閉塞性肺疾患 159
1 障害像 159
2 症 状 160
A-2. 肺 炎 161
1 障害像 161
2 症 状 161
B 治療の概要 162

B-1. 慢性閉塞性肺疾患 …… 162
B-2. 肺　炎 …… 163
C　理学療法の概要 …… 163
C-1. 慢性閉塞性肺疾患 …… 164
1 リラクセーション …… 164
2 気道クリーニング …… 164
3 呼吸練習 …… 165
4 呼吸筋トレーニング …… 165
a. 腹部重錘負荷法 …… 165
b. 胸郭可動域練習 …… 165
c. 呼気介助法 …… 166
5 ストレッチング …… 166
6 運動療法 …… 166
7 日常生活活動の指標 …… 166
C-2. 肺　炎 …… 167
症例検討 …… 168
1 患者プロフィール …… 168
2 理学療法経過 …… 168

13

高齢者の悪性腫瘍（がん）と理学療法

…… 佐藤明紀　175
A　疾患の概要 …… 175
1 がんの障害像 …… 175
2 がんの進行と病期・ステージ …… 176
a. TNM分類 …… 176
b. 病期（ステージ）分類 …… 176
B　治療の概要 …… 177
1 がんの治療 …… 177
2 高齢がん患者の特徴と評価 …… 177
C　理学療法の概要 …… 178
a. がんに特異的なリスク管理が必要となること（がんの特徴があること） …… 180
b. 高齢に特異的なリスク管理が必要となること …… 181
症例検討 …… 182
1 患者プロフィール …… 182
2 理学療法経過 …… 182

14

地域在住高齢者と理学療法士

…… 187
A　リハビリテーションマネジメントの概念 …… 高取克彦　188
1 基本的な考え方 …… 188
2 リハマネジメントのSPDCAサイクルと理学療法におけるEPDCAサイクル …… 189
3 地域特性の把握 …… 191
4 施設サービスにおけるリハマネジメント …… 191
5 エビデンスに基づくリハマネジメントに向けた取り組み …… 192
B　理学療法士がかかわる入所リハビリテーションサービス …… 仲 貴子　193
1 入所リハビリテーションサービスの概要 …… 193
a. 介護老人保健施設 …… 193
b. 介護老人福祉施設（特別養護老人ホーム） …… 194
c. 介護医療院（旧 介護療養型医療施設） …… 194
2 入所リハビリテーションサービスの対象と理学療法士の役割 …… 194
3 入所リハビリテーションサービスの実際 …… 195
C　理学療法士がかかわる通所リハビリテーションサービス …… 桜木康広　198
1 通所リハビリテーションサービスの概要 …… 198
a. 通所リハビリテーション（デイケア） …… 198
b. 通所介護（デイサービス） …… 200
2 通所リハビリテーションサービスの対象と理学療法士の役割 …… 200
a. 通所リハビリテーション（デイケア） …… 200
b. 通所介護（デイサービス） …… 200
3 通所リハビリテーションサービスの実際 …… 201
a. 通所リハビリテーション …… 202
b. 通所介護（デイサービス） …… 202
D　理学療法士がかかわる訪問リハビリテーションサービス …… 吉松竜貴　203
1 訪問リハビリテーションサービスの概要 …… 203
a. 訪問リハビリテーションの種別 …… 203

b. 訪問リハビリテーションに従事する理学療法士数 …… 203
c. 訪問リハビリテーションの対象者数 …… 204
d. 訪問リハビリテーションの充足率 …… 204
2 訪問リハビリテーションサービスの対象と理学療法士の役割 …… 204
a. 訪問リハビリテーションの対象者の特徴 …… 204
b. 訪問リハビリテーションにおける理学療法の目的 …… 205
c. 訪問リハビリテーションの理学療法プログラム …… 205
3 訪問リハビリテーションサービスの実態 …… 205
a. サービス提供時間 …… 205
b. リスクの抽出と管理 …… 205
c. 運動療法の指導 …… 206
d. 住宅環境整備の提案 …… 207

15

高齢者の健康寿命の延伸 …… 209
A 高齢社会の現状 …… 野崎展史 210
1 わが国の高齢化の変遷 …… 210
2 高齢化の地域差 …… 210
3 世帯構成の変化 …… 212
B 地域包括ケアシステムと理学療法士の役割 …… 214
1 地域包括ケアシステム …… 214
a. 病院完結型医療から地域完結型医療への移行 …… 215
2 高齢社会における理学療法士の役割 …… 217
C 介護予防の取り組み …… 220
1 介護予防 …… 山田 実 220
a. 介護保険と介護予防事業 …… 220
b. 介護予防における一次予防，二次予防，三次予防 …… 221
2 介護予防の実際 …… 222
a. フレイル，サルコペニア，ロコモティブシンドロームの予防 …… 222
b. 転倒・骨折の予防 …… 新井 武志 222
c. 認知症の予防 …… 仙波 浩幸 226

参考文献 …… 231

索 引 …… 243

学習到達度自己評価問題の解答は，南江堂のリハビリテーション・テキストシリーズホームページにてご覧ください．
URL : http://text.nankodo.co.jp/rehabilitation/

QR コード：

1 ライフステージと高齢者像

一般目標

- 高齢者とはいかなるものかを理解する.

行動目標

1. 老化について説明できる.
2. 高齢者の定義と年齢による分類について説明できる.
3. 老年期の発達課題を踏まえて,「老い」の受容について説明できる.
4. 平均寿命と健康寿命の差がもつ意味について説明できる.
5. サクセスフルエイジングに必要な条件について説明できる.
6. 高齢者が抱く心理について説明できる.

調べておこう

1. 高齢者の社会背景について調べよう.
2. 人間の発達段階と発達課題について調べよう.
3. 健康寿命と平均寿命の違いについて調べよう.
4. Eriksonの発達課題のほかにどのような発達課題があるか調べよう.

A　老化とは

1 加齢と老化

- 人の一生は,誕生後,時間とともに成長,発達して成熟期に達し,衰退(退行)期を経て,死にいたる.
- 加齢agingとは,誕生後から死にいたるまでの生涯にわたる時間経過を指す.
- 老化senescenceとは,成熟期以降の加齢に伴って起こる生体機能の低下を指す(**図1-1**).
- 老化について考えてみると,「老」は「髪が長く,背中が曲がり,杖をついた人」を描いて作った象形文字で,「年をとる」という意味である.「化」は“亻(立っている人)と𠤎(逆さまになった人)”を合わせた会意文字で,人の姿・かたちが別人のようになることから「変わる」という意味である.このことから老化は,「年をとることで姿・かたちが変わる」こと,そして,ここでの「変わる」とは一般的には低下すること,衰えることと捉えられる(**図1-2**).

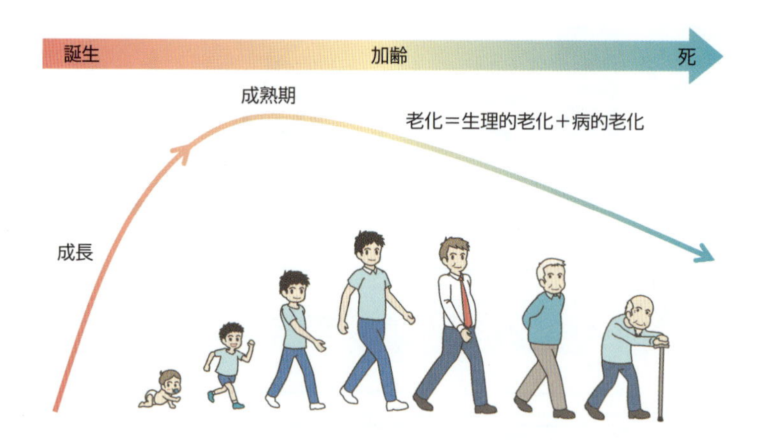

図 1-1　老化
成熟期以降の加齢に伴って起こる生体機能の低下で，生理的老化と病的老化があり，両者が重なり合って起こる．

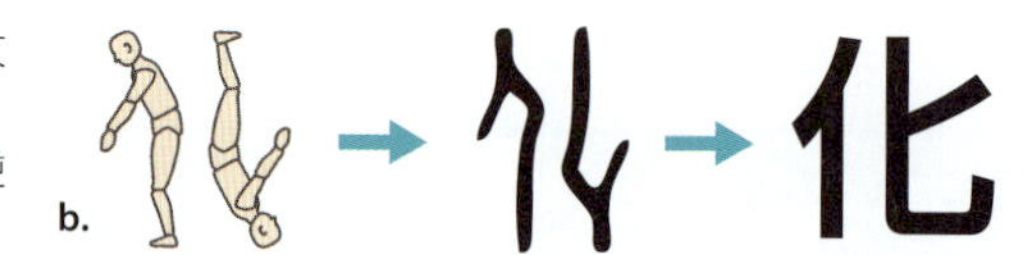

図 1-2　「老」「化」の語源
(a)「老」は「髪が長く，背中が曲がり，杖をついた人」を描いて作った象形文字．
(b)「化」は「亻（立っている人）と匕（逆さまになった人）」を合わせた会意文字．

それは，白髪やしわが増える，耳が遠くなる，腰が曲がる，足腰が弱くなる，体力が衰える，体の動きが鈍くなるといったネガティブな印象をもつことからも納得できる．

- 老化には生理的老化physiological agingと病的老化pathological agingがあり，両者が重なり合って起こるのが，いわゆる「老化」である（**図1-1**）．
- 老化には普遍性，内在性，進行性，有害性の4つの特徴がある．
- 老化は誰にでも起こる現象であり，高齢者に理学療法を実施するうえで常に念頭に置かなくてはいけない．

2 生理的老化と病的老化

- 生理的老化とは，成熟期以降，時間経過とともに誰にでも起こる生体機能の不可逆的な退行性変化をいう．老眼や女性の閉経はその一例である．米国の生物学者Bernard Strehlerは，生理的老化の特徴として，普遍性universality，内在性intrinsicality，進行性progressiveness，有害性deleteriousnessの4つの原則をあげている．それは，「生理的老化は，遅かれ早かれ誰にでも例外なく起こり（普遍性），その原因は遺伝といった生体自身に存在し（内在性），不可逆的で（進行性），生体機能の低下をもたらす（有害性）」といったものである．
- 病的老化とは，誰にでも必ず起こるものではなく，病気やけが，生活習慣病などによって引き起こされ，それゆえ，治療やライフスタイルの改善などによっ

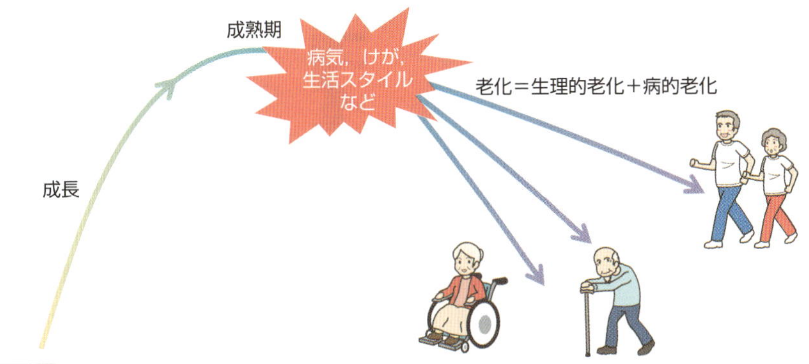

図 1-3　老化の個人差
「老化＝生理的老化＋病的老化」と捉えれば，老化は誰にも同じように画一的に起こるものではなく，きわめて個人差が大きい．そのため，同年齢でも外見や生体機能，姿勢，動作に違いが起こる．

てある程度可逆的なものである．また，病気やけがの程度，食事，睡眠，運動を含む日々のライフスタイルに大きく左右される．

■「老化＝生理的老化＋病的老化」と捉えれば，老化は誰にも同じように画一的に起こるものではなく，きわめて個人差が大きいことがわかる（**図1-3**）．

3 老化のメカニズム

■老化は，なぜ，どのようにして起こるのか，そのメカニズムとして大きく分けて，プログラム説program theory of agingとエラー蓄積説error catastroph theory of agingの2つの説が提唱されている．

■プログラム説は，DNA*に老化のプログラムがあらかじめ書き込まれており，そのプログラムどおりに老化が進行していくというものである．

■エラー蓄積説は，DNAや体を構成し維持するのに必要な栄養源であるタンパク質の構造に少しずつエラーが蓄積することで老化が進行するというものである．

＊DNA（デオキシリボ核酸）
遺伝子を構成している高分子化合物．
DNA：deoxyribonucleic acid

B　高齢者のイメージ

■核家族化が進み，高齢者と身近に接する機会が少なくなった現在，高齢者をどのようにイメージし，捉えればよいのかを高齢者の理学療法を学ぶうえでしっかりと確認しておく必要がある．

■世界保健機関（WHO）の定義によれば，高齢者は65歳以上と定められている．しかし，わが国では，現役を退く定年退職年齢は職場によって異なるため，誰もが65歳で定年退職を迎えるわけではない．また，そもそも老化の進行度合いには個人差がある．そのため，一概に“高齢者”を説明することは難しい．

WHO：World Health Organization

1 老いから想像するもの

■若さが減ると年寄りになる（**図1-4**）．

図 1-4　若さが減ると年寄りになる

- 「老い」とは，「年寄り」「年をとること」を意味する．そのため，「老い」からは，薄毛や白髪，しみやしわ，前屈姿勢やゆっくりとした足取りといった高齢者らしさを表現する容貌，姿勢や動作を想像してしまう．また，思い出せない，忘れっぽい，足腰が弱い，体力がないといった認知・運動機能の衰えを想像しやすい．「老」という字には，老体（年をとって衰えた体），老朽（年をとって役に立たなくなること），老衰（年をとって気力や体力が衰えること）などの後ろ向きの用語も多く，「老い」から想像するものは，マイナスのイメージを有している．ただし，その一方で，「老」という字には，老巧，老練，老熟，老成など，多くの経験を積んで物事に慣れ，上手なこと（上手になること）といった前向きの用語もあり，「老い」についてプラスのイメージも頭の片隅に置いておきたい．

2 世代ごとの高齢者像

a. 中高年世代が抱く高齢者像

- 2014年6月，内閣府は，全国の35～64歳の男女6,000人（有効回収数2,707人）を対象とした「平成25年度高齢期に向けた『備え』に関する意識調査」の結果を発表した．
- 「高齢者だと思う年齢」についての設問では，42.3%（5人に2人以上の割合）が70歳以上と回答していた．中高年者は，高齢者をより高年齢と捉える傾向にあった．
- 「高齢者に対するイメージ」についての設問では，「心身が衰え，健康面での不安が大きい」が74.8%と最も高く，ついで「収入が少なく，経済的な不安が大きい」が46.5%，「経験や知恵が豊かである」が34.3%，「時間にしばられず，好きなことに取り組める」が31.7%，「仕事などの責任から解放されて，自由な生き方や考え方ができる」が27.0%，「周りの人とのふれあいが少なく，孤独である」が21.0%の順であった．中高年者は，「高齢者＝心身の衰え，収入が少ない，孤独」といったマイナスのイメージをもつ一方で，「高齢者＝経験と知識の豊さ，責任からの解放と自由時間」といったプラスのイメージを抱いていた．

b. 高齢世代が抱く高齢者像

- 2015年3月，内閣府は全国の60歳以上の男女6,000人（有効回収数3,893人）を対象とした「平成26年度高齢者の日常生活に関する意識調査」の結果を発表した．
- 「自分が高齢者だと感じるか」との設問に対して「はい」と回答した者は，65

～69歳では24.4%（4人に1人の割合）と低く，70～74歳で47.3%（ほぼ半数），75歳以上で半数以上であった．「自分が高齢者である」と感じている割合は，前期高齢者では半数未満に留まり，高齢になるほど高かった．また，「はい」と回答した者に対して「どのようなときにそう感じるか」との設問では，「体力が変化したと感じたとき」が58.0%と最も高く，ついで「記憶力が変化したと感じたとき」が18.6%，「外見が変化したと感じたとき」が6.5%の順であり，認知・運動機能の低下や外見の変化で自覚していた．

- 「高齢者とは何歳以上か」との設問では，およそ4人に1人が「70歳以上」または「75歳以上」と回答しており，「65歳以上」はわずか6.4%であった．また，「支えられるべき高齢者とは何歳以上か」との設問では，およそ4人に1人が「80歳以上」または「75歳以上」と回答しており，「65歳以上」はわずか4.7%であった．高齢者をより高年齢と捉える傾向は中高年者と同じであり，自分自身を高齢者とは感じておらず，無論，支えられる高齢者になるのはまだまだ先のことと捉えているように解釈できる．
- 「生きがい（喜びや楽しみ）を感じているか」との設問では，「感じている」と回答した者は65.5%であり，その内容は，趣味やスポーツ，友人や知人とのかかわり，家族との団らん，旅行，仕事，孫の面倒の順に多かった．他者とのつながりに喜びや楽しみを感じているように受け止めることができる．
- 「何歳ごろまで収入を伴う仕事をしたいか」との設問では，およそ3人に1人が「働けるうちはいつまでも」と回答していた．
- 「将来の日常生活への不安」についての設問では，およそ3人に2人（67.6%）が「自分や配偶者の健康や病気のこと」と回答しており，ついで，「自分や配偶者が寝たきりや身体が不自由になり介護が必要な状態になること」が59.9%，「生活のための収入のこと」が33.7%，「子どもや孫などの将来」が28.5%，「頼れる人がいなくなり1人きりの暮らしになること」が23.1%の順であった．また，「自分や配偶者の健康や病気のこと」と回答した者に対して「どのようなことに不安を感じているか」との設問では，体力の衰え，認知症，がん，高血圧，糖尿病，目や耳の病気，脳卒中，心臓病の順に多かった．高齢者は，自分自身だけでなく配偶者に対しても加齢に伴う認知・運動機能の低下や生活習慣病に不安を感じており，日々，健康面，経済面，生活面に対する将来への不安を抱えて生活していることが伺える．
- 「日ごろとくに心がけていること」についての設問では，健康管理，食事，家事，衣服（おしゃれなど），住まい，仲間との付き合いの順に多かった．また，「自主的活動で参加したいもの」についての設問では，健康・スポーツ，趣味，生産・就業（生きがいのための園芸や飼育，シルバー人材センターなど），地域行事（地域の催しものの世話など），安全管理（交通安全，防犯・防災など），生活環境改善（環境美化，緑化推進，街づくりなど）の順に多かった．高齢者は，健康意識が高く，仲間との付き合いを大切にし，そのために，スポーツや地域社会に積極的に参加しようとしているように見受けられる．

3 高齢者の定義と分類

- 高齢者とは，社会のなかで他の集団よりも高い年齢層の集団のことである．
- 年齢による高齢者の定義は国によって異なるが，国連の世界保健機関（WHO）の定義では65歳以上としている．
- 高齢者の分類において，老年医学では年齢に応じて前期高齢者（65～74歳），後期高齢者（75～89歳），超高齢者（90歳以上）の3つに分けている．
- 近年では健康志向の高まりや，定期的な運動など生活習慣の改善も影響してか，高齢者であっても数十年前と比べて元気で活動的な人が多い．
- 近年のわが国の高齢者は20年程度前の高齢者と比べて握力や歩行速度などの身体機能が約10歳若返っていることや，国民の高齢者に関する意識調査の結果を踏まえ，日本老年学会，日本老年医学会は高齢者の定義の変更について検討を始め，その提言を2017年に行っている．
- 高齢者の健康状態は個人差が大きいものの，医療費の負担割合や給付金のしくみが異なるため，前期高齢者と後期高齢者のように年齢で分けて定義づける必要がある．

memo

平均寿命と健康寿命

2020年に厚生労働省が発表した2019年における日本人の平均寿命は，男性が81.64歳，女性が87.74歳であり，世界有数の長寿国家である．

平均寿命とは0歳児が平均して何歳まで生きることができるかという指標である．一方，健康寿命とは0歳児が介護を受ける必要がなく何歳まで自立して生活できるかという指標である．つまり，平均寿命と健康寿命の差は，日常生活に制限を伴う不健康な期間を意味する．2016年において，この差は男性で8.84年，女性で12.35年となっている．平均寿命と健康寿命の差の拡大は，医療費や介護給付費を消費する期間の長期化を意味する．

したがって，高齢者理学療法においては，対象者の自立した生活を送る期間を長くし，生活の質を拡大し，健康寿命を延伸することが最重要課題である．

C 老年期の発達課題と「老い」の受容

1 老年期の発達課題

- 発達課題とは，個人が健全で幸福な発達をとげるために人生をいくつかの段階に分けたうえで，各段階で達成すべき課題のことである．
- 各発達段階で果たすべき課題を論述した研究者は多く存在するが，最も詳しく組織的にまとめたのは1952年にRobert J. Havighurstによって提唱された発達課題である．
- Havighurstの提唱した発達課題は，人生の各時期に課題を設定し，それを達成

表 1-1　Erikson による発達課題

年　齢	発達段階	導かれる要素	心理的課題	主な関係	例
0～2歳	乳児期	希　望	基本的信頼 vs 不　信	母　親	授　乳
2～4歳	幼児前期	意　思	自律性 vs 恥と疑惑	両　親	トイレトレーニング，更衣の自律
4～5歳	幼児後期	目　的	自主性 vs 罪悪感	家　族	探検，道具の使用，芸術表現
5～12歳	児童期	有能感	勤勉性 vs 劣等感	地域や学校	学校，スポーツ
13～19歳	青年期	忠誠心	同一性 vs 同一性拡散	仲間とロールモデル	社会的関係
20～39歳	初期成人期	愛	親密性 vs 孤　立	友人やパートナー	恋愛関係
40～64歳	成人期	世　話	世代性 vs 停　滞	家族や同僚	仕事，親の立場
65歳以上	老年期	賢　さ	統合性 vs 絶　望	人　類	人生の反響

することで幸福になり，つぎの発達段階の達成も容易になるが，失敗した場合は不幸になり，つぎの発達段階の課題の達成も困難になるという概念である．

- Havighurstは，老年期の発達課題として，以下の5つをあげている．
  ①身体機能と健康の衰えへの適応
  ②定年退職への適応
  ③配偶者の死に対する受容
  ④友人との人間関係
  ⑤社会的役割の変化への適応
- 現在はErik H. Eriksonが提言した発達課題が最も著名である（**表 1-1**）．
- Eriksonの提唱した発達課題は，各発達段階の課題を達成する・しない，にかかわらず，人は心理的な発達とともにすべての発達段階を通過していくという概念である．
- 各発達課題は成功と失敗の対概念として示され，より多くの成功体験をもつことが重要である．
- 各発達段階における具体例を**表 1-2**に示す．
- Eriksonは，発達段階の8番目である老年期を，人生全体のまとめの段階と考え，過去を再び経験し統合する時期として「統合性」とした．
- 統合性とは，過去，現在，死を含めた自分の人生を再吟味し，納得できるよう

表 1-2 Eriksonの各発達段階における発達課題の具体例

発達段階	具体例
乳児期	子供が母親との一体感，相互信頼を体験する時期で，他者への安心感と自分自身に対する信頼感を獲得する．それが得られないと，他人や自分を信用できなくなり，基本的不信に陥る．
幼児前期	子供の自立が始まる次期で，自律性を獲得する．しかし，それに失敗したり，他者により過剰にコントロールされたりすると，恥の意識が生じる．
幼児後期	自主的な行動と，親や仲間に合わせるような自制心が発達してくる時期であるが，それが高じると自分の自主的行動に対する罪悪感が生じる．
児童期	勤勉性と好奇心を発達させる時期で，周囲から認めてもらえないと，自分は何をやっても駄目だという劣等感に陥る．
青年期	自分は自分であるという確固たる自信をもつ同一性の時期であるが，同一性が困難な状況になると，自分で自分がわからなくなる混乱した同一性拡散が生じる．
初期成人期	他者とのかかわりに親密さを感じる親密性によって，就職，恋愛，結婚を経験する，人生が充実した時期である．人間関係に親密さを築けないと，孤立する．
成人期	子供を生み育てること，後輩の教育，仕事や文化の継承などに意欲を示す．しかし，失敗すると，歪んだ親密さや対人関係における退行現象となって，停滞が生じる．
老年期	自分自身の生涯を振り返り，死を受け入れる準備をする時期で，自分なりに存在価値を見出し，承認する．でなければ，自己の人生を悔いる絶望感に陥る．

に折り合いをつけることである．

- これまでの自分の人生を振り返り，生活やライフワークを総合的に評価し，肯定的に受け入れることで心理的な安定が得られるが，課題に失敗すると後悔や絶望感を感じることが多くなる．

2 「老い」の受容

- 発達課題の最終段階である老年期は，子育てが完了したり，仕事を退職したりと，人生の転換期となるため，これまでの人生の振り返りの時期になる．

memo

定年退職は人によっては老年期における最大のライフイベントであり，経済的基盤の喪失，社会とのつながりの喪失，生きる目的の喪失を経験しやすい．一般に，わが国の企業体質は年功序列で，定年退職時には権限をもった地位にある場合が多く，このような人は引退後に権限のない対等な関係で構成される家庭や地域へ社会参加の場に移行すると，新たな人間関係の構築に戸惑うことがある．
職業からの引退後に社会参加や活躍の場が少なくなると，自分に存在価値を見出すことができずに，うつ状態や認知症を発症し，課題への適応に失敗することもある．仕事に対するかかわり方は人それぞれであり，生涯現役として何らかのかたちで仕事を継続する人もいるが，多くは退職後に特別課題（ライフテーマ）をみつけて社会貢献しようとする．職業からの引退後に過去の実績を満足のいくものとして受け入れ，また周囲の人々に承認されることで誇りと自信に結び付き，心理的な安定が得られる．家庭生活や地域社会で新たな役割をみつけたり，あるいは新たな自分の生きがいをみつけたり，第二の人生を豊かに過ごすためには，周囲の人々の支援も必要である．

- 人生のなかでうまくいったこと，思いどおりにならなかったこと，成功したこと，失敗したこと，すべてを含めて受け入れ，人生に意義と価値を見出すことができれば，自分自身を肯定できる心をもち，「統合性」が達成されることで「老い」を受容することができる．
- Eriksonの発達段階の乳児期から老年期にいたる課題をどのように克服してきたか，その人の社会的な役割，家庭での役割，職業的意義，個人的な意義など，これまで歩んできた人生が「老い」を肯定的に受け入れるか，絶望感を抱いてしまうかに大きく影響する．

memo

発達段階の老年期において自分の人生を肯定的に受け入れられるかどうかで重要となるのは，聞き手によるところも大きい．高齢者と身近に接する理学療法士は，健康増進などの身体的支援のみならず，心理的な支援を行う役割も担っている．

- 「老い」には“普通の”老いと以下の3つの条件を満たした“サクセスフルエイジング”がある．
  ①病気とそれに付随した障害が生じるリスクが低い．
  ②高い身体機能と認知機能を維持している．
  ③人とのつながりをもち，生産的活動に従事するなど社会に参加していきいきと生活している．
- サクセスフルエイジングには，まず心身機能の低下をできるだけ防ぎ，維持し，失われた機能をできる限り取り戻し，これまでの日常生活を継続できることが主な要件である．
- 「平成26年度の高齢者の日常生活に関する意識調査」の結果（p. 4参照）からは，高齢者が抱えるさまざまな不安のなかで，とりわけ健康や介護について関心が高いことがわかる．
- したがって，高齢者の理学療法における日常生活活動能力の維持，拡大は，サクセスフルエイジングの実現のためにも非常に重要となる．

D 高齢者の心理

老年期は特有の喪失体験に遭遇することが古くから示されている．超高齢社会が到来し，人との関わり合いの手段が多様化した現代社会において，これらの喪失体験はネガティブでストレスフルなライフイベントとなるであろうか．ここでは社会的状況やさまざまな国内の調査結果を踏まえ，現在の高齢者の心理を概観する．高齢者の心の傾向を理解しておくことは，より適切な理学療法の提供につながると考える．

1 身体的変化の視点からみた高齢者の心理

- 65歳以上で病気やけがなど自覚症状のある有訴者数は，人口1,000人当たり

466.1人である（『平成28年度版高齢者白書（内閣府）』）．高齢者の半数近くが何らかの病気やけがなどの自覚症状を有し，加齢と共に割合が高くなる．

- 一般的な加齢による特徴として身体機能や予備力が低下する．外見的に明らかな身体機能低下がみられない高齢者であっても，複数の軽度な身体機能低下があり，素早い動きや連続した歩行などが徐々に難しくなる．そのため，外出などへの自信や気力が減弱する．
- 老年期の虚弱が進展した状態を「フレイル」と呼ぶ．これは身体的，精神心理的，社会的な要素を含む多面的/包括的概念である．身体機能低下と気分的なうつ状態出現などが認められ，複数の研究によって支持されている．このように加齢に伴う身体機能の低下は，心理的にネガティブな影響を生じやすくする．
- 高齢者に対し，将来の日常生活全般についてどのようなことに不安を感じるか調査したところ「自分や配偶者の健康や病気のこと67.6%」が最も高かった．具体的には「体力の衰え62.2%」「認知症55.0%」が示された（『平成26年度高齢者の日常生活に関する意識調査』より）．老年期は自身や配偶者の身体機能低下に対し，不安が高まってゆく．
- しかしながら，身体機能低下に影響を受けない心理的特徴も報告されている．これはエイジングパラドックスaging paradoxと呼ばれ，加齢が進展することによる身体機能（身体資源）などの喪失や疾病増加に影響を受けず，主観的健康感や主観的幸福感などが維持されている現象を指す．現時点においてこれが広く一般的な現象とは言い難いが，とくに後期高齢期における心理的適応のひとつと報告されている．
- また，近年は健康寿命の延伸や高齢者の体力向上，活発な社会活動参加といった身体機能低下自体の遅延を示唆するさまざまなデータが示されている．
- 高齢期は身体機能低下により，ネガティブな心理的影響を引き起こしやすいことは間違いない．しかし，体力向上やエイジングパラドックスといった負の心理的影響を受けにくくする要因も認められており，高齢者の身体機能低下と心理的側面を結び付ける場合は主観的健康感などを活用することが勧められる．

2 社会的・経済的変化の視点からみた高齢者の心理

- 「退職，引退」といったライフイベントは，従来，老年期における喪失のひとつと捉えられてきた．これは職業役割の喪失や，収入が年金に移行し減少する，仕事で得てきた人間関係が終わることなどを意味したためである．
- しかし近年は高齢者の就業に対する社会的背景が変化し，否定的な心理的側面が必ずしも先行しているわけではない．
- 少子高齢化により生産年齢人口（15～64歳）は減少し続け，2019年には約7507万人と1995年のピーク時（8716万人）から1209万人少なくなっている．この現状を踏まえ，政府は高齢者がその意欲，体力，能力に応じて，年齢にかかわりなく働き続けることができるよう，さまざまな就労支援策を打ち出している（2006年雇用確保措置の義務化，2013年希望者全員の継続雇用義務化等，高年齢者雇用安定法）．それらにより2019年の高齢者就業数は892万人と過去最多となっている.

- 『令和2年度版高齢社会白書（内閣府）』によると，60歳以上の男女で収入のある仕事に就いている者は37.3%であり，男女共ほぼすべての年齢階級で増加傾向を示した．年齢別にみるとより若い高齢者ほど，就業率が高い傾向であった（男性で60〜64歳；85.8%，65〜69歳；60.1%，70〜74歳；41.7%，75〜79歳；28.8%）.
- 就労意思については，収入のある仕事をしている約9割の者が70歳以上まで働きたいと考えていた．年齢が高くなると減る傾向であったが，20.6%の者が「働けるうちはいつまでも」と回答していた．その理由として「収入」や「体に良い/老化を防ぐ」「知識を生かせる」などがあげられており，中でも「収入」が最も多かった.
- 年金受給開始年齢が60歳から65歳となり，無収入の期間が生じること，少子高齢化による労働力不足を補うために，高齢者の多様な形態による雇用や就業の援助施策が進められていることなど，社会的背景が大きく変化してきていることが影響しているものと推測される.
- 現代社会において老年期に訪れるライフイベントとしての退職，引退は，完全な就労の終わりを意味していない．つまり，否定的な心理的側面の減少というよりも，むしろ身体的にみて可能な限り働き続けるといったポジティブな意向が伺える.
- 身体機能をできる限り長く，高い状態で維持させる取り組みは，高齢者の就労支援につながる.

3 家庭内の変化の視点からみた高齢者の心理

- 2019年現在，65歳以上の者がいる世帯は全世帯の約半分（計2558万4千世帯，49.4%）であり，その内，「単身世帯」と「夫婦のみ世帯」が合わせて6割を超え増加傾向を示している．子供や孫と共に生活する高齢者は減少している.
- 単身高齢者（単身世帯）は同居家族がいる高齢者と比較して「毎日会話をしていない」「病気や日常生活で頼れる人がいない」「社会的活動に参加していない」などの社会的孤立に陥りやすい特徴がみられた.
- 単身高齢者は夫婦のみ世帯の高齢者と比べて生きがいを感じにくく，半数以上の者が孤立死に対し不安を抱いていた．単身高齢者は主観的健康感に対しても負の影響を受け，孤立死のような社会的問題に直面している.
- では，子供はいるが同居していない世帯は，孤立を回避する同居や近居についてどのように考えているのだろうか.
- 子供がいる高齢者に「子供と同居や近居の意向」を尋ねた．結果，「同居したい（34.8%）」「同居ではなく近居したい（29.0%）」「同居か近居のどちらかをしたい（9.6%）」の順に多く，合わせて74.3%の高齢者が同居や近居を希望していた（『平成30年度高齢者の住宅と生活環境に関する調査結果』より）.
- 希望する理由として最も多かったのは，同居・近居希望のどちらも「手助けが必要な時に安心して過ごせる」であった．しかし，同居を希望する高齢者は子供との同居を「介護を受けるメリット」として捉える割合が高く，これに対して近居を希望する高齢者は「公的機関からの援助」や「民間事業者によるサービス」をあげる割合が高かった．近居を希望する高齢者は子供を日常的な不安を解消する存在としては捉えつつ，介護や介助などを期待しないことが伺われた．同居希望と近居希望では，子供に対して異なる価値観を有していると思われる．

- 単身世帯や夫婦のみの世帯増加には，「子供の世話になりたい/世話をするもの」という思いと，「子供に頼りたくない」という思いの両者が伺える．

4 過去への執着

- 高齢者にみられやすい特徴として，「昔のことをよく喋る」「昔の苦労話をよくする」などがいわれている．高齢者の過去への回想は，“過去への繰り言”とか“現実からの逃避”などと捉えられがちである．
- 黒川らも歴史的にみて高齢者の回想は，「未来の短縮した高齢者の過去に対する執着や老化のサイン」として否定的心理過程にみなされてきたと説明している．
- 回想とは，かつて経験したことを再認感情を伴って再生することや，過去についての思いを巡らすことである．しかし，現在の心理学では老年期の回想は，人生経験，歴史を想起するという意味で，セラピーや高齢者教育プログラムの基礎として役立つと結論づけられ，サクセスフルエイジング，自我の統合や適応を促すものと考えられている．
- 高齢者を対象とした回想を用いる心理療法として，回想法reminiscence therapyやライフレビュー法life review therapy，ナラティブ・アプローチnarrative approachなどがある．これらはうつ傾向の軽減，対人関係改善や主観的幸福感を高めるなどの効果が示されている．快適な「思い出」の部分に働きかけ，それが高齢者にとって心理的な安定をもたらす可能性を示唆している．さらに，回想することが老年期の適応を促進させる1つの方法であるとの考えから，日常生活において回想の機会を増やし，積極的に回想を導入しようとする試みもなされている（高齢者の語り場など）．
- 高齢者の昔話を「過去への執着」と捉えるのではなく，身体活動を促すための好機とみる必要がある．そして「昔のことを話す」機会を積極的に取り入れることで心身が適応していくのである．
- 野村は「人生は過去の体験や出来事が縦糸や横糸となって織り成される一枚の織物のようなもの」とし，高齢者は「織り込まれているさまざまな過去の記憶や思い出に親しむ傾向が認められる」と説明した．理学療法を実施する際，日常的な会話に留まらず「過去を語らせる」ことを上手く用いれば，心理的援助の一手段となりうる．心身機能の低下した百寿者に対し「語り」を通した支援を行い，発語量だけでなく血流，筋肉活動，覚醒水準などのレベルの上昇を示唆する報告もされている．

5 老年期の不安感・喪失体験

- 高齢者の将来の日常生活への不安は，自分や配偶者の「健康や病気」「介護」である．不安を感じない者はわずかしかいない．
- 悩みやストレスの原因を年齢階級別にみると，20～60歳台までは「自分の仕事」「収入・家計・借金」，65歳以上は「自分の病気や介護」「家族の病気や介護」が上位2つを占めている．
- このように老年期は病気，介護といった身体的な要因が不安の中心に存在している．とくにパートナーである配偶者に対しても自身と同様に重く受け止めている．
- 『平成24年版高齢者社会白書（内閣府）』によると，心の支えとなってくれる人の1位は「配偶者あるいはパートナー」，2位は「子供」である．家族は一番身近な存在であり，日々の生活の一部としてあらゆる社会関係の中で個人のQOLに与える影響は大きい．

QOL：quolity of life

- 老年期は「配偶者との死別」という喪失体験が生じる．これは，古くから最もストレスフルなライフイベントとされている．
- 身近な人の死別に際しては，「悲嘆grief」と呼ばれる一連の心理過程をたどることが示されている．悲嘆は喪失に対する正常反応であり，「落胆や絶望の情緒体験などの多くの感情の組み合わせ」と位置づけられている．ショック，否認，絶望，活力の欠如，混乱，不安，悲しみ，怒り，罪悪感などの心的症状や，不眠，引きこもりといった身体的，行動的症状が出現する．
- 悲嘆を測定する代表的な指標として，抑うつ感がある．おおむね死別後1年未満はうつ症状増加の傾向を示すが，1年以上経過すると減少することが示されている．これは，悲嘆からの回復（適応）過程と考えられている．
- しかし，死別後，急性期の強い悲嘆反応が長期に持続し，日常生活や社会生活機能に障害をきたす「複雑性悲嘆*complicated grief」と呼ばれる状態も存在する．故人に対する強い思慕，嘆き悲しみの著しい苦痛，生きる希望や目標を失うなど，自分らしい生を生きられなくなり自殺行動の増加や身体疾患のリスクの増加も生じることがある．

＊複雑性悲嘆 2013年DSM-5では持続性複雑死別障害，2018年ICD-11ではprolonged griet disorderとなっている

- 理学療法士は生前患者へのアプローチ・家族支援を通じて，遺族にとって信頼・安心できる存在となりえる．遺族は死別後，悲嘆が生じた際，「生前の故人について知り，かつ心置きなく話ができる誰か」を探している．悲嘆を理解したうえで話を聞くことは大切な理学療法の一部である．
- 悲嘆状態の人に対し，寄り添い，援助することをグリーフケアと呼ぶ．グリーフケアは，本来，家族，親族，友人，知人のような身近な人々が担うのが最もふさわしい．しかし，近年の子供との同居率の低下や近隣関係の希薄化など社会的支援が得られにくい環境である事も指摘され，危惧されている．

老年期には特有のネガティブイベントに遭遇する確率が高い．理学療法士は対象者が「どのような心理的負担を強いられているのか」を推察し，適切な言葉を

選び，安心できる態度で接することが必要となる．これは，治療技術に匹敵する．

E 高齢者に理学療法を実施するうえでの心構え

■人は成熟期以降，老化により外見，心身機能，姿勢や動作に変化をもたらし，その変化の多くは低下と衰えである．そのため，一般的に，高齢者に対して，病気やけがに陥りやすく，虚弱で，健康状態や生活機能の低下を招き，介護が必要となる状態にいたるといったイメージをもつ．しかし，老化は誰にでも均一に起こる（進行する）ものではなく，個人差がある．わが国の平均寿命を考慮すれば，人生80年以上ともいえる．そのなかで，定年退職を迎えても高齢者の自覚がなく，健康や介護に不安を抱きながらも第二の人生をスタートする高齢者も増加している．老後は余生ではなく，元気で活発に生活をエンジョイするために積極的に趣味やスポーツ，ボランティアなどの社会活動に取り組む高齢者のイメージももたなければならない．

■高齢化が進むなか，理学療法の現場では高齢者を担当する機会がますます増えている．高齢者の理学療法においては，疾患や障害だけでなく老化にも目を向けること．老化は年齢では把握できず個人差があることを理解し，その本人の心身状態を詳細に評価し，プログラムの立案・遂行することを忘れてはいけない．

学習到達度自己評価問題

1. 加齢と老化について説明しなさい．
2. 生理的老化の特徴について説明しなさい．
3. 老化を念頭に置き，自らが抱く高齢者のイメージについて説明しなさい．
4. 老年医学における高齢者の定義と分類について年齢を基に説明しなさい．
5. Eriksonが提唱した老年期の発達課題における「統合性」について説明しなさい．
6. 老年期の発達課題をふまえた「老い」の受容について説明しなさい．
7. サクセスフルエイジングの実現に最も重要な要件を説明しなさい．
8. 配偶者との死別や子供の独立が高齢者の心理に及ぼす影響について説明しなさい．
9. 高齢者の過去への執着は，近年，どのような意味をもつものと考えられているのか，説明しなさい．

2 加齢に伴う身体機能・精神機能の変化

一般目標

■高齢者に理学療法を実施するために必要な加齢に伴う心身機能の変化について理解する.

行動目標

1. 加齢に伴う身体（形態）構造の変化が説明できる.
2. 加齢に伴う運動機能の変化が説明できる.
3. 加齢に伴う感覚機能の変化が説明できる.
4. 加齢に伴う生理機能の特徴が説明できる.
5. 加齢に伴う知能，記憶，感情，人格，生きがいの特徴が説明できる.

調べておこう

1. 一般健常成人における運動・感覚機能の特徴について解剖学的，生理学的，運動学的に調べよう.
2. 呼吸，循環，代謝，消化，嚥下機能について調べよう.
3. 加齢による脳の構造と機能の変化について調べよう.
4. 高齢者が地域で活躍できる団体について調べよう.

A 高齢者の身体的特徴

1 身体（形態）構造

a. 体格，体型，姿勢

■体格は身長，体重，BMIで示される．BMIはエネルギーの摂取量および消費量のバランスの維持を示す指標とされる値である．加齢による身長の変化は，50～80歳までに男性では5cm，女性では8cm短縮するとされている．加齢に伴って生じる身体活動量の低下や慢性的な低栄養状態から，成人期（20～60歳まで）と比べ体重減少を招きやすい.

BMI：body mass index

■加齢に伴う体型の変化として，歯の欠損や義歯の不適合などの口腔内の問題が顕在化することで，食欲低下による低栄養が助長されて体重減少を招きやすく，やせ体型となりやすい．その一方で，加齢による身体機能の低下や身体活動量の低下から，肥満体型となる場合もある.

■姿勢は身体の構え，あるいは全身の形を表す．加齢に伴う姿勢の変化として，背筋力の弱化（もしくは低下）による脊柱後彎変形があげられる．男性では60歳以降に，女性では50歳以降に顕著となり高齢者特有の円背（えんぱい）姿勢となる．円背姿勢では，前屈位と，足関節周囲筋の筋力低下を股・膝関節周囲筋が代償することで膝関節屈曲位の後方重心の姿勢をとりやすくなる．

b．骨，関節

■骨組織は，周期的過程で再造形される bone remodeling unit と呼ばれる組織単位によって新陳代謝が行われ，骨形成と骨吸収の連続した反応により骨量が保たれる（coupling）．骨量は，30～40歳台にかけてピークを向かえ，それ以降の bone remodeling unit は，骨形成機能の低下で骨量の減少が起こりやすい．女性は閉経後のエストロゲン分泌の減少に伴うホルモンバランスの変化により骨吸収が進むことで，男性と比べ骨量の減少が加速して骨粗鬆症につながりやすい．

■骨量減少の原因は，加齢を基盤に腸管からのカルシウム吸収の低下，閉経，身体活動量の減少や喫煙による影響がある．それ以外には内分泌疾患，先天性疾患，糖尿病などの病因がある．

■関節軟骨は，軟骨細胞と細胞外基質から成り立っており，基質の中に埋まり込んで存在する軟骨細胞は加齢によって減少する．軟骨細胞の減少は，軟骨組織の再生能力低下から関節軟骨の変性を招き，関節の機能障害を引き起こしやすくする．

■関節軟骨は，加齢に伴う軟骨細胞の分裂能の低下やアポトーシス*，コラーゲン*架橋結合の質的変化やプロテオグリカン*の細分化により変性し，細胞外基質の脆弱化が起こる．

＊アポトーシス　細胞が縮小し，他の細胞に貪食され消滅する遺伝的にプログラム化された細胞死．ネクローシスは虚血など病理的要因による受動的な細胞死．

＊コラーゲン　骨・軟骨を構成するタンパク質．

＊プロテオグリカン　タンパク質の一種で身体組織を維持する．

c．筋肉（筋肉量）

■運動機能面において加齢とともに最も衰えていくもののひとつが，下肢の筋肉である．

■骨格筋量を部位別，年代別にみると，いずれの部位も加齢に伴い減少するが，上肢筋量は成人期まで大きな変化がなく減少の程度も緩やかであるのに対し，下肢筋量は20歳台から減少が始まり，減少スピードも上肢筋量に比べて速い．

■立ち上がり動作や歩行に必要とされる大腿四頭筋の筋肉量は，25歳くらいでピークとなり，その後は加齢とともに減少し，60歳では25歳時の60％にまで減少する．

■加齢に伴う筋肉量の減少はサルコペニアとよばれ，筋肉内の脂肪組織の増加とミトコンドリアの減少，筋線維数の減少やタイプⅡ線維（速筋線維）の萎縮が認められる．

■サルコペニアの原因として日常における身体活動量の減少，低栄養やホルモンバランスの変化などが要因として関与している．

■骨格筋量の評価には筋断面積を用いるが，筋断面積の減少速度と筋力の低下速度には乖離がみられるともいわれている．

2 運動機能

a．筋力，筋持久力

- 全身筋力の指標とされる握力を性別・年代別にみると，男性では30歳台後半に，女性では40歳台後半にピークを迎え，加齢に伴い緩やかに低下し，75歳以降にはピーク時の約75％まで低下する．
- 加齢による筋力低下の原因は，運動単位数の減少と神経線維である軸索にグルコース重合体が沈着し，軸索流の障害による神経枝の脱神経，線維化にともなう神経再生の変化による神経原性筋萎縮によるものが考えられ，若年者と比較して固有筋力*は低い値を示す．これは筋力が筋肉量よりも相対的に加齢による低下（または減少）の程度が大きいことを意味している．
- 高齢者の固有筋力が低い主因は，若年者に比して最大収縮時における主動筋の筋活動減少や主動筋と拮抗筋との共収縮の増加がみられることがあげられる．
- 加齢によるタイプⅡ線維（速筋線維）の選択的な筋萎縮により，高齢者は，瞬発力（最大筋力）の減退が著しい．これは全般的に加齢に伴う変化として筋持久力の低下が小さいことを示している．
- 高齢者は日常生活において最大筋力を必要とする動作が少ないため，加齢に伴う筋力低下のみではADLに著しい影響はないことが多いものの，加齢変化に何らかの疾患の影響が加わると，即座に問題となる可能性がある．
- 筋持久力は，筋線維特性以外に酸素供給能の影響も受ける．活動筋の酸素摂取量は血液供給量により規定されるが，加齢による循環機能低下があると酸素摂取量も低下する．しかし，身体の活動部位や参加筋群，さらに日常生活での活動量の違いにより，その影響の程度は異なるとされる．また，筋での酸素利用能は酸化酵素活性により規定されるが，ミトコンドリア量，筋の酸化能力と共に加齢により低下するとされる．すなわち，高齢者では血流量の低下による酸素供給能の低下と，筋での酸素消費能の低下の両面から，筋持久力の低下を考える必要がある．

*固有筋力　筋力を超音波法で測定した筋厚から筋横断面積を推定し除した値をいう．筋力発揮にかかわる神経性因子の指標として用いられている．

b．瞬発力

- 加齢とともに瞬発力は低下し，何らかの刺激に反応して運動を開始する場合，反応から最大筋収縮力に達するまでの時間は加齢に伴い延長する．
- とくに，刺激から筋収縮が始まるまでの反応時間の延長に比べ，筋収縮が始まってから最大収縮に達するまでの時間の延長が相対的に大きい．これは主にタイプⅡ線維（速筋線維）が選択的に減少することから起こると報告されている．
- 転びそうになってとっさに踏み直ろうとするときなどには，短い時間で大きな筋力発揮が必要であることから，筋収縮にかかる時間の延長が高齢者における転倒増加の一因となっている．

c．起立，歩行，身の回り動作

- いすからの起立動作では，重心位置を前頭方へ，重心線を両足部で形成された狭い支持基底面のなかに移動させなければならず，それには筋力とバランス能力の両方が必要であり，高齢者では困難な動作となることが多い．

- 生活環境が和式の場合，床や低いいすから立ち上がることが多くなり，身体機能面だけでなく環境面の影響も問題となり，さらに負担が増大する．
- 加齢による歩行の変化は，さまざまな要素からみることができる．とくに重要なのが，歩行速度の低下である．
- 一般的に歩行率（ケイデンス），歩幅は歩行速度と比例するが，高齢者の場合は歩行速度の低下，歩幅の減少が起こり，それを補うために歩行率の増加がみられることがある．また，両脚支持期や歩隔の増大，各関節可動範囲の減少なども起こる．

ROM：range of motion

- 加齢に伴う歩行速度の低下は，筋力低下や関節可動域（ROM）制限，感覚障害などの運動器・神経系の機能低下の関与が大きく，その他として呼吸・循環系の機能低下も要因となる．
- 身の回り動作も運動機能や感覚機能の低下から，若年者と同様に行うことは困難となる．とくに，複雑な手順が必要な場合や，新しい道具を使用する必要がある場合は難しい．さらにさまざまな動作に時間がかかるようになるため，スピードが要求されるような動作の場合もうまくいかないことが多くなる．
- しかし，日常的な動作は長年行っていることから習慣化されていることが多く，何らかの疾患による急激な身体の機能不全がない場合は，高齢になってもある程度時間をかければ行うことが可能である．

3 感覚機能

a. 視　力

- 加齢に伴い裸眼視力だけでなく，矯正視力（眼鏡などで適切な調整をした状態の視力）も低下する．
- いわゆる「老眼，老視」は，角膜や水晶体の屈折率の低下による光透過性の低下や，瞳孔の縮小（老人性縮瞳）による光量の調節力の低下，視細胞や視神経数の加齢による減少により起こる．このため，若年者に比べて環境の明るさに影響を受けやすく，薄暗い環境では極端に視力が低下することがある．
- また，水晶体が病的に混濁した状態が白内障であり，先天性や糖尿病性などの原因があるが，高齢者では老人性白内障が最も多くみられる．
- その他，眼圧の上昇などによって視神経が障害される緑内障，糖尿病性網膜症など，視力障害の原因となる疾患の発症は，高齢者で多くみられる．

b. 聴　力

- 加齢に伴い多くみられる老人性難聴は，内耳の感覚神経，聴神経，脳の中枢のどこかに原因がある感音性難聴であり，感覚細胞や蝸牛神経線維の変性などにより生じ，有効な治療法や進行を止める手段はないとされる．
- 特徴として，①左右両側とも同程度に障害されることが多い，②高音域（1 kHz以上の高周波数）の音の聞き取りが障害されやすい，③純音聴力（音を聞き取る能力）に比べ，語音聴力（言葉を聞き取る能力：語音明瞭度）が低下しやすいことがあげられる．
- 老年期の聴力の低下は「障害」としての認識が欠けることが多い．聴覚障害によりコミュニケーションに支障をきたし，引きこもりなどから認知機能や社会性の低下につながることがある．また車のクラクションなど音による危険察知が困難となるため，事故などにも結び付く可能性が高い．

c. 平衡感覚

■加齢による平衡感覚の障害は，前庭，視覚，固有受容機構（位置覚，運動覚），神経，筋の全般的な機能低下によって起こる．

■このため，前庭機能単独の加齢による低下は軽度であったとしても，他の機能による代償が働かず，いわゆる「めまい」により転倒事故などにつながる危険性が高い．

■また，高齢者が服用することが多い薬物（鎮静薬，降圧薬，利尿薬など）には，平衡障害を引き起こすものもあり，注意が必要である．

d. 味 覚

■味覚の受容器は，舌などに分布する味蕾にあるが，この味蕾は加齢に伴い減少する．また，高齢者でみられる味覚障害では，多くが亜鉛の欠乏により味蕾が十分に作られなくなることが原因となる．

■亜鉛は摂取不足だけでなく，薬物の副作用により体外へ排出されやすく，不足することもある．さらに味物質は唾液に溶解してから味細胞を刺激するため，唾液の分泌量や唾液自体の変化が味覚に影響を及ぼすことがある．

■味覚は加齢に伴い，一般的に低下するといわれている．とくに苦味や塩味は60歳台から急激に低下するともいわれているが，味蕾の数と年齢に相関はないという報告も散見され，視覚や聴覚に比べ，加齢の影響は少ないとの報告もある．

e. 嗅 覚

■加齢に伴い，嗅細胞の減少や変性がみられる．このため，各種のにおいに対する感受性や，においを区別する能力は低下するといわれているが，味覚と同様，加齢による明確な低下は明らかではない．また他の感覚に比べ，加齢の影響は少ないと考えられている．

■アルツハイマー Alzheimer型認知症では初期から嗅覚障害（においの区別能力の低下）が認められるとの報告がある．

f. 体性感覚

■高齢者では，触覚，振動覚に低下がみられる．これは，加齢に伴う皮膚の弾力性の低下と，マイスネル小体（触覚）やパチニ小体（振動覚）といった感覚受容器の減少や変性，受容器からの情報を中枢に伝達する末梢神経の有髄線維の著しい減少が原因である．

■また，温覚の受容器の感受性も加齢に伴い低下することもあるが，健康な高齢者では痛みの閾値は変化しない．

■深部感覚は，関節内部あるいはその周辺に固有受容器が存在するが，四肢の運動において，小さい変異を察知する機能が低下する．また，筋の固有受容器の機能も低下するため，ある動きを再現するようなテストでは，その正確性に低下がみられる．

表2-1　加齢に伴う呼吸器の主な変化

1. 肺弾性収縮力の低下（1秒量の低下）
2. 胸壁コンプライアンスの低下（肺活量の低下）
3. 呼吸筋（横隔膜，肋間筋など）の筋力低下
4. 動脈血酸素分圧（PaO_2）の低下
5. 橋および延髄の呼吸中枢からの出力低下
6. 化学受容器や肺の伸展受容器などの呼吸中枢への入力低下
7. 睡眠時無呼吸の増加
8. 液性免疫能の低下

■これらのことから，高齢者では立位での重心動揺の増大や立ち直り反応が遅延し，転倒事故などにつながる危険性が高まる．

4 生理機能

a. 呼　吸

■呼吸器の形態および機能は，加齢によって生理的な退行変化をきたす．

■呼吸器は外界と直接接するため，生理的老化に喫煙，粉塵などによる病的老化も影響する．また，常に感染のリスクがある．加齢によって免疫機能や気道粘膜の粘液線毛系の機能が低下するため，高齢者では肺炎の頻度も増加する．

■加齢に伴う呼吸器の主な変化を**表2-1**に示す．肺の構造だけでなく，橋や延髄の呼吸中枢，呼吸筋力，そして動脈血酸素分圧（PaO_2）などを感知する化学受容器の働きが低下する．

■肺の弾性収縮力が低下する原因として，肺胞壁や間質の弾性組織の変性があげられ，結果的に1秒量の低下を認める．しかし，1秒量だけでなく，努力性肺活量も低下するため，加齢のみが原因で1秒率が閉塞性換気障害の基準である70%を下回ることはない．

■高齢者では，肋軟骨の石灰化や胸壁の硬化により胸郭のコンプライアンスが低下し，肺活量が低下する．それに加えて残気量が増加することで，横隔膜の伸縮の自由度が減少して横隔膜の筋力低下につながる．

b. 循　環

■循環機能は加齢とともに酸化ストレスや慢性炎症*，アミロイド沈着による影響を受けて変化する．加齢に伴う循環機能変化の概念図を**図2-1**に示す．

■大動脈は加齢に伴い硬化し，ふいご機能（ウインドケッセル機能）*が低下する．これにより収縮期血圧と左室後負荷が上昇し，左室肥大と心筋酸素需要量の増加が起こる．さらに拡張期血圧は低下し，冠動脈灌流圧の減少などによる灌流と代謝のミスマッチが起こる．

■大動脈は男性よりも女性でより硬化し，それは閉経後により顕著に起こる．

■加齢により左室は肥大し，拡張機能も低下する．その結果，左室駆出率は維持されるが，1回拍出量は低下する．

■加齢に伴い内因性心拍数とβアドレナリン刺激に対する反応性が低下し，最大心拍数が低下する．

■加齢に伴う1回拍出量の低下と最大心拍数の低下により，最大心拍出量は低下

***慢性炎症**　急性炎症が収束しないで慢性化したものと，明確な急性炎症の特徴を示さないまま低レベルでくすぶるようなかたちで炎症が徐々に慢性化する2つに大別される．動脈硬化などの生活習慣病に関連するのは後者のタイプとされている．

***ふいご機能（ウインドケッセル機能）**　動脈壁は，心臓が収縮して血液が送り込まれる際，柔軟に受け止めて拡張する．心臓が拡張して血液が送り込まれないときは，弾性力で収縮して末梢に血液を分配する作用．

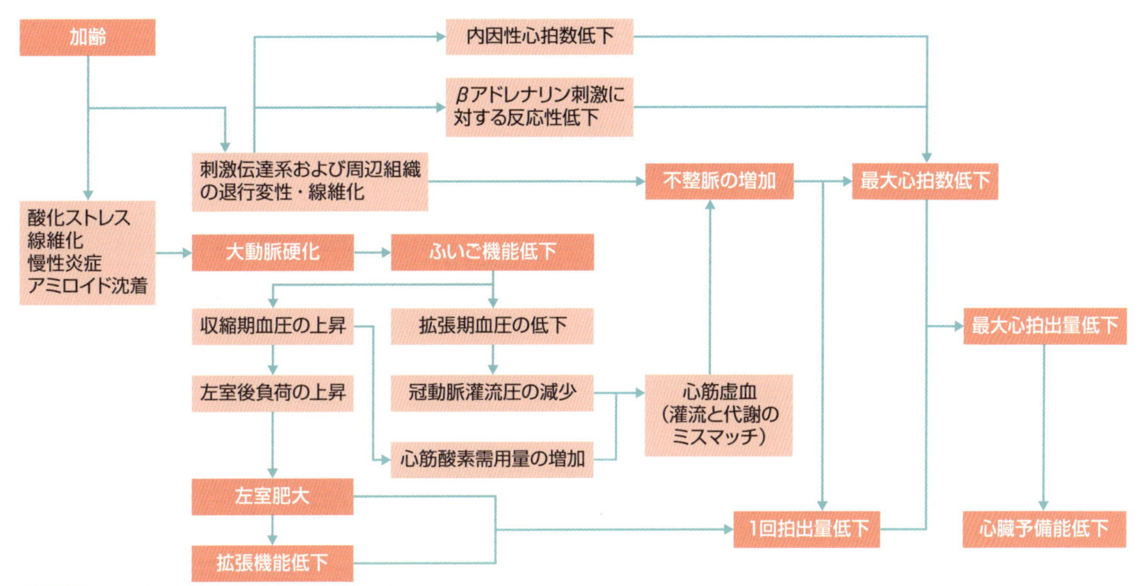

図 2-1 加齢に伴う循環機能の変化の概念図
加齢に伴い，大動脈の硬化や左室肥大，拡張機能低下，不整脈の増加などが起こり，心臓予備能は低下する.

表 2-2 加齢に伴う糖代謝低下の機序

1. 筋肉，肝臓などの組織量が減少
2. 脂肪組織量，とくに内臓脂肪量が増加
3. 身体活動量が低下
4. インスリン分泌量が低下
5. インスリン抵抗性が出現
6. ミトコンドリア機能が低下

し，結果として心臓予備能が低下する.

- 左房の容積は加齢によって増加し，左房の拡張と機械的機能不全は心房細動発症の主要な危険因子となる.
- 加齢に伴う刺激伝導系および周辺組織の退行性変性，線維化によって生じる伝導障害は不整脈を増加させる.

c. 代 謝

- 基礎代謝量は10歳年をとるごとに1～3%低下し，基礎代謝量の低下は筋組織など除脂肪組織量の低下が原因である.
- 糖代謝，脂質代謝，骨代謝など代謝機能は加齢に伴って低下し，そのため糖尿病，脂質異常症，骨粗鬆症の罹患率は高齢者ほど高い.
- 加齢に伴う耐糖能低下の機序を**表2-2**に示す.
- 骨格筋での糖代謝は，糖輸送担体4（GLUT4）が担っており，筋肉量の減少や身体活動（運動量）の低下によりGLUT4の働きが低下する.

GLUT4：glucose transporter 4

- 高齢者の耐糖能低下の特徴として，空腹時血糖値の上昇はわずかであるが食後血糖値が顕著に上昇する.
- 脂質代謝異常は，異所性脂肪蓄積によって肝臓，骨格筋，膵臓の機能障害を惹起し，脂質異常症だけでなく，慢性炎症，動脈硬化症といった老化関連疾患の

表 2-3 加齢による摂食・嚥下機能低下の要因

1. 解剖学的・生理学的変化
喉頭下垂
嚥下関連筋の収縮特性の変化
咽頭・喉頭の感覚機能低下
嚥下反射の遅延
2. 精神・身体機能低下
食物認知・摂食意欲，嚥下の随意運動の減退
身体姿勢保持・呼吸機能低下
フレイル，サルコペニアといった全般的な身体機能低下
免疫機能低下
3. 咀嚼機能低下
歯牙脱落
咀嚼筋の機能低下
4. 高齢者に多くみられる原因疾患
脳血管疾患，頭蓋内腫瘍
神経・筋疾患
頭頸部領域の放射線治療や手術後

発症・進展を促進する．

- 骨代謝は，加齢に伴うカルシウムやビタミンDの欠乏，性ホルモン分泌の変化の影響を強く受け，女性では閉経後，男性でも50歳台から骨吸収が骨形成を上回り骨量が減少する．

d. 消 化

- 加齢に伴い，消化管では粘膜や固有筋層の萎縮および壁内神経叢の機能低下が起き，胃や腸の機能が低下する．
- 下部消化管において，小腸では粘膜萎縮によって絨毛が低くなり消化吸収機能が低下し，また，大腸では蠕動運動の低下と反射の低下により便秘をきたしやすくなる．
- 消化管の症状には，加齢による食生活の変化や，多剤服用，ストレスなど生活習慣も影響する．
- 肝臓においては，加齢とともに肝重量，肝細胞，肝血流の減少が起こり，タンパク質の合成や栄養素の貯蔵などの働きが低下する．

e. 嚥 下

- 口腔咽頭周囲の加齢変化として，靱帯や筋の緊張低下により喉頭が下垂し，嚥下時に喉頭挙上と閉鎖が不十分となり誤嚥につながりやすい．
- 咳反射や嚥下反射にかかわる咽頭・喉頭の感覚機能も加齢とともに低下する．
- 加齢による摂食・嚥下機能低下の要因を**表 2-3**に示す．
- 高齢者では，嚥下障害による肺炎が主要な死因のひとつとなっている．

f. 排尿，排便

- 高齢者の排尿障害は，①神経因性膀胱による膀胱排尿筋の収縮障害および尿道括約筋の弛緩不全，②前立腺肥大症や尿道狭窄などによる下部尿路通過障害が要因としてあげられる．

- 認知症，身体機能や身体活動量の低下，夜間多尿の傾向，内服薬の影響など複数の要因が下部尿路機能に関与する．
- 高齢者の排便障害として多い便秘や便失禁には，排便に直接関与する直腸，肛門，骨盤底筋群，腹筋など骨格筋や，それを支配する神経機能の低下，そして，認知機能，排便のための移動能力の低下が関与する．

g．体温調節

- 65歳以上の高齢者の深部体温は，若年成人よりも若干低いとされているが，生理学的には無害である．しかし，高齢者は体温調節機能が低下しており寒冷環境や暑熱環境における耐性が低い．
- 加齢に伴い熱刺激に対する初期の血管拡張反応と，それに伴う軸索反射が減少する．また，全身の発汗応答および局所の発汗応答の両方が低下する．加齢が進むと活性化される汗腺の数が減少し，加えて汗の生産に必要な血液供給も低下する．
- 熱感受性は加齢とともに低下する．これらの熱感受性の低下には加齢に伴う末梢神経線維の喪失と伝導速度の低下がかかわる．

h．睡　眠

- 高齢者の夜間睡眠の特徴として，①就寝時刻と起床時刻の早期化，②眠りに就くまでの時間の延長，③レム睡眠時間の短縮，④睡眠の断片化の増加（睡眠中に覚醒や浅い睡眠への移行がより多く起こる），⑤睡眠の脆弱化（外部からの感覚刺激によって起こされる可能性が高まる），⑥より深いノンレム睡眠（徐波睡眠）の減少，⑦ノンレム睡眠とレム睡眠のサイクルが短く頻回となる，⑧夜間の覚醒時間の増加があげられる．
- 昼寝の頻度は増加し，夜間睡眠の変化に伴う日中の眠気や，睡眠障害，夜間頻尿，慢性疼痛，うつ病などの併存疾患の存在が影響する．
- 高齢者における日中の眠気の差異は個人の概日リズムが影響している．

i．免　疫

- 加齢に伴い，免疫系は効率と正確性が低下することが知られている．加齢に伴う変化は免疫老化と呼ばれ，ワクチンや新しい病原体への反応が低下する．また，マクロファージなど自然免疫系の細胞の異常な活性化と制御がみられる．
- 免疫系の加齢変化は免疫応答を全般的に低下させるわけではなく，制御異常が生じることにより，慢性炎症状態の持続や，一部の自己免疫疾患のリスク増大をもたらす．
- 免疫系の異常制御は神経系や内分泌系，代謝系の加齢変化と合わさり，粥状動脈硬化を代表とする慢性炎症性疾患の進展につながる．

j．内分泌

- 加齢に伴い，成長ホルモンが低下する．成長ホルモンの低下は筋量の減少などにつながるほか，内臓脂肪の蓄積に関与する．また，成長ホルモンの末梢内分泌ホルモンであるインスリン様成長因子1（IGF–1）も低下する
- 男性ではテストステロン，女性ではエストロゲンが低下する．女性ではエストロゲン濃度の低下により閉経が起こる．閉経の時期と閉経後の年数が冠動脈疾

IGF–1：insulin–like growth factor

患や脳卒中などの転帰に関連する.

B 高齢者の精神（認知）的特徴

1 精神と認知の関係

- 精神機能も認知機能も英語でいえば“neuropsychological function”であり，神経心理学的機能（もしくは高次脳機能）と呼ばれている.
- どちらも人間の脳がもっている心的機能を構成するものであり，本質的には同じカテゴリーに含まれる．そのため，精神機能も認知機能も同じものといえるが，あえて両者を分けるとすれば，精神機能はより感情や意欲に近い機能を意味し，認知機能は記憶や知能などの機能を指すことが多い.
- 人の精神（認知）機能として，知能，記憶，感情，人格，意欲といったものがある.

2 知　能

- 知能とは，出来事や状況を分析，判断し，新しい課題を解決する総合的な思考能力のことである.
- 障害を受けた時期により精神遅滞と認知症に分類される．正常に発達した知能が後天的な脳器質障害によって，不可逆的に低下した状態が認知症である.

a. 知能の構造

- 知能は流動性知能因子と結晶性知能因子という2つの因子からなるとされている.

①流動性知能

- ものの形や配置を把握する，関連のあるもの，逆にまったく無関係なものどうしの結び付きを学習するといった，新しい学習や新しい環境に適応するための問題解決能力によって特徴づけられる．加齢や脳の器質的障害の影響を受けやすい.
- 動作性検査*によって評価される.
- 30歳ごろにピークに近づき，40歳台まで非常に緩やかに上昇を続ける．その後，50歳台から低下を始め，70歳台で急激に低下する.
- 流動性知能は結晶性知能ほどではないが，維持されている.

②結晶性知能

- 多くの言葉やその意味を知っている，歴史上の出来事を知っているといった過去の学習や貯えられた経験に基づき，それを活かすもの．加齢や脳の器質的障害の影響を受けにくい.
- 言語性検査*によって評価される.
- 結晶性知能は青年期を過ぎて，60歳ごろまで上昇を続けている．その後，低下を始めるが，70歳台の低下はあまり急激ではない.

＊動作性検査と言語性検査
ウェスクラー Wechsler 成人知能検査（WAIS）では，動作性検査得点が流動性知能，言語性検査得点が結晶性知能におおよそ相当するといわれている．動作性検査は単語，類似，数唱，知識，理解，算数，語音整列からなる．言語性検査は絵画配列，絵画完成，積木模様，行列推理，符号，記号探し，組み合わせからなる.
WAIS：Wechsler adult intelligence scale

長期記憶 短期記憶
遠隔記憶 近時記憶 即時記憶

図 2-2 記憶の時間による分類

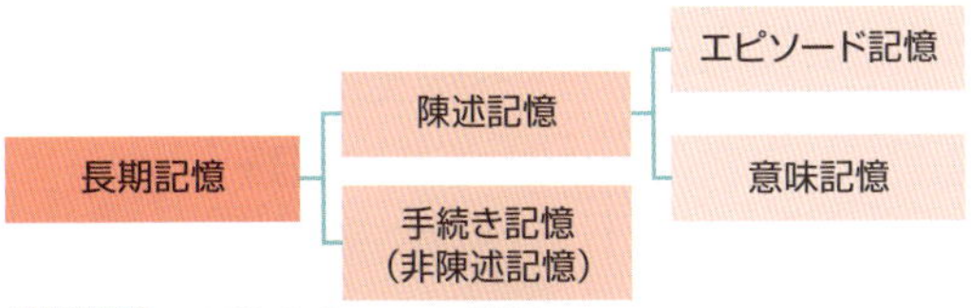

長期記憶
陳述記憶
エピソード記憶
意味記憶
手続き記憶（非陳述記憶）

図 2-3 記憶内容による分類

b. 老年期の知能の特徴

- 知能全体では低下の傾向がみられるが，結晶性知能は比較的高いレベルで維持されている．
- 流動性知能は老年期後半になってから急激な低下をするため，たとえば新しい環境への適応場面で求められる問題解決能力は低下する．
- 加齢による知能低下の影響が日常生活に及ばないようにみえる理由として，①日常生活では最大限の機能レベルが求められる状況はほとんどない，②日常生活活動の多くは，過去の経験や知識に少し変更を加えるものである，③知能だけが日常生活動作の成功を決める唯一の要素ではない，④加齢による身体機能の低下に合わせて行動パターンが変化しており，知能低下の影響が目立ない，などがあげられる．
- 知能には柔軟性があり，練習が知能の維持に効果的である場面もある．
- 知能は病気や健康状態によって低下すること，またその人を取り巻くさまざまな環境（とくに教育歴）によっても影響を受けることが報告されている．

3 記　憶

- 記憶とは，新しい経験の影響が頭の中に記銘され，保持され，必要に応じて保持されているものを再生させる心的過程をいう．
- 障害を受けた場合は，**記銘障害***，**追想障害（健忘）***などの症状を呈する．

a. 記憶の分類

①保持時間による分類

- 心理学で使用される短期記憶，長期記憶（二重貯蔵モデル）の2分類と，臨床医学で使用される即時記憶，近時記憶，遠隔記憶の3分類がある（**図2-2**）．
- 短期記憶は秒単位での情報の保持の場合を指し，長期記憶はそれ以上の時間を経て想起する場合を指す．
- 二重貯蔵モデルでは，短期記憶の前に感覚記憶と呼ばれるより短い時間の感覚特性に依存した記憶を想定する．
- 即時記憶は数秒～1分，近時記憶は数分～数日，遠隔記憶はさらに保持時間の長い記憶である．

②記憶内容による分類

- 長期記憶は，イメージや言葉などで表現が可能な陳述記憶と，習慣や運動および技術の熟練などの行動に関する手続き記憶に分類される（**図2-3**）．
- 陳述記憶はさらに，意味記憶とエピソード記憶の2種類に大別できる．
- 意味記憶は事物や事象などの一般的な知識に関する記憶である．エピソード記

＊記銘障害　最近の記憶（短期記憶）が減弱し，新しいことが覚えられなくなる状態．臨床的には即時記憶や近時記憶の障害として現れ，評価される．

＊追想障害（健忘）　過去の経験が保持されていながら追想できない障害．追想の欠損が完全か不完全かにより全健忘と部分健忘に大別される．部分健忘は障害発生以前の過去にさかのぼる逆向性健忘，障害発生以降の未来に向かう前向性健忘に分けられる．

憶は時間経過を伴う一連の記憶を指し，個人的に体験した出来事に関する記憶である．

b. 記憶の種類

①感覚記憶

- 視覚や聴覚などの感覚器官に入ってくる情報が符号化されずに，ごく短時間，保持されている記憶である．
- 保持される情報は感覚器官に入力されたままの情報であり，情報の加工は施されない．
- これらの情報はごく短時間保持され，時間とともに忘却される．

②短期記憶

- 時間的には数秒から数分の間に存在し，消滅してしまう記憶である．
- 日常生活で会話や読書，計算，推理など認知的な作業を遂行する際に必要な情報を一時的に頭に保持するときに活用されている．

③作動記憶（ワーキングメモリ）

- 機械的，音韻的な繰り返し（リハーサル）によって覚える短期記憶とは異なり，さまざまな認知的な処理過程をする記憶である．
- 短い時間，あることを記憶にとどめておくという短期記憶を行うと同時に，頭の中で認知的な作業もする記憶である．

④長期記憶

- 短期記憶の中から，今後利用価値のある情報が符号化の処理を経て，保持される記憶である．
- 膨大な量の知識が保持されており，記憶している事柄の間で関連のある構造化がなされている．

⑤エピソード記憶

- 朝食で何を食べたか，昨日どこへ行ったかなどの個人にまつわる叙事的な記憶である．

⑥意味記憶

- 日本の首都は東京，消防車の色は赤など，誰もが知っている知識に関する記憶である．

⑦手続き記憶（非陳述記憶）

- 自転車の乗り方，テニスやゴルフなどのスポーツの技能などの運動を学習することに関する記憶である．
- 徐々に獲得されていくことが特徴である．

c. 老年期の記憶の特徴

- 感覚記憶は，加齢の影響がみられ，その能力は低下する．
- 短期記憶は，加齢の影響はみられるが，ごくわずかであるというのが一般的である．加齢に伴う記憶容量の低下はだいたい10%程度であると報告されている．
- 作動記憶は，加齢の影響が顕著であるというのが一般的である．
- 長期記憶は，一般的に加齢の影響はなくほぼ永久に保持され，記憶の容量にも制限がないと考えられている．

- エピソード記憶は，他の記憶の側面に比べて，成人の比較的早い時期から顕著に加齢の影響を受けるともいわれている．その反面，意味記憶は加齢の影響は顕著ではない．
- 手続き記憶は，加齢の影響はほとんどなく，いったん獲得した後は，高齢期でも低下せず，維持され続ける．

memo

一般的には高齢者は短期的な記憶が低下し，長期的な記憶はそれほど変化しないと思われがちである．しかし，短期記憶の加齢の影響はわずかであったり，長期記憶のうちエピソード記憶では加齢の影響を受けるなど，これまでの高齢者の記憶研究から必ずしもそうではないことが示されている．
健忘といわれるものは日々の出来事の記憶であるエピソード記憶の生理的，病的障害であるが，通常は病的なものを指す．健忘ではエピソード記憶以外のタイプの記憶や他の高次脳機能は保たれる．

4 感 情

- 感情とは，快，不快，喜怒哀楽を基調とした精神状態を構成する基本的要素である．状況に反応し一時的で激しい感情を表す情動と，持続的で起伏の少ない穏やかで対象のない感情である気分がある．
- 障害を受けた場合は，抑うつ，不安，気分高揚，感情失禁，情動麻痺などの症状を呈する．
- 老年期の感情は心身ともに健康であれば，成人期と基本的に変わらない．
- 老年期の感情特性として，興奮の感情は「無感動・消極性」，快の感情は「満足」，不快の感情は「憂うつ」の感情に変化する．
- 老年期は成人期にみられるいきいきとした快活な感情が衰え，「喜怒哀楽」などの感情は平板化し空虚な様相を呈し，感情失禁など，感情のもろさが起きやすくなる．
- 老年期にみられる興奮しやすい，怒りっぽい，多幸的状態は，認知症など脳の異常が関係していることが多い．
- 生活上のストレスは，感情が脆弱化した老年期では心身疲労につながり，感情の混乱や身体上の不健康を招く．高齢者にとっては過去の経験を活かし自分のペースにあった生活が，いちばん情緒が安定する．
- 脳の老化は，感情のもろさや不安要因を招き，抑うつ傾向や心気傾向などの精神症状を呈する高齢者が多くなる．
- 感情の混乱や被害感などの精神症状は，脳の器質障害や機能障害によることが多い．
- 知的能力や日常生活能力の低下，行動異常（徘徊（はいかい），暴力行為など）や精神症状など，あらゆる面に異常が現れてくることがある．
- 代表的な脳の器質障害に認知症，せん妄などがある．機能障害には幻想や幻覚，躁うつ病などがある．

5 人　格

■人格とは，性格を基盤に道徳的側面を含めた総合的な人間の特性を示したものであり．性格と人格を同義的に扱うこともある．

■加齢や障害などにより知的能力や判断力の低下や環境への適応が困難になった場合には，頑固さや嫉妬深さのような否定的特徴がみられることがある．

a. 老年期人格の固定観念

■人格面においても加齢によっていかに変化するかについて，いくつかの見解があるものの，一般的には加齢とともに否定的な人格特徴が強められるとされてきた．

■人口の高齢化が進み始めるとともに，高齢者への誤った固定観念や衰退過程の研究への反省や見直しが行われ，以下のように高齢者への見方やアプローチが徐々に変わってきた．

①慎重で用心深くなることは，高齢者の自己の価値を維持する適応的メカニズムである．

②頑固さは，認知症による知能の低下に原因がある．

③抑うつや心気的といった神経症傾向は，青年期から成人期と比べて老年期は少ない．

■元気でエネルギッシュな高齢者が多数を占める現代の高齢社会では，これまで歪められて捉えられてきた高齢者の人格像はもはや過去のものである．

b. 5人格特性の生涯発達

■さまざまな性格特性を統合的に扱う理論として，以下の5因子が用いられている（5人格特性）．

①神経症傾向

■不安が高い，敵意を抱きやすい，抑うつ的，自意識が強い，衝動的である，傷つきやすいなどの特徴がある．

■青年期から老年期（70歳台）にかけて低下していくことが報告されてきた．

■しかし，老年期における変化は異なっており，70歳台以降安定している，徐々に低下していくなど見解は一致していない．

②外向性

■親しみやすい，支配的，活動的，刺激を多く求める，陽気で楽観的などの特徴がある．

■生涯発達傾向として，30～50歳台は安定しており，それ以降低下し老年期で低下していく．一方，加齢とともに直線的に低下していくなどの発達パターンも見出されており，人生前半期の発達傾向は一致していない．

■外向性人格には活動的，主張的，刺激希求的といった行動的な特徴と，温かさ，喜び，幸福といった感情的特徴が含まれている．これらは，成人期でピークになったり，初期成人期でピークとなり，その後徐々に低下していくといったように，発達の時期が異なることが考えられている．

- 老年期では一様に低下傾向となる．これは，加齢とともに社会から離脱していくことによるものと考えられる．

③開放性

- 空想好き，感情豊か，新奇なものを好む，知的好奇心が強い，異なる価値観を受容するなどの特徴がある．
- 加齢とともに低下していくことが，横断・縦断研究から確認されている．
- 老年期では徐々に行動も関心も薄れていくことから，日々を満足に生きていこうとする生活様式になっていくといわれている．

④調和性

- 他人を信用する，実直，利他的，協力的，謙虚，優しいなどの特徴がある．
- 青年期以降，調和性が徐々に上昇していくことが一貫して報告されている．
- 人は加齢とともに社会や人間関係と折り合いをつけたり，調子を合わせたりして，人格を成熟させていくとされている．

⑤誠実性

- 有能感をもつ，几帳面，約束や人の期待を裏切らない，目標達成のために頑張る，慎重で注意深いなどの特徴がある．
- 加齢とともに上昇していくとされている．
- 調和性の増加と同様に長寿や毎日の生活への適応に寄与し，人格の成熟性が表れるとされている．

c. 人格と長寿

- 人格が長寿（生存）と関係する要因であることが指摘されている．
- Friedmanは，児童期の人格特性のなかで誠実性が高齢者になったときの長寿と関係していると考察している．誠実性の高い人は規則正しい生活習慣や健康管理ができ，かつストレスを避けて生活ができることが生存に寄与していると述べている．
- Wilsonは，神経症傾向と誠実性が死亡と関係していたと報告している．神経症傾向の高い人は低い人より死亡リスクが高く，誠実性の低い人は高い人よりも死亡のリスクが高いことを述べている．

6 意欲，生きがい

- 意欲，生きがいとは，生活の維持に必要な行動に駆り立てるエネルギーである欲動を，意志が抑制あるいは促進させる制御の精神面に着目した表現のことである．
- 障害を受けた場合は，**躁病性興奮***，**緊張病性興奮***，錯乱状態，昏迷などの症状を呈する．
- 主観的幸福感を表現する生きがいは，高齢者のサクセスフルエイジングにとってきわめて重要である．長谷川らは，生きがいを「今ここに生きているという実感，生きていく動機となる個人の意識」と定義している．
- 高齢者の生きがいは主に，①これまでの人生で培ってきた能力を活用して社会に貢献する活動，②仲間と協力し交流やふれあいの機会を広める活動，③自己

***躁病性興奮**　躁病にみられ，欲動が亢進し，高揚した気分とともに著しく活動的になりじっとしていられなくなり次々と行為を行う状態．

***緊張病性興奮**　統合失調症の緊張病型でみられ，周囲との接触性が乏しく無目的でまとまりのない衝動行為がみられる状態．

研鑽を重ねて人格の向上や教養，趣味の技能などの能力を高め，自己実現を目指す活動などの社会参加が基盤となっている．

- 外出頻度が多いほど，人との交流が多いほど生きがいを感じているとする割合は高い傾向にある．
- 社会参加の動機としては，①自らの健康のため，②趣味における知識や技術の習得のため，③教養をさらに広げるため，④社会の役に立ちたいため，⑤地域の人と交流を深めるためなどがあげられる．
- 『令和元年度版高齢社会白書（内閣府）』によると，働いているか，または何らかの社会活動，趣味やお稽古事を行っていると回答した60～69歳の割合は71.9%，70歳以上では47.5%となっている．

memo

ボランティア活動

60歳以上の5割弱の人が自治会などの役員や地域の環境美化活動，地域の伝統や文化を伝える活動などのボランティア活動や地域活動に参加しているとされており，今後，ボランティア活動での高齢者の活躍が期待されている．ボランティア活動などを通じて積極的な社会的役割を担うことで，生きがいや健康維持への効果が期待できる．ただし，活動に必要な情報が得られにくい，地域とのつながりの薄さなどの理由により，活動に結びつかないなどの問題もあり，今後の改善が期待される．

学習到達度自己評価問題

1. 高齢者で転倒発生率が高い理由を心身機能の変化から説明しなさい．
2. 高齢者で転倒によって骨折が起こりやすい理由を説明しなさい．
3. 高齢者でコミュニケーションに支障をきたすことが多い理由を説明しなさい．
4. 加齢によってどのような変化が呼吸機能に生じるか，列挙しなさい．
5. 加齢に伴う嚥下反射の変化について説明しなさい．
6. 流動性知能と結晶性知能の違いとそれぞれの加齢による影響を説明しなさい．
7. 短期記憶と作動記憶のそれぞれの記憶力の変化を説明しなさい．
8. 老年期の感情特性を説明しなさい．
9. 5人格特性について説明しなさい．
10. 高齢者の社会参加の動機について説明しなさい．

3 老年症候群

一般目標

1. 老年症候群が理学療法を実施する際の治療プログラムの立案，およびその進行に及ぼす影響について理解する．
2. 老年症候群の中でフレイルは理学療法の注目すべき1つであることについて理解する．
3. フレイルとサルコペニアの関連性について理解する．

行動目標

1. 老年症候群による生活機能の障害について説明できる．
2. 老年症候群のⅠ群，Ⅱ群，Ⅲ群について説明できる．
3. 代表的な老年症候群について，その発症メカニズムや症状について説明できる．
4. フレイル・サルコペニアと低栄養との関係性を説明できる．
5. 尿失禁・便失禁の種類とメカニズムについて説明できる．

調べておこう

1. 加齢に伴う心身機能の変化について調べよう．
2. 高齢者が要介護状態に陥る原因について調べよう．
3. フレイルに対し，介護予防の視点から理学療法士がどのようにかかわっているか実例を調べてみよう．
4. 排尿のしくみについて生理学的，解剖学的視点から調べてみよう．
5. 認知症の将来推計や認知症による行方不明者の数など社会における認知症者の問題について調べてみよう．
6. 高齢者の閉じこもり，引きこもりの現状について調べてみよう．
7. 高齢者の転倒が原因で起こる骨折について調べておこう．

A 高齢者疾患の特徴

- 高齢者は複数の疾患に罹患し，非定型的な症状を呈することが多い．たとえば，肺炎や尿路感染症を生じていながら特異的な症状はないものの，体動や身体活動が減り，食欲不振，抑うつなどを呈することがある．
- 軽度認知機能障害では，その機能に日内変動があり，短時間での評価では気づかないことがある．そのような場合，残薬があることや，部屋の整理整頓ができなくなること，会話の内容が急に変化することなど，日常生活の変化によって認知機能障害に気づくことがある．したがって症状もさることながら普段の生活機能をしっかり把握する必要がある．認知機能障害が進行すると適切な評価ができず，理学療法が実施できないことから，さらに症状が進み，身体機能のさらなる低下を招くことにつながる．高齢者疾患では理学療法だけでなく高齢者診療を取り巻く治療，ケア，身体機能が相互に影響を及ぼし合う．

- したがって，高齢者疾患には以下のような特徴があるといわれている．
  ①多臓器にわたる疾患を認める．
  ②症状が非定型的である．
  ③慢性化しやすい．
  ④機能障害につながりやすい．
  ⑤合併症を併発しやすい．
- 老年症候群は，原因がさまざまであり，それが相互に影響をし合う．そのため慢性の経過をたどり，生活機能低下をきたし自立支援が必要となる．また，介護が必要となる一連の症候群を言う．それにはさらに3つの類型が存在する．
  ①主に急性疾患に付随する症候（Ⅰ群）
  ②主に慢性疾患に付随する症候（Ⅱ群）
  ③後期高齢者に急増する症候（Ⅲ群）

B　老年症候群の概要

1 老年症候群とは

- 健常な状態から要介護状態に陥るまでには，多くの場合，意図しない衰弱や，筋力，活動性，認知機能，精神活動の低下など健康障害を起こしやすい脆弱な段階を経る．この段階にある高齢者を虚弱な高齢者と呼ぶ．
- 老年症候群とは虚弱な高齢者にみられる摂食・嚥下障害や認知症，転倒，寝たきりなどの症候で，日常生活活動（ADL）の阻害要因となるものを指す．
- 代表的な老年症候群には虚弱・低栄養，摂食・嚥下障害，尿失禁，認知症，うつ，睡眠障害・せん妄*，転倒，寝たきりなど，50以上の症候があるとされている（**表3-1**）．
- 老年症候群は単一の原因で説明することは難しく，虚弱状態やさまざまな疾患が複合的に関連する．
- 加齢とともに老年症候群の数は指数関数的に増加する．したがって，高齢者の理学療法を実施する場合には原因疾患のみならず複数の症状に対してアプローチすることが重要である．

ADL：activities of daily living

＊せん妄　精神疾患はWHO（世界保健機構）によるICD-10分類の中で「せん妄」はF0（ゼロ）に含まれ，何らかの内科疾患や脳神経疾患の影響によって一定の精神症状を呈する場合に診断される．一般病院の入院患者の10～30%に発症し，高齢者に多く，たとえば手術を受けたあとに急におかしなことを言い出したり，幻覚がみえ，興奮したり安静にできなくなったりする状態をいう．

2 老年症候群の分類

- 老年症候群は加齢変化に影響を受けない症候群（Ⅰ群），前期高齢者で増加する症候群（Ⅱ群），後期高齢者で増加する症候群（Ⅲ群）の3つに分類するこ

表3-1 老年症候群とその評価方法

老年症候群	評価方法
意識障害	Japan Coma Scale
せん妄	DSM-5
うつ状態	GDS
言語・聴覚・視力障害	症状，理学所見
骨粗鬆症	厚生省判定基準
尿失禁	頻度，失禁量，便失禁の合併有無
誤嚥	咽頭口腔の理学所見，改訂水飲みテスト
脱水	症状，理学所見
低体温	体温
肥満，るい痩	Broca 式桂変法，BMI，CHI（クレアチン身長指標）
呼吸困難（呼吸器）	ヒュー・ジョーンズ Hugh Jones 分類
手足のしびれ	頻度，強さ，局在
動脈硬化	虚血性心疾患リスクファクター
痛み（頭胸腹腰関節）	頻度，強さ，薬物依存度
ADL 低下	BADL，IADL
認知症	改訂長谷川式簡易知能評価スケール（HDR-S），MMSE
不眠	頻度，1 回睡眠，薬物依存度
めまい	頻度，持続時間，合併症状
骨関節変形	変形性関節症変形分類
骨折	腰椎圧迫骨折基準，ほかは有無
夜間頻尿	回数
便秘，下痢	頻度，薬物依存度
発熱	頻度，慢性感染症の有無
低栄養	Mini Nutritional Assessment
呼吸困難（循環器）	NYHA 基準
間欠性跛行	出現距離，API
不整脈	理学所見，心電図分類

［鳥羽研二：老年症候群，老年学テキスト．飯島　節，鳥羽研二（編），p. 54，南江堂，2006 一部 2020 より許諾を得て改変し転載］

GDS：geriatiric depression scale

BMI：body mass index
CHI：creatinine height index

BADL：basic ADL
IADL：instrumental ADL
HDS-R：Hasegawa dementia scale for revised
MMSE：mini-mental state examination

NYHA：New York heart association
API：ankle pressure index

とができる（図3-1）．

a. Ⅰ群（加齢変化に影響を受けない症候群）

- 転倒，骨折，睡眠障害などがあり，主に急性疾患に付随することが特徴である．若年者と同頻度で起きるが，対象が高齢者の場合には，症状が遷延することなどが予測されることからその対処には工夫が必要である．

b. Ⅱ群（前期高齢者で増加する症候群）

- 認知症，脱水，体重減少などがあり，主に慢性疾患に付随することが特徴である．65歳以上の前期高齢者から徐々に増加する．

c. Ⅲ群（後期高齢者で増加する症候群）

- 頻尿，せん妄，低栄養などは，廃用症候群と呼ばれるものである．75歳以上の後期高齢者で急増する．
- とくにⅢ群の症候群を多く有する高齢者は要介護状態に陥る可能性が高くなる．

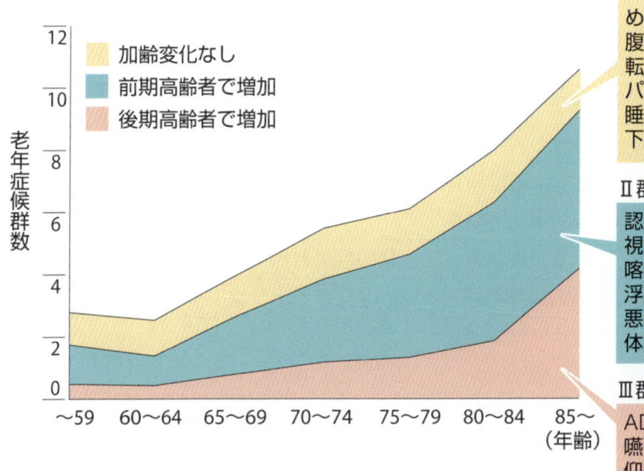

図 3-1　老年症候群の分類
[鳥羽研二：老年症候群，老年学テキスト．飯島　節，鳥羽研二（編），p. 56，南江堂，2006 より許諾を得て改変し転載]

したがって，これらの症候を生じさせないよう治療にあたることが重要である．

3 老年症候群と生活機能障害

- 生活機能障害は筋骨格系，心肺機能，認知・精神機能と日常生活活動を支えるために必要な最低限の能力を保てなくなった結果生じる生活能力の障害である．したがって，この障害に対しては，基本的な日常生活活動（BADL）と独居機能*を支える，手段的日常生活活動（IADL）における援助が必要となる．
- 高齢者においては，日常生活を送るうえで大きな障害がなくても，各臓器には生理的変化が起きており，病気などが引き金となって，さまざまな老年症候群を生じることがある．
- 老年症候群の増加が生活機能障害につながるのか，生活機能の障害により老年症候群が増えていくのかは明らかではないが，老年症候群と生活機能障害が密接に関連していることは間違いなく，治療の際には老年症候群の増加を抑えることと生活機能を向上させることの双方からのアプローチが重要である．

＊**独居機能**　生活機能障害のない状態．

memo

老年症候群による治療の妨げの例

高齢者は脱水傾向があり，発熱などによりすぐに脱水症になる．肺炎や心不全の治療で利尿薬を使っただけで脳梗塞を起こすなどの危険が常に伴う．
また，入院環境に馴染めない高齢者は錯乱やせん妄状態に陥りやすい傾向がある．これらによって生活リズムが狂い，傾眠（少し寝ている状態）が続いただけでも，身体機能（筋力，バランス能力など）が低下して，ふらつき，めまいなどの歩行障害をきたす．

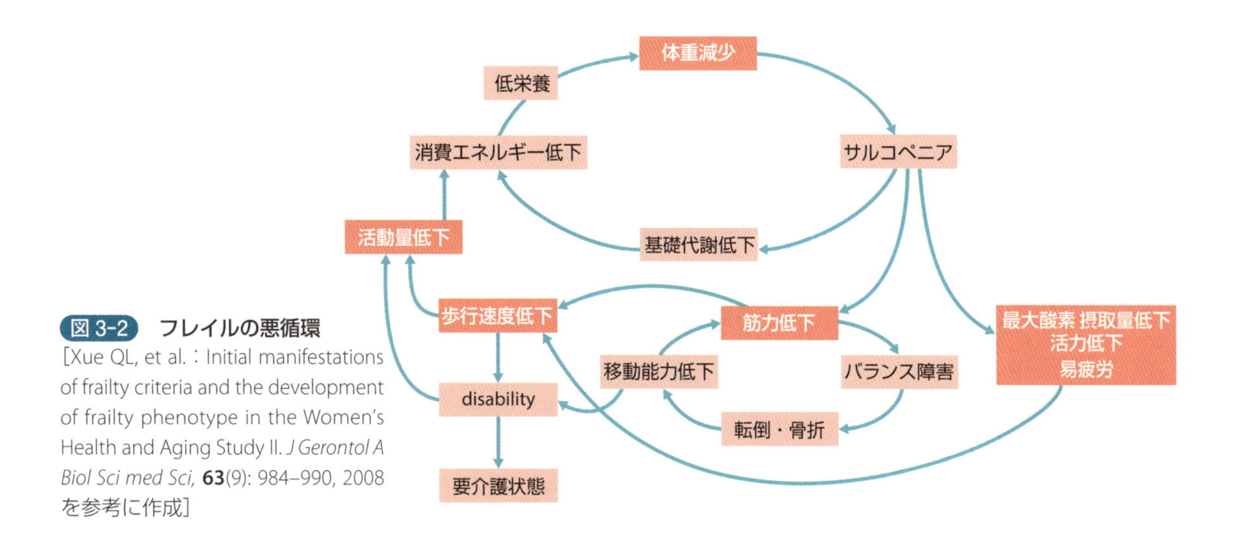

図 3-2　フレイルの悪循環
[Xue QL, et al.：Initial manifestations of frailty criteria and the development of frailty phenotype in the Women's Health and Aging Study II. *J Gerontol A Biol Sci med Sci*, **63**(9): 984–990, 2008 を参考に作成]

C　代表的な老年症候群

1 フレイル・サルコペニア

a. フレイル

- **フレイル**は，「加齢とともに心身の活力（運動機能や認知機能など）が低下し，複数の慢性疾患の併存などの影響もあり，生活機能が障害され，心身の脆弱性が出現した状態であるが，一方で適切な介入・支援により，生活機能の維持向上が可能な状態像」と説明される．
- フレイルは2014年に日本老年医学会が提唱した用語である．欧米で使用されていたfrailtyは虚弱などと訳されていたが，虚弱では介入による可逆性があることやフレイルの多側面のニュアンスを十分に表現することができないことから，frailtyの認知度を高め，予防の重要性を広く啓発するための検討を重ねた結果，虚弱に代わりフレイルを使用することで合意された．
- フレイルについてはサルコペニアやロコモティブシンドロームなどを抱合する身体的フレイルphysical frailty，軽度認知障害（MCI）やうつ症状などの精神・心理的フレイルcognitive frailty，独居や経済的困窮などの社会的問題を含む社会的フレイルsocial frailtyの多側面からの理解が必要である．

MCI：mild cognitive impairment

- フレイルの判定にはいくつかの評価尺度が開発されている．Friedらは①体重減少，②歩行速度の低下，③筋力（握力）低下，④著しい疲労感の自覚，⑤活動量の低下，の5項目のうち，3項目以上が当てはまる場合をフレイル，1～2項目に該当した場合をプレ・フレイル（フレイル予備軍）とした．
- フレイルになると身体の予備能が低下して，わずかな身体的・精神的ストレスにも対応できず，回復ができないという負の連鎖に陥る（**図3-2**）．サルコペニアを中心としたサイクルではサルコペニアの進行により基礎代謝が減り，消費エネルギーも減ることから，食欲低下につながり，低栄養や体重減少をきた

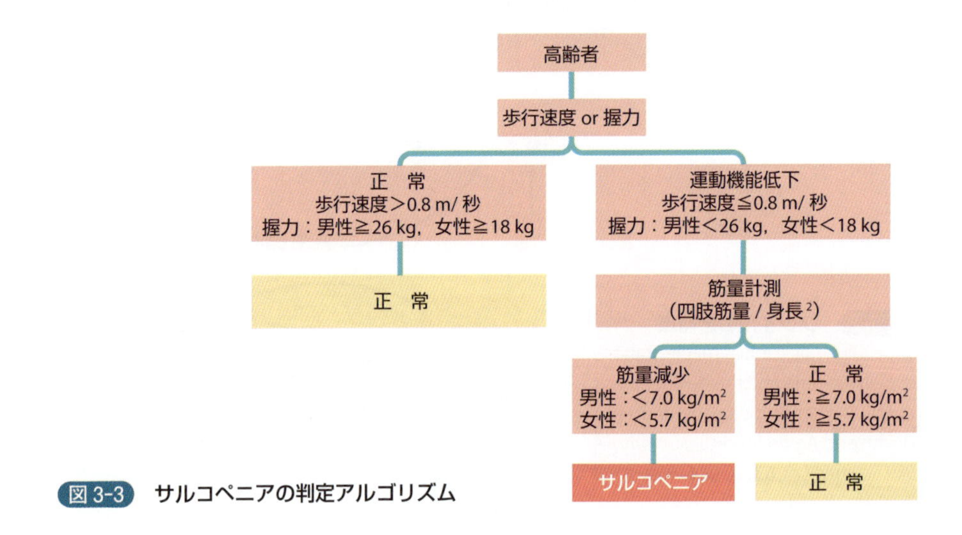

図3-3　サルコペニアの判定アルゴリズム

し，さらなるサルコペニアの進行を招く．さらにサルコペニアは体力の低下や筋力の低下につながり，それらが別のサイクルを形成しながら負の連鎖を引き起こす．この負の連鎖を断ち切ることが再び健常な状態に戻ることにつながる．

b. サルコペニア

EWGSOP：The European Working Group on Sarcopenia in old Peaple

- **サルコペニア**はRosenbergが1988年に提唱した，ギリシャ語のsarx（肉），penia（減少）と言う語を組み合わせた造語である．2010年にEWGSOPによって「筋量と筋力の進行性かつ全身性の減少に特徴づけられる症候群で，身体機能障害，QOL低下，死のリスクをともなうもの」と定義されている．フレイルの中でも筋に着目した概念である．

AWGS：Asian Woking Group for Sarcopenia

＊指輪っかテスト　両手の示指と母指同士を合わせ輪を作り，下腿最大膨大部を囲んで「囲めない」（正常），「ちょうど囲める」（サルコペニア予備軍），「隙間ができる」（サルコペニア）という，3段階の判定を行う検査である．簡便な検査ではあるが浮腫などがある場合には正確な判定とはならないことを注意する．

- EWGSOPのコンセンサスレポートでは，サルコペニアは加齢以外に明らかな原因の無い一次性サルコペニアと二次性サルコペニアに分類され，二次性サルコペニアは活動に関連するサルコペニア，疾患に関連するサルコペニア，栄養に関連するサルコペニアの3つのカテゴリーに分類される．
- 2014年にアジア・サルコペニア・ワーキンググループAWGSは日本人を含むアジア人を対象としたサルコペニア診断のためのアルゴリズムを提示している（**図3-3**）．簡便にサルコペニアを判定するテストとしては**指輪っかテスト**＊がある．

2 認知障害をきたすもの

a. 認知症

memo

DSM-5ではDimentiaという用語が消え，代わりにMajorおよびMild Neurocognitive Disoderという用語が登場した．

BPSD：behavioral and psychological symptoms of dementia

- 認知症とは，「生後いったん正常に発達した種々の精神機能が慢性的に減退，消失することで日常生活，社会生活を営めない状態．」（DSM-5）と定義される．
- 認知症の症状は大きくその主症状である中核症状と，中核症状がもたらす行動・心理症状（BPSD）に分けることができる．
- 中核症状とは，記憶障害，高次脳機能障害を指す．
- BPSDは，中核症状によって引き起こされる暴言や暴力，興奮，抑うつ，不眠，

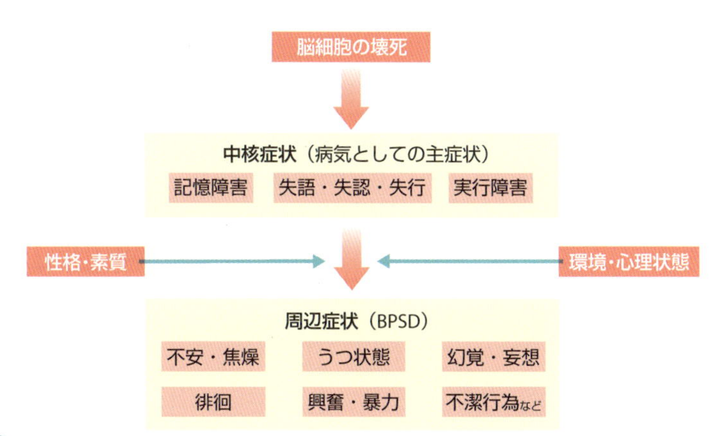

図 3-4 認知症の症状
[認知症サポーターキャラバン：認知症サポーター養成講座標準教材より引用]
近年は「周辺症状」を「行動・心理症状（BPSD）」という.

昼夜逆転，幻覚，妄想，せん妄，徘徊，弄便（ろうべん），不穏，もの取られ妄想，失禁などを指す. BPSDは，個人の性格や環境に影響され，各個人で出現するBPSDはさまざまである（**図3-4**）.

- 認知症の種類として，アルツハイマーによる認知症，レビー Lewy小体病を伴う認知症，前頭側頭葉変性症，血管性認知症が代表としてあげられる.
- 2025年のわが国における65歳以上の高齢者の認知症有病率は約20%と推計され，有病者は約700万人にのぼるとされる．また，認知症の予備軍とされる軽度認知障害（MCI）は，その状態を放置すると5年間で約50%の人が認知症を発症するといわれており，MCIの早期発見・早期介入も求められている.

b. 睡眠障害，せん妄

①高齢者の睡眠障害

- 60歳以上の高齢者の約30%の人が何らかの睡眠障害を有するといわれる．睡眠障害が高齢者に与える影響として，①日中の過度の眠気，②認知機能障害，③身体疾患や精神疾患の罹患および増悪，④夜間の転倒，⑤QOLの低下，⑥睡眠薬の過剰使用などがあげられる.

QOL：quality of life

- また特筆すべき点として，老年期の不眠の慢性化が，うつ症状発現リスクを上昇させ，認知機能にも影響を及ぼす点があげられる.

②せん妄

- せん妄とは，一過性に出現し，可逆性の軽度もしくは中等度の意識混濁に活発な精神運動興奮が加わるものをいう．発症は急性（数時間から数日間）で，幻視を中心とした幻覚，錯覚，不安，妄想が次々に出現する．症状は動揺性（1日のなかで良いときと悪いときがある）があり，昼間の活動性が低下する.
- せん妄の本態は意識障害である．その原因はさまざまであり，特定の疾患で起こるものではない.
- せん妄のサブタイプとして，「過活動型」「低活動型」「混合型」の3つがある．高齢者は非高齢者と比べると「低活動型」が多い．また「低活動型」は不穏がないために見逃されやすく，うつ病と誤診しやすいといわれる.

表 3-2　せん妄と認知症の鑑別

	せん妄	認知症
発　症	たいていは日付を同定できるほどに急性.	徐々に発症するので，いつごろかを同定しにくい.
症状の動揺性	1 日の中で明らかな動揺性がある.	一般的に動揺性に乏しい，ただしレビー小体病では動揺性がある.
睡眠覚醒のリズム	発症と同時に乱れる，通常は夜間不眠で症状悪化（夜間せん妄）.	それほど障害されていないことが多い.
注　意	明らかに障害されている.	重度でなければ注意の障害は目立たない.
経　過	数日から 2 ～ 3 週で終わり元に戻るが，通過症候群に移行する例もある.	変化しないまま継続するか徐々に悪化.

- 高齢者では大きな手術後や安静が必要な時期にせん妄状態となることがある．また，認知症に伴って起こるせん妄もある．
- 高齢になれば認知症とせん妄の鑑別はさらに困難となる．全体の経過を知ることが鑑別において重要である（**表 3-2**）．
- 睡眠覚醒リズムの乱れにより，夜間に異常な行動（点滴を抜く，徘徊*，精神運動興奮など）が出現することを夜間せん妄という．

＊徘徊　レム睡眠行動異常を呈する症状をもつ患者もいる（Lewy 小体型認知症）．

- 治療には，非薬物療法と薬物療法がある．非薬物療法では，安全確保，家族への説明のほか，誘発因子を取り除くための環境調整などがある．環境調整では，睡眠覚醒リズムの改善として昼夜の照明の工夫や見当識への支援，環境変化を少なくするための工夫などを行うことも重要である．
- これらの調整を行っても効果がない場合は，夜間の睡眠確保と興奮抑制のため，向精神薬の頓用，定時服薬に移行となる．

c. う　つ

- 憂うつである，気分が落ちこんでいる，などと表現される症状を「抑うつ気分」という．
- 抑うつ気分が強い状態を「抑うつ状態」という．
- 「うつ病」は抑うつ状態，悲壮感の持続が一定期間続き，気分の落ち込み，思考・言動・身体症状が順に現れ，病状の回復とともにこの順で消失する．
- 高齢者においてもうつ病の診断は一般成人と同じである．
- 高齢期のうつ病は発症年齢によって病態や臨床経過・予後が異なる．
- 高齢者うつ病が現れた場合の特徴として，不安や焦燥感が強い，心気症になりやすく，身体的愁訴が多い，精神病症状（貧困・罪業・心気妄想・被害妄想など）を伴う，さらに仮性認知症が現れやすい．
- 仮性認知症とは，認知症に似た症状，つまり，記銘・記憶の障害や判断力の低下などを認めるが，うつ病の改善とともに改善するものをいう．
- 認知症では，抑うつ状態が高率に合併する．
- うつ病の既往が認知症のリスクファクターであることが知られている．

3 移動能力の障害をきたすもの

a. 寝たきり

- **寝たきり**とは，介護保険要介護認定で使用されている障害高齢者の日常生活自立度（寝た切り度）判定基準（p. 60，表4–5参照）では，寝たきり度ランクBとCに該当する．寝たきり度ランクCでは，寝返り，起き上がり，座位，立位，移乗，移動に介助を要し，そのため排泄，更衣，整容などのADLはほとんど要介助であり，そのうち食事動作が何とか自立していれば要介護4レベルであり，食事動作を含むADL全般が要介助であれば要介護5レベルである．
- 寝たきりの原因となる疾患は脳血管障害が最も多く，認知症，骨折，関節リウマチ，関節炎，心臓病，風邪・肺炎と続く．
- 寝たきりが及ぼす影響としては，抗重力活動の減少による筋力低下・筋萎縮と骨量減少による骨粗鬆症，その他，関節可動域（ROM）制限（拘縮），循環血液量の減少を伴う循環調節能力の低下による起立性低血圧がある．

ROM：range of motion

- 呼吸器系では，仰臥位では横隔膜の挙上と肺の下葉の圧迫により機能的残気量が低下し，背側は末梢気道閉塞が生じ肺胞は虚脱しやすく無気肺を生じやすくなる．
- 気道内分泌物もより背側に貯留しやすい状態となり肺炎のリスクが高まる．呼吸筋の筋力低下や胸郭の可動域制限により肺活量の減少や咳嗽力の指標であるピークフローが減少する．
- 長期臥床2週以後に尿中カルシウムの排泄が亢進し，尿路結石が生じやすくなる．安静臥床により腸管の蠕動運動は低下し，その結果，食欲不振，体重減少，便秘といった症状を生じる．

b. 転倒・骨折

- わが国での在宅高齢者の転倒率は，前期高齢者では年間約10%，後期高齢者では, 20 ～ 30%であり，高齢になるほど発生率が上昇する．施設入所者では，在宅高齢者よりもかなり高く15 ～ 50%と報告されている．
- 在宅高齢者の転倒発生は屋内よりも屋外が2倍程度多い．屋内では玄関，居間，廊下といった日常生活を行っている場所での発生が多く，屋外では一般道路や歩道が半数を占める．また，外出機会の多い日中の時間帯に多い．
- 施設入所者の施設内での転倒は，病室内のベッド周囲で車いすやポータブルトイレへの移乗動作の失敗が最も多い．また，早朝や夕方の排泄動作に関連した活動が高まる時間帯に集中する．

memo

2018 年に厚生労働省が発表した統計によると，転倒事故死者は年間 9,645 人と交通事故よりも 5,000 人以上も多い．約 91% が 65 歳以上の高齢者であり，死者数は年々増加している．

- 転倒のリスクファクターには，本人の特性に関連する内的因子と環境などの外的因子がある．

表 3-3　転倒のリスクファクター

リスクファクター	有意な関連を示した試験数 / その因子を検討している試験数	平均相対危険率	範　囲
筋力低下	10/11	4.4	1.5 〜 10.3
転倒の既往	12/13	3.0	1.7 〜 7.0
歩行障害	10/12	2.9	1.3 〜 5.6
バランス障害	8/11	2.9	1.6 〜 5.4
補助具の使用	8/8	2.6	1.2 〜 4.6
視覚障害	6/12	2.5	1.6 〜 3.5
関節炎	3/7	2.4	1.9 〜 2.9
ADL 障害	8/9	2.3	1.5 〜 3.1
う　つ	3/6	2.2	1.7 〜 2.5
認知障害	4/11	1.8	1.0 〜 2.3
年齢＞ 80 歳	5/8	1.7	1.1 〜 2.5

[American Geriatrics Society, British Geriatrics Society,and American Academy of Oethopaedic Surgeons panel on Falls Prevention：Guideline for the prevention of falls in older person. *J Am Geriatr Sor*, **49**(5): 664–672, 2001 を参考に作成]

- 内的因子には高齢，筋力低下，バランス障害，歩行能力低下，視力障害，睡眠薬，降圧薬などの服薬があげられる．疾患としては，認知症，脳血管障害，パーキンソン Parkinson 病，不整脈などの循環器疾患，視覚障害，関節疾患，末梢神経障害，脊柱管狭窄症などがある（**表 3–3**）．
- 外的因子には，不適切な靴，滑りやすい床，暗いまたは明るすぎる照明などの転倒しやすい環境，荷物をもっている，焦った状況など転倒の発生しやすい状況などがある．
- 転倒による外傷の頻度は 54 〜 70％程度で，このうち骨折にいたるのは 6 〜 12％程度である．高齢者に好発する骨折には，脊椎圧迫骨折，大腿骨頸部骨折，橈骨遠位端骨折，上腕骨遠位端骨折があげられる．そのうち 1/4 が大腿骨頸部骨折で，この骨折の受傷機転の 80％が転倒によるものである．
- 転倒を起因に骨折などの外傷を経て，生活機能が低下する．それに加え，転倒経験者は転倒に対する恐怖心から ADL の範囲を狭めてしまう危険性が高く，QOL を著しく低下させる．そして，これらによって要介護状態に陥ってしまうことがある（p. 222 参照）．

c. ロコモティブシンドローム

- 「ロコモティブシンドローム（locomotive syndrome，略称：ロコモ，和名：運動器症候群）」は，2007 年に日本整形外科学会から提唱されたわが国オリジナルの概念である．
- ロコモは「運動器の障害により移動機能が低下した状態」と定義され，運動器全体の衰えにより歩行機能やバランス機能の低下をきたし，転倒や骨折による要介護に移行するリスクが高まっている状態を指している．
- 運動器の障害といっても，骨・関節・筋肉のいずれかの原因はさまざまで，骨粗鬆症，変形性膝関節症，変形性脊椎症，筋量や筋力低下など幅広い病態が含まれる．
- 老化による筋量と筋力およびそれに伴う身体機能が低下している状態をサルコ

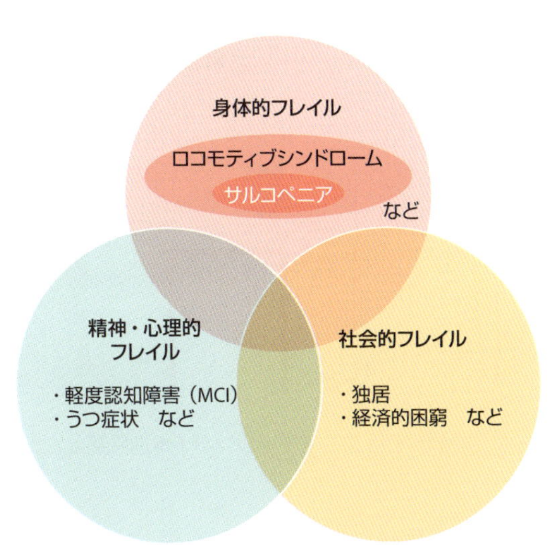

図3-5　フレイル・ロコモティブシンドローム・サルコペニアの関係

ペニアという．サルコペニアはロコモの主要な原因のひとつで，ロコモはサルコペニアを含む概念と考えられる．また，ロコモはフレイルの中の身体的フレイルに含まれる（**図3-5**）．

- ロコモのスクリーニングには7つの項目をチェックするロコチェックと移動機能を確認するためのロコモ度テストがある．
- ロコチェックでは以下の7つの項目のうち1つでも当てはまればロコモの心配があるとされる．①片脚立ちで靴下がはけない，②家の中でつまずいたりすべったりする，③階段を上るのに手すりが必要である，④家のやや重い仕事が困難である，⑤2 kg程度の買い物をしてもち帰るのが困難である，⑥15分くらい続けて歩くことができない，⑦横断歩道を青信号で渡りきれない．
- ロコモ度テストは，①立ち上がりテスト，②2ステップテスト，③「ロコモ25」からなる．

①立ち上がりテスト

- 40 cmの台から両脚または片脚で反動をつけずに立ち上がり，できたら台を30 cm→20 cm→10 cmと低くしていき，何cmの台まで立ち上がれるかを検査するものである．

②2ステップテスト

- できるだけ大股で歩いたときの最大2歩幅を測定したものを身長で除し，2ステップ値を求める．2歩幅（cm）÷身長（cm）＝2ステップ値となる．

③ロコモ25

- 運動機能にかかわる25項目の自記式質問票で，各項目を0～4点で採点し，合計0～100点となる．点数が高いほど，日常生活に困難が多いことを示す．総合スコアは介護認定基準を基本とした医師の判定と高い相関を示す．
- ロコモ度テストの判定基準は日本整形外科学会より発表されている*．

ロコモ度1：移動機能の低下が始まっている状態．①立ちあがりテストでどちらか一方の片脚で40 cmの高さから立ち上がれない，②2ステップ値1.1以上

*日本整形外科学会ホームページ〈https://locomo-joa.jp/assets/pdf/locomo-test judge.pdf〉参照

左右とも1分間で1セット、1日3セット

1.

転倒しないように、必ずつかまるものがある場所に立ちます。

2.

床につかない程度に、片脚を上げます。

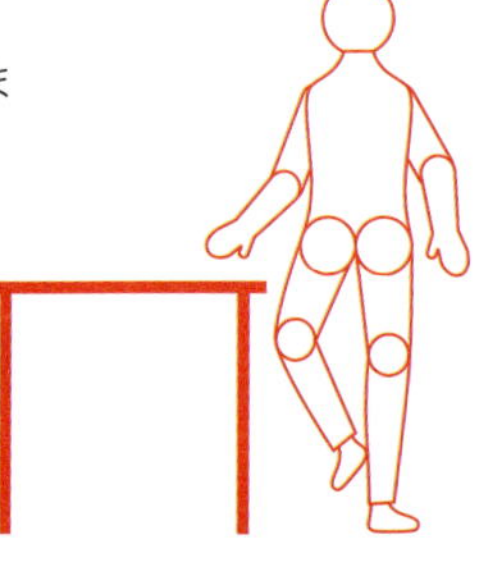

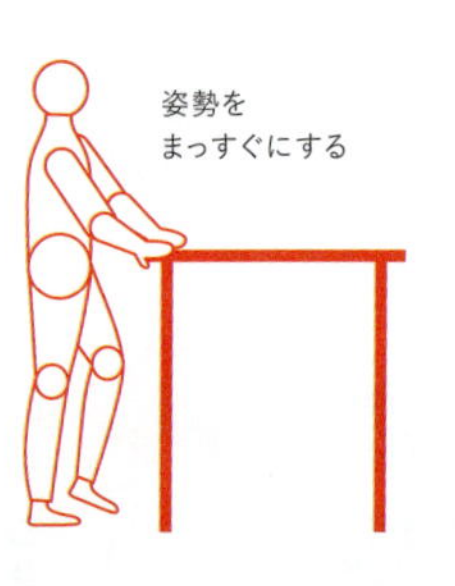

POINT

・支えが必要な人は十分注意して、机に手や指先をついて行います。

図3-6 片脚立ち
［ロコモチャレンジ！推進協議会：ロコモパンフレット2020年度版，ロコモチャレンジ！推進協議会公式HP「ロコモONLINE」より許諾を得て転載］

1.3未満，③ロコモ度テスト7点以上16点未満のいずれかに該当する．

ロコモ度2：移動機能の低下が進行している状態．①立ち上がりテストで両脚で20 cmの高さから立ち上がれない，②2ステップ値0.9以上1.1未満，③ロコモ度テスト16点以上24点未満のいずれかに該当する．

ロコモ度3：移動機能の低下が進行し，社会参加に支障をきたしている状態．①立ち上がりテストで両脚で30 cmの高さから立ち上がれない，②2ステップ値＜0.9，③ロコモ度テスト≧24点のいずれかに該当する．

- 年齢にかかわらず各段階の項目にどれか1つでも該当する場合には，ロコモ（ロコモ度1～3のいずれか）と判定される．
- ロコモ度1の有病率は全体の69.8%，ロコモ度2の有病率は全体の25.1%と推定される．また，40歳以上のロコモ度1該当者数は総数4,590万人，ロコモ度2は総数1,380万人と推計されている．
- ロコモの有無による転倒率オッズ比は，ロコチェック該当項目数が1～3では1.97，4項目以上では4.46と有意に高くなった．転倒恐怖感は3～4項目でオッズ比3.83，4項目ではオッズ比12.07と転倒恐怖をもつリスクが有意に高いと報告されている．
- 日本整形外科学会が発行する『ロコモパンフレット2020年度版』では，バランス能力をつけるロコトレ「片脚立ち」（**図3-6**）と，下肢筋力をつけるロコトレ「スクワット」が推奨されており，さらにプラスする運動として，ふくらはぎの筋力をつける「ヒールレイズ」と，下肢の柔軟性，バランス能力，筋力をつける「フロントランジ」が記載されている．

4 栄養・摂食障害をきたすもの

a. 低栄養

- 高齢者の低栄養状態は個人差も大きい．肥満やメタボリックシンドロームを高率で認める一方で要介護状態にある高齢者においてはタンパク質・エネルギー低栄養状態（PEM）が問題となる．

PEM：protein-energy malnutrition

- 栄養状態を簡易にスクリーニングする基準としては体格指数BMIが用いられ，

18.5未満をやせ，18.5～25未満を標準，25～30未満を肥満，30以上を高度肥満とする．

- 血液データでは血清アルブミン値が3.5 g/dL未満をPEMと定義している．
- 高齢者が低栄養をきたす原因としては胃や腸など消化器官の機能低下，摂食・嚥下機能の低下，食べることへの興味の薄れなどが考えられる．
- 摂食・嚥下障害は口腔や咽頭などに器質的病変を伴う場合（解剖学的要素）と神経筋疾患などによる場合（生理学的要素）がある．高齢者では脳血管障害やパーキンソン病など中枢神経疾患に伴う摂食・嚥下障害が多い．
- フレイルに関連する低栄養の原因のひとつに口腔機能の低下（オーラルフレイル）がある．嚥下に関連する筋を含む頸部周囲筋は老化に伴い萎縮しやすい筋とされる．
- 体重の減少により，るい痩が生じると，皮膚の弾性力の低下など老化に起因する要因が重なり褥瘡のリスクが増大する．
- 低栄養はさまざまな栄養素が不足している状態であり，骨の生成に重要なカルシウムやカルシウムの吸収を助けるビタミンDやビタミンKが不足することで骨粗鬆症はさらに進行する．
- タンパク質やエネルギーの不足はサルコペニアの原因のひとつであり，筋量の低下は歩行能力の低下やバランス能力の低下につながり，骨粗鬆症と合わせて骨折のリスクとなる．
- 免疫効果を高めるビタミンCや，粘膜を保護するビタミンAなどの摂取量が減ると，免疫能が低下し肺炎などに感染するリスクが高まる．
- 炭水化物の摂取量の低下は低血糖を引き起こす．糖尿病があり，治療にインスリンを使用している場合には十分な注意を払う必要がある．

b. 脱　水

- 脱水は，水分摂取量の減少や体内の水分喪失量の増加によって発生する．
- ヒトの総体内水分量は新生児80%，乳児70%，幼児65%，成人男性60%，成人女性55%，高齢者50～55%とされ，加齢とともに減少する．
- 体内から5%の水分が喪失すると脱水や熱中症などの症状が現れ，10%喪失すると痙攣や循環不全が出現し，喪失が20%に達すると死にいたる場合がある．
- 摂食・嚥下障害が生じることで水分の摂取量が減少したり，体液を多く蓄積する筋量が減少することも，総体内水分量低下の原因となる．
- 老化による内臓機能の低下も脱水の要因となる．とくに腎臓の機能が低下すると，尿濃縮力は低下し多尿となり，水分喪失量は増加する．頻尿などの排泄障害がある場合はさらに必要な水分まで体外に排出され，脱水に陥りやすくなる．
- 高齢者では口渇中枢の閾値は高くなり，口渇を知覚しにくいことで，水分摂取量が減少する．また，頻尿や尿失禁の心配から自ら必要な水分摂取量を制限してしまうこともある．
- 認知症がある場合，自分が飲み物を飲んだかどうかを忘れてしまったり，飲み物という概念そのものを忘れてしまっている場合もある．
- 降圧薬など高齢者が服用される薬剤には，尿の排出を促し塩分を排出するために利尿作用を含んでいるものがあり，脱水の一因となる．

memo

高齢者は円背があったり，関節疾患によって立位が困難であったりと，正確な数値を算出することが難しい場合がある．

5 失禁をきたすもの

a. 尿失禁

- 尿失禁とは不随意に尿が漏出し，これにより社会的・衛生的に支障を生じるものとされる．
- 尿失禁には頻尿を伴うことが多い．夜間頻尿がある場合，睡眠障害が起こり，日中の活動が低下するばかりでなく，睡眠不足から意識がもうろうとなり転倒につながる．
- 尿失禁があることで外出や運動を控え，社会参加に支障をきたすこと，さらには閉じこもりに移行する可能性がある．
- 尿失禁にはクシャミや咳など生理的な反射や階段の昇り降り，重い物を持ち上げるなど，腹圧が加わった際に生じる腹圧性尿失禁，何の前触れもなく強い尿意を伴い生じる切迫性尿失禁，尿が溜まりすぎて溢れ出る溢流性尿失禁，排尿機能が正常にもかかわらず，身体機能の低下や認知機能の低下により引き起こされる機能性尿失禁がある．
- 腹圧性失禁は女性に多い．女性の尿道は男性に比べ短く，また尿道を閉める前立腺がなく，括約筋が弱い特徴がある．さらに，出産や老化は骨盤底筋群や尿道の支持組織を脆弱化し，膀胱や尿道は下垂し，尿道の括約作用が低下し尿が漏れやすくなる．また肥満も一因とされ，肥満により腹部に脂肪が多いと骨盤底筋に負担がかかる．肥満を原因とする場合には適度な運動による肥満の解消が重要である．腹圧性失禁の改善には肛門と膣の緊張と弛緩を繰り返し行う骨盤底筋体操が推奨される．
- 切迫性尿失禁は脳血管障害やパーキンソン病などで排尿中枢を含む排尿反射抑制路が障害された場合に生じる．また膀胱炎など泌尿器に炎症が生じ知覚神経が過敏になり引き起こされる場合もある．
- 溢流性尿失禁は男性に多く，前立腺肥大症や前立腺がん，尿道狭窄などによって尿道の抵抗が増し，引き起こされる．また糖尿病性ニューロパチーによって膀胱の収縮不全が原因となり引き起こされる場合がある．
- 機能性尿失禁は身体機能の低下により，トイレに間に合わなかったり，認知症のため，排尿可能な場所か判断できず尿器に排尿できない状態を指す．排尿時間を記録するなど排尿パターンを把握しトイレに誘導することが重要であり，排尿自立を図る．排尿誘導により意欲やADLの改善が期待される．

b. 便失禁

- 日本大腸肛門病学会が刊行した『便失禁診療ガイドライン2017年版』では「無意識または自分の意思に反して肛門から便がもれる症状」を便失禁と定義している．
- 便失禁は高齢になるほど発生頻度が増加し，QOLを大きく低下させる原因となる症状のひとつである．
- わが国では65歳以上の男女1,405名を対象にした訪問面接調査で便失禁の有病率が男性8.7%女性6.6%と報告されている．

- 便失禁は便意を感じるが，トイレまで我慢できずに便を漏らしてしまう切迫性便失禁，便意を伴わず，気づかないうちに便を漏らす漏出性便失禁と両者の混在する混合性便失禁に大別される．
- 便失禁のリスク因子として年齢は多くの報告があるが，これは高齢になるほど併存する疾患が増加することに起因するとされる．
- 切迫性便失禁の原因としては肛門括約筋の衰え，肛門括約筋の運動を支配する末梢神経の障害，直腸の貯便機能の低下などがあげられる．肛門括約筋を対象としたバイオフィードバック療法と骨盤底筋群の筋力強化の併用は便失禁コントロールに有用とされる．
- 漏出性便失禁の原因としては直腸の知覚低下があげられる．直腸の知覚低下により便意を自覚できず，直腸に貯留した便が漏れ出してしまう．治療としては朝食や夕食後，30分程度してから便意を感じていなくとも必ずトイレに行き，排便しやすい前傾姿勢をとり排便を試みるよう排便習慣の指導を行う．
- 認知症により，トイレで排便をするという社会通念を失った場合には，トイレ以外の場所で排便したり，便意を訴えることができず便失禁してしまうことがある．毎食後30分程度経過してからトイレに誘導を行うことなどで便失禁をある程度防ぐ効果が期待される．

D　高齢者がかかりやすい疾患

- 老化による心身機能の低下を自覚するようになる老年期に受傷・発症しやすい疾患は多い．その代表的なものとして，大腿骨近位部骨折，変形性膝関節症，脳血管障害（脳卒中），パーキンソン病，糖尿病，心疾患，呼吸器疾患，がんがある．
- これらの中には，要介護状態を招くものや死亡の高順位に位置するものもあり，いずれも理学療法士が臨床現場で担当する機会の多い疾患である．

1 大腿骨頸部骨折

- 大腿骨近位部骨折（大腿骨頸部骨折・大腿骨転子部骨折）は，40歳から年齢とともに増え続け，70歳を過ぎると急激に増加し，高齢者では男性と比較して女性で発生率が高いとされている．
- 高齢者の要介護原因の第4位が「骨折・転倒」であり（**図3-7**），大腿骨頸部骨折によって要介護状態に陥ることも少なくない．

2 変形性膝関節症

- 変形性膝関節症は，男女比で1：4と女性で罹患率が高く，高齢になるほど高くなる．
- 主たる症状は膝の痛みであるが，症状の悪化とともに立ち上がり動作や歩行などのADLに支障をきたすケースが多く，高齢者の要介護原因の第5位は，変

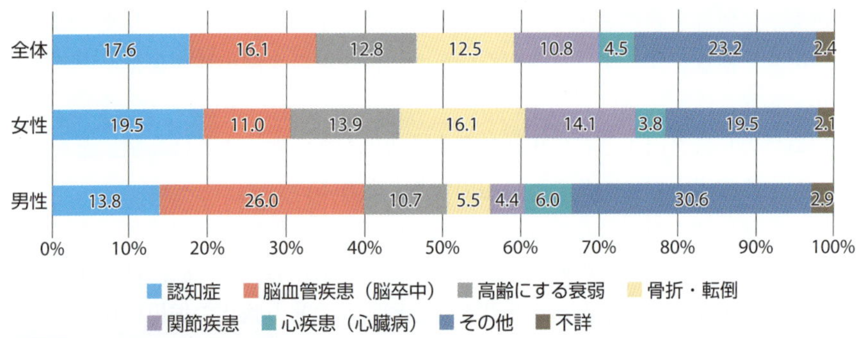

図 3-7　高齢者の要介護原因
［厚生労働省政策統括官（統計・情報政策担当）：グラフでみる世帯の状況，令和 3 年国民生活基礎調査（令和元年）の結果から厚生労働統計協会，2021 より作成］

表 3-4　介護保険における特定疾病

・がん（がん末期）
・関節リウマチ
・筋萎縮性側索硬化症
・後縦靱帯骨化症
・骨折を伴う骨粗鬆症
・初老期における認知症
・進行性核上性麻痺，大脳皮質基底核変性症，パーキンソン病（パーキンソン病関連疾患）
・脊髄小脳変性症
・脊柱管狭窄症
・早老症（ウェルナー症候群）
・多系統萎縮症
・糖尿病性神経障害，糖尿病性腎症，糖尿病性網膜症
・脳血管疾患
・閉塞性動脈硬化症
・慢性閉塞性肺疾患
・両側の膝関節または股関節に著しい変形を伴う変形性関節症

形性膝関節症を含む「関節疾患」である（**図3–7**）.

3 脳血管障害（脳卒中）

■脳血管障害（脳卒中）の患者数は，年次的には減少傾向にあるが，年齢階層別では男女とも40歳台より増え始め，高齢とともに増加している.

■「脳血管疾患（脳卒中）」は，高齢者の要介護原因の第2位（男性に限れば第1位）に位置している（**図3–7**）．また，介護保険制度の特定疾病*にも指定されており（**表3–4**），高齢者のみならず40～64歳未満であっても発症した場合には介護保険が適用され，要介護認定の対象になる.

＊特定疾病　加齢に伴って生じる心身の変化に起因し，要介護状態の原因である心身の障害を生じさせると認められる疾病，と定義される.

■脳血管障害（脳卒中）は，要介護状態に陥るだけでなく寝たきりとなる疾患の第1位ともいわれており，高齢者の死因の第4位でもある（**表3–5**）.

4 パーキンソン病

■パーキンソン病の発症年齢は50～65歳に多く，高齢になるほど発病率は高くなる．高齢化が進むなか，今後さらに有病者数は増加すると見込まれている.

表3-5 高齢者の死因

	第1位	第2位	第3位	第4位	第5位
全体	悪性新生物（腫瘍）	心疾患	老衰	脳血管疾患	肺炎
65～69歳	悪性新生物（腫瘍）	心疾患	脳血管疾患	不慮の事故	肝疾患
70～74歳	悪性新生物（腫瘍）	心疾患	脳血管疾患	肺炎	不慮の事故
75～79歳	悪性新生物（腫瘍）	心疾患	脳血管疾患	肺炎	不慮の事故
80～84歳	悪性新生物（腫瘍）	心疾患	脳血管疾患	肺炎	老衰
85～89歳	悪性新生物（腫瘍）	心疾患	老衰	脳血管疾患	肺炎
90～94歳	心疾患	老衰	悪性新生物（腫瘍）	脳血管疾患	肺炎
95～99歳	老衰	心疾患	悪性新生物（腫瘍）	肺炎	脳血管疾患
100歳以上	老衰	心疾患	肺炎	脳血管疾患	悪性新生物（腫瘍）

［令和元年（2019）人口動態統計月報年計（概数）の概況（厚生労働省）より作成］

- パーキンソン病は，徐々に症状が進行していく疾患であり，加齢とともに老化も加わり，要介護状態となる危険性が高い．介護保険での特定疾病のひとつでもある（**表3-4**）．

5 糖尿病

- 糖尿病は国民生活病とも呼ばれ，生活習慣との関連が強い．糖尿病が強く疑われる者（糖尿病有病者）は，およそ1000万人と推計されており，高齢ほど糖尿病有病者の割合は高い傾向にある．
- 糖尿病の三大合併症である糖尿病性神経障害，糖尿病腎症，糖尿病性網膜症は，介護保険における特定疾病に含まれており（**表3-4**），合併症の進行に老化が重なり，自立生活が困難になるだけでなく，下肢切断や失明にいたることもある．

6 心疾患（心筋梗塞，狭心症）

- 代表的なものが心筋梗塞と狭心症であり，どちらも加齢とともに発症率は高くなる．
- 「心疾患」は，高齢者の要介護原因の第6位であるとともに（**図3-7**），死因の第2位でもあり（**表3-5**），要介護状態になるだけでなく，死亡にいたる危険性も高い．

7 呼吸器疾患

- 呼吸器は，循環器とともに生命に深くかかわる臓器であるが，20年以上の喫煙歴，免疫力の低下，加齢に伴う呼吸機能（肺の柔軟性や呼吸筋力など）や嚥下機能の低下などが原因で，とくに高齢者では慢性閉塞性肺疾患（COPD）や肺炎にかかりやすい．
- COPDは，高齢者になるほど有病率が高く，労作性の息切れや呼吸困難感などから日常生活に支障をきたすことになる．
- 肺炎は，高齢者の死因の第5位を占め（**表3-5**），また，肺炎の中でも誤嚥性肺炎は高齢者に特有の疾患ともいえる．

COPD：chronic obstructive pulmonary disease

8 悪性腫瘍（がん）

- がんは，日本国民の2人に1人が罹り，3.6人に1人が死亡するとされており，高齢者の死因の第1位である（**表3-5**）.
- がんは，高齢者に罹患しやすい病気であり，高齢化とともに罹患者数は増加している.
- その一方で，早期発見・早期治療によって生存率は上がり，5年生存率は60%を超え，罹患者の半数以上が助かる時代でもある.
- ただ，がんは完治しても後遺症が残る場合もあり，後遺症に対するリハビリテーションや生活の質（QOL）の向上が求められる.

- 大腿骨近位部骨折，変形性膝関節症，脳血管障害（脳卒中），パーキンソン病，糖尿病，心疾患，呼吸器疾患，悪性腫瘍については第6～第13章で詳細に記載する.

memo

特定疾病と似た用語に「特定疾患」がある．特定疾患とは，「特定疾患治療研究対象疾患」を指し，いわゆる“難病”と呼ばれるものである．特定疾病であるパーキンソン病などは特定疾患にも指定されている.

学習到達度自己評価問題

1. 老年症候群の分類について，Ⅰから Ⅲ群の特徴を説明しなさい.
2. 老年期の生活機能障害とは，日常生活を行ううえで，より進んだ手段的日常生活活動が必要となるが，動作を支えるために必要な最低限の能力とは何かについて説明しなさい.
3. フレイルの負の連鎖について説明しなさい.
4. 摂食・嚥下機能の過程と老化による変化を説明しなさい.
5. 尿失禁について，性別による特徴や傾向について説明しなさい.
6. 認知症の代表的な種類を4つ答えなさい.
7. 老年期うつ病に特徴的な症状を説明しなさい.
8. 高齢者のせん妄は，どういった状況で起こりやすいか説明しなさい.
9. 転倒のリスクファクターを5つあげなさい.
10. 寝たきりの介護原因を多い順に4つあげなさい.

4 高齢者の生活機能評価

一般目標

1. 高齢者の運動機能の評価方法を理解し，その特徴や注意点について理解する.
2. 高齢者の生活機能を評価する方法について理解し，その技術について理解する.

行動目標

1. 高齢者の運動機能の評価方法について説明できる.
2. 高齢者の運動機能の評価結果について説明できる.
3. 評価方法にあわせた準備ができる.
4. 高齢者の日常生活活動の評価方法について説明できる.
5. 高齢者の認知・精神機能の評価方法について説明できる.
6. 介護者の介護負担をはじめとした生活環境の評価方法について説明できる.
7. QOLの構造因子とその評価方法について説明できる.

調べておこう

1. 加齢による運動機能や構造の変化について調べよう.
2. 前期高齢者と後期高齢者の運動能力の違いについて調べよう.
3. 高齢者の運動機能低下に影響を与える要因（身体，精神・心理，環境，疾病）について調べよう.
4. 日常生活活動の特徴について調べよう.
5. 高齢者の認知・精神機能の特徴について調べよう.
6. わが国の介護の状況について調べよう（厚生労働省　国民生活基礎調査）.
7. 高齢者のQOLに影響を与える要因（身体，精神・心理，環境）について調べよう.

A　運動機能の評価

■高齢者に対し，運動機能の評価を行い障害の程度と併せて，動作能力を客観的に把握することは，その対象者の理学療法プログラムの立案やゴール設定を行ううえで非常に重要なことである．また，信頼性，再現性の高い評価を行い数値化することは経過を知るうえでも大切なポイントである.

表4-1 CS-30の5段階年齢階級男女別評価表

	優れている	やや優れている	ふつう	やや劣っている	劣っている		優れている	やや優れている	ふつう	やや劣っている	劣っている
年齢群別	5	4	3	2	1	年齢群別	5	4	3	2	1
男 性	実施回数	実施回数	実施回数	実施回数	実施回数	女 性	実施回数	実施回数	実施回数	実施回数	実施回数
20～29歳	38以上	37～33	32～28	27～23	22以下	20～29歳	35以上	34～29	28～23	22～18	17以下
30～39歳	37以上	36～31	30～26	25～21	20以下	30～39歳	34以上	33～29	28～24	23～18	17以下
40～49歳	36以上	35～30	29～25	24～20	19以下	40～49歳	34以上	33～28	27～23	22～17	16以下
50～59歳	32以上	31～28	27～22	21～18	17以下	50～59歳	30以上	29～25	24～20	19～16	15以下
60～64歳	32以上	31～26	25～20	19～14	13以下	60～64歳	29以上	28～24	23～19	18～14	13以下
65～69歳	26以上	25～22	21～18	17～14	13以下	65～69歳	27以上	26～22	21～17	16～12	11以下
70～74歳	25以上	24～21	20～16	15～12	11以下	70～74歳	24以上	23～20	19～15	14～10	9以下
75～79歳	22以上	21～18	17～15	14～11	10以下	75～79歳	22以上	21～18	17～13	12～9	8以下
80歳以上	20以上	19～17	16～14	13～10	9以下	80歳以上	20以上	19～17	16～13	12～9	8以下

1 30-seconds chair-stand test（CS-30）

a. 特 徴

■ 30秒間いすからの立ち上がり動作を連続で実施する筋力評価法である．

b. 実施方法

■ 高さ40 cmのいすを使用する．テスト開始時の姿勢は，いすに両下肢を肩幅程度に広げて座り背中を背もたれから離し，両腕は胸の前に組んだ姿勢をとる．

■ 測定は数回の練習の後に1回のみ実施する．30秒間にできるだけ多く，起立-着座動作を繰り返すように指示する．

必要な器具：ストップウォッチ，記録用紙（所要時間：3分程度）

測　定　値：立ち上がり回数

c. 注意点

■ 起立位では体幹・股・膝関節が直立位となるよう留意する．虚弱な対象者の場合は本テストよりも**5回立ち上がりテストを実施**する方が測定時間，測定負荷が軽減される．

d. 評価の信頼性

ICC：interclass correlation coefficients

■ 高い再検査信頼性がある〔級内相関係数（ICC）＝0.84～0.88〕．

■ 下肢筋力と関連がある．年齢階級男女別に評価が可能である（**表4-1**）．

2 5回いす立ち上がりテスト

a. 特 徴

■ 5回のいすからの立ち上がり動作を実施する筋力評価法である．

b. 実施方法

■ 高さ40～43 cmのいすを使用する．できるだけ速く5回立ち座り動作の反復を行ったときの所要時間を計測する．

■ 開始姿勢は，いすに両下肢を肩幅程度に広げて座り背中を背もたれから離し，両腕は胸の前に組んだ姿勢をとる．

必要な器具：ストップウォッチ，記録用紙（所要時間：2分程度）

測　定　値：所要時間（秒）

c. 注意点

- 反動をつけないように指示する．開始肢位と最終肢位の確認を行う．動作が習熟するまで練習を行う．

d. 評価の信頼性

- 高い再検査信頼性がある〔級内相関係数（ICC）＝0.89〕．
- 下肢筋力と関連がある．
- 転倒リスクを判別する代表的な**カットオフ値は12秒**もしくは15秒とされ，死亡や入院のリスクのカットオフ値は17秒とされる．

3 片脚立位テスト（one-leg standing test）

a. 特　徴

- 特別な器具を必要とせず，静的バランス能力を評価することができる．

b. 実施方法

- 両眼を開けたままで，その場で片足を上げて立ち，片脚立ち姿勢を保持できる時間を計測する．
- 開眼30秒以上可能な高齢者は閉眼で計測することで，体性感覚による静的バランス能力を評価することもできる．

必要な器具：ストップウォッチ，記録用紙（所要時間：5分程度）

測　定　値：保持時間（秒）

c. 注意点

- 60歳以上では開眼での片脚立位保持時間が**30秒未満の者は50%程度**であり，閉眼にいたっては30秒未満の者は90%以上となる．
- 結果の解釈には対象者の年齢を考慮する必要がある．

d. 評価の信頼性

- 測定方法や教示方法を統一することで高い信頼性が確保される．
- カットオフ値は運動器不安定症の基準では15秒，転倒リスクでは5秒とされ，対象者の運動器，転倒リスク，静的バランスなど，どの視点から評価するかによって異なる．

4 ファンクショナルリーチ（FR）

FR：functional reach

a. 特　徴

- 身体の柔軟性と同一支持基底面内の動的バランスの能力評価をすることができる．

b. 実施方法

- 立位で足部は動かすことなく，上肢を前方に水平挙上させ、できるだけ前方に手を伸ばしてリーチ距離を測定する．距離が長いほど柔軟性があり，動的バランス能力が高いと判断できる．

必要な器具：ホワイトボードもしくは壁，メジャー，記録用紙（所要時間：5分程度）**（図4-1）**

測　定　値：リーチ距離（cm）

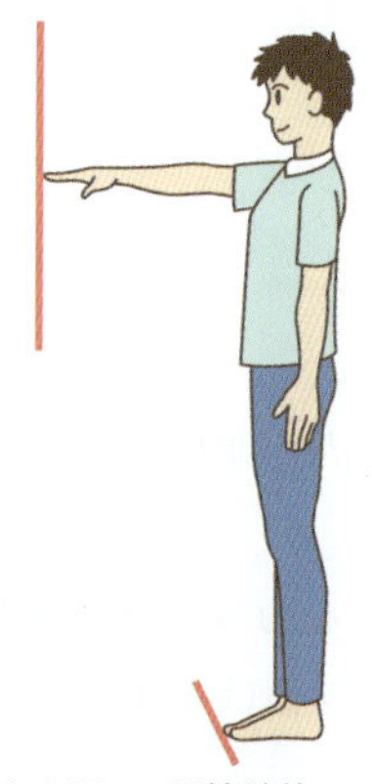

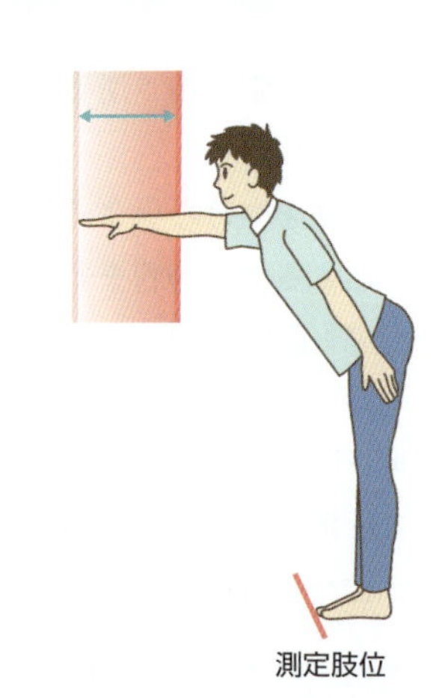

図4-1　ファンクショナルリーチ測定方法

c. 注意点

■前方へのリーチを行うため転倒に注意が必要である．身長が高い人はリーチ距離が長くなる特性があることを理解し実施する．

d. 評価の信頼性

■転倒リスクのカットオフ値である25.4 cmよりもリーチ距離が短い場合には転倒リスクが8倍高まる．また，脳卒中片麻痺患者ではリーチ距離が15 cm未満で転倒リスクが高いとされる．

5 Short Physical Performance Battery（SPPB）

a. 特　徴

■いすからの立ち上がりテスト，歩行速度テスト，バランステストから構成される身体機能の総合的評価法である．

b. 実施方法

■3種類のテストを行い，その合計点で評価する（**図4-2**）．

必要な器具：ストップウォッチ，メジャー，記録用紙
（所要時間：10分程度）
測　定　値：実施時間（秒）

c. 注意点

■実施不可の項目がある場合には0点となる．得点が高いほど下肢機能が高いことを示す．

d. 評価の信頼性

■検者内，検者間の再現性，信頼性は高く，身体機能低下のカットオフ値は10点未満である．

6 Timed “Up and Go” test（TUG）

a. 特　徴

■起立，直線歩行，方向転換，着座の複合動作からなる動的バランス能力，転倒リスクの評価方法である．

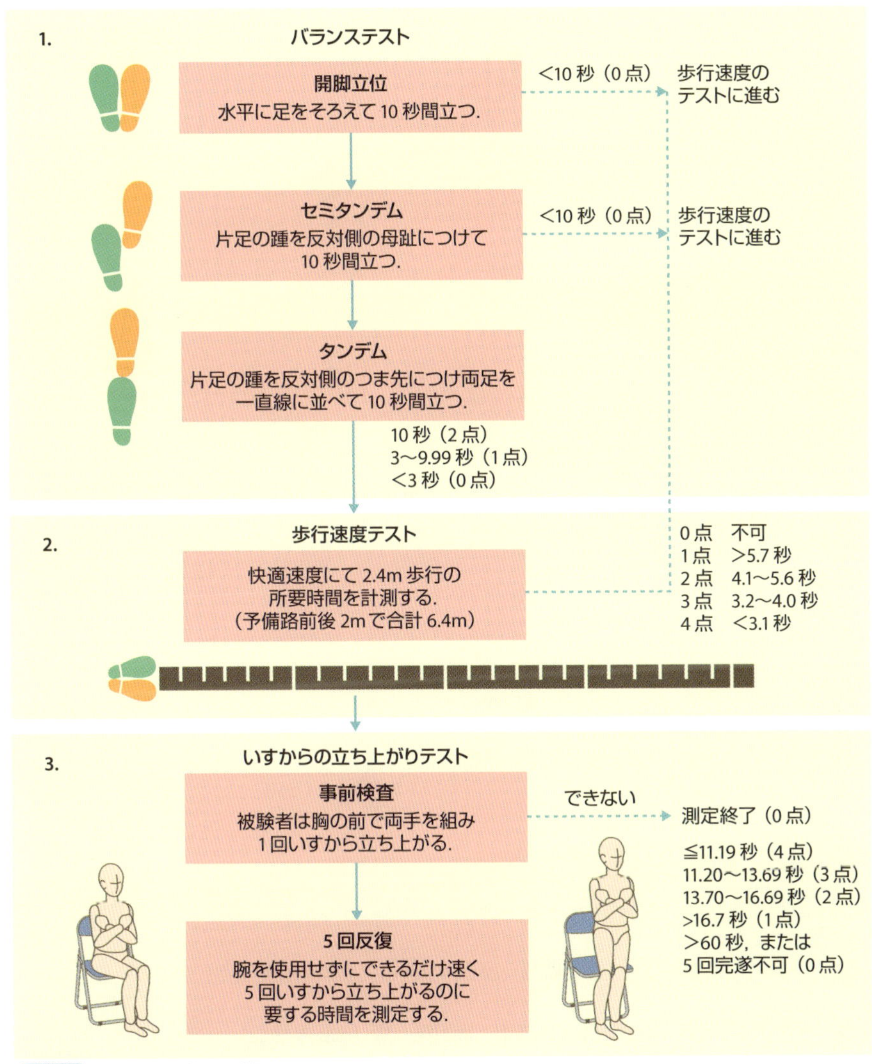

図4-2　**SPPB実施の手順**

b. 実施方法（図4-3）

■いすから3m先にコーンなどの目印を設置する．結果のばらつきを抑えるため最大努力による測定が推奨される．

必要な器具：ストップウォッチ，メジャー，ミニコーン（目標物），テープ，記録用紙（所要時間：10分程度）

測　定　値：実施時間（秒）*，歩数

c. 注意点

■原典の測定方法と厚生労働省普及版（地域支援事業）の測定では**環境設定が異なる**ことに留意が必要である．どちらに方向転換しても良いが，疾患や障害を考慮してどちらからも方向転換した記録を測定することも必要である．

d. 評価の信頼性

■**13.5秒をカットオフ値**とした場合に感度*87%，特異度*87%である．

*実施時間は立ち上がり期，直線歩行期，方向転換期で分けて測定することで細かく分析が可能である．

***感度**　陽性のものを正しく陽性と判定する確率のこと．「感度が高い」とは陽性のものを正しく陽性と判定する可能性が高いということ．

***特異度**　陰性のものを正しく陰性と判定する確率のこと．「特異度が高い」とは陰性のものを正しく陰性と判定する可能性が高いということ．

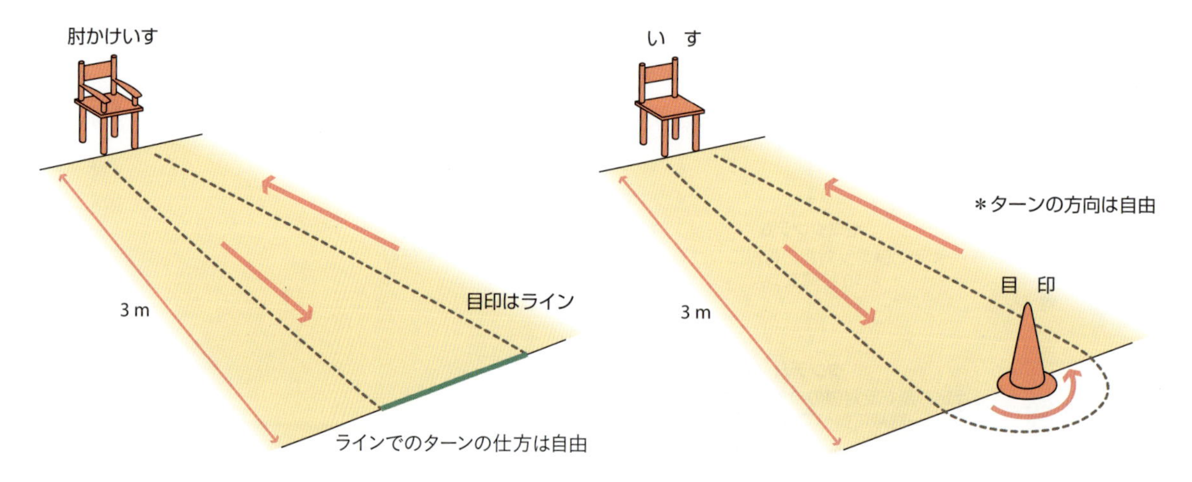

a．原典（Podsiadlo D）の測定環境　　b．厚生労働省普及版（地域支援事業）の測定環境

図 4-3　TUG

＊ TUG における 2 種類の測定方法
a．原典 Podsiadlo D の測定方法
・準備物：肘かけいす，ストップウォッチ，テープ
①いすから 3 m 先にテープでラインを示す．
②対象者はいすの背もたれに背をつけて座る．
③測定者のかけ声により立ち上がり，ラインでターンし，再びいすに座る．
　測定者の指示「ふだん，歩いている速さで歩いてください」
④測定者は，かけ声をかけた瞬間から，対象者が再び座るまでの所要時間を計測する．
b．厚生労働省普及版の測定方法
・準備物：いす，ストップウォッチ，ポールまたはコーン
①いすから 3 m 先に目印になるもの（ポールまたはコーン）をおく．
②対象者は背中を伸ばしていすに座る．
③測定者のかけ声により立ち上がり，目印を回り，再びいすに座る．
　測定者の指示「できるだけ速く歩いてください」
④測定者は，対象者の殿部が座面から離れる瞬間（立ち上がる瞬間）から再び座る（座面に着座する）までの所要時間を計測する．
［樋口由美：介護予防と健康増進，地域リハビリテーション学テキスト，改訂第 3 版（細田多穂監），p134，2018，南江堂より引用］

7 2.4 m歩行速度

a．特　徴

■他の歩行テストと比較して省スペースで実施が可能なテストであり，SPPBの測定でも使用される．

b．実施方法

■歩行路として加速路2 m，計測路2.4 m，減速路2 mの計6.4 mを設ける（**図 4-4**）．

■対象者には加速路から減速路までを連続で「いつもどおりの速さで歩いてください」と教示する．**測定者は計測路2.4 mの通過時間を測定する**．

■複数回測定する場合には平均値もしくは最も成績が良い値を代表値として記録する．

必要な器具：ストップウォッチ，メジャー，テープ，記録用紙（所要時間：5分程度）

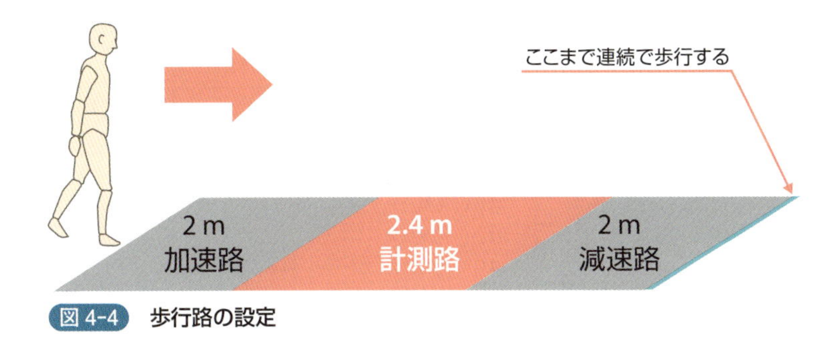

図 4-4　歩行路の設定

測　定　値：実施時間（秒），歩幅（cm），歩数（回）

c. 注意点

- 通常歩行よりも明らかに早い場合には再度測定を行う．履き物はサンダル，草履などを使用しない．また測定のために裸足で実施する場合は再評価時も裸足で行う．

d. 評価の信頼性

- 通常の歩行速度は信頼性，再現性が高い．カットオフ値は1.0 m/秒未満が最も多く活用されている．

8 6分間歩行距離

a. 特　徴

- 持久力を客観的に評価することができる．

b. 実施方法

- 平坦な床の25 mの歩行路をできるだけ速く歩き，マーカーで折り返して反対方向に戻る．これを6分間以内でできるだけ多く繰り返す．
- 25 mの歩行路が設定できない場合には正確な距離が分かる安全かつ長い距離のコースを設定する（周回でも良い）．
- 測定中は，Borg scaleを活用して労作感を把握する．

必要な器具：ストップウォッチ，テープ, Borg scale，記録用紙，休憩用のいす
測　定　値：実施時間（秒），歩数（回），休憩回数，Borg scale（値）

c. 注意点

- 教示方法によって結果のばらつきが大きくなることが考えられるため，「できるだけ速く歩いてください．途中でつらくなった場合にはいすにすわって休んで頂いても構いません．」など統一して声掛けを行う．
- 測定前にはトイレに行かなくてよいかあらかじめ尋ねる．

d. 評価の信頼性

- 検者内，検者間の再現性，信頼性は高く，健常な65歳以上の高齢者は**平均で550～600 m程度**の歩行距離となることが多い．疾患別にカットオフ値があり，慢性閉塞性肺疾患患者では350 m未満で死亡リスクが高く，心不全患者では390 m未満で死亡リスクが高い．

表 4-2　転倒スコア

a. Fall Risk Index-21（FRI-21）

			回数（　　　回/年）
1	過去1年に転んだことがありますか	はい　いいえ	
2	つまづくことはありますか	はい　いいえ	
3	手すりにつかまらず，階段の昇り降りができますか	はい　いいえ	
4	歩く速度が遅くなってきましたか	はい　いいえ	
5	横断歩道を青のうちにわたりきれますか	はい　いいえ	
6	1キロメートルくらい続けて歩けますか	はい　いいえ	
7	片脚で5秒くらい立ってられますか	はい　いいえ	
8	杖を使っていますか	はい　いいえ	
9	タオルを固く絞れますか	はい　いいえ	
10	めまい，ふらつきがありますか	はい　いいえ	
11	背中が丸くなってきましたか	はい　いいえ	
12	膝が痛みますか	はい　いいえ	
13	目がみえにくいですか	はい　いいえ	
14	耳が聞こえにくいですか	はい　いいえ	
15	物忘れが気になりますか	はい　いいえ	
16	転ばないかと不安になりますか	はい　いいえ	
17	毎日お薬を5種類以上飲んでいますか	はい　いいえ	
18	家の中で歩くとき暗く感じますか	はい　いいえ	
19	廊下，居間，玄関によけて通る物が置いてありますか	はい　いいえ	
20	家の中に段差がありますか	はい　いいえ	
21	階段を使わなくてはなりませんか	はい　いいえ	
22	生活上，家の近くの急な坂道を歩きますか	はい　いいえ	

b. Fall Risk Index（FRI）

			点数
1	過去1年に転んだことがありますか	はい	5
2	歩く速度が遅くなったと思いますか	はい	2
3	杖を使っていますか	はい	2
4	背中が丸くなってきましたか	はい	2
5	毎日お薬を5種類以上飲んでいますか	はい	2

カットオフ値6点で感度0.68，特異度0.70（地域在住高齢者）

FRI-21：Fall Risk Index-21
FRI：Fall Risk Index

9 転倒スコア（FRI-21，FRI；表4-2）

a. 特　徴

■転倒のリスクを客観的に把握することができる．

b. 実施方法

■すべて質問に答える調査票で転倒リスクを評価する．

必要な器具：調査票

測　定　値：合計点

c. 注意点

■問診を正確に行う必要があるため認知機能が著しく低下している場合には，信頼性が低下する．臨床では**FRIをスクリーニングで活用**することが推奨される．

d. 評価の信頼性

■FRIは**6点をカットオフ値**として感度0.68，特異度0.70と22項目のFRI-21と

表 4-3 ロコチェック 7 項目

		チェック欄
1	片脚立ちで靴下がはけない	□
2	家の中でつまずいたり滑ったりする	□
3	階段を上るのに手すりが必要である	□
4	横断歩道を青信号でわたりきれない	□
5	15 分くらい続けて歩けない	□
6	2 kg 程度の買い物（1 リットルの牛乳パック 2 個程度）をして持ち帰るのが困難である	□
7	家の中のやや重い仕事（掃除機の使用，布団の上げ下ろしなど）が困難である	□

同程度の転倒リスク検出能力がある．

10 The 25-question Geriatric Locomotive Function Scale (GLF-25)

a. 特 徴

- この1ヵ月間の運動機能や痛みに関する25項目の質問紙に答えることでロコモティブシンドローム（運動器の障害のために移動機能の低下をきたした状態）が段階的に判定できる．

b. 実施方法

- 質問紙を対象者自ら記載して，各項目0～4点の合計点を計算する．

  必要な器具：質問紙（所要時間：10分程度）

  測　定　値：合計点

c. 注意点

- 質問紙で簡便に判定ができるが，実際の運動機能検査をしていないため対象者の心理面の影響を受ける．他のロコモ度判定である**ツーステップテストなどを併用**することが望ましい．

d. 評価の信頼性

- 点数が高いほど重度とされ，**7点以上でロコモ度1**，**16点以上でロコモ度2**，**24点以上でロコモ度3**と判定される．また，7項目のロコチェックは1項目でも該当するとロコモティブシンドロームのリスクがあるとされる（**表4-3**）．

11 握 力

a. 特 徴

- 上肢筋力または粗大筋力を簡便に評価することができる．

b. 実施方法

- 立位で体側に上肢を下垂させ第2～5指PIP関節が90°になるよう測定肢位をとり最大努力で手を強く握るよう指示する．
- 練習後に測定は1回実施する．

  必要な器具：握力計

  測　定　値：kg

c. 注意点

- 息を止めて力を入れると血圧変動が大きくなるため息を止めないよう指示する．また，身体を曲げて前屈姿勢で実施しないよう指示する．

d. 評価の信頼性

■再現性は高く，骨密度，栄養状態と関連があるとされる．**カットオフ値は男性が26 kg未満，女性が18 kg未満**で筋力低下を示す．

memo

運動機能の評価は機能障害，活動制限を把握するために非常に重要である．近年，身体的虚弱の概念として**フレイル**や運動機能に焦点を当てた**ロコモ**，**サルコペニア**が提唱され，疾病や障害が生じる前に予防する視点が強化されつつある．

B 生活環境の評価

■要介護状態の悪化に伴い，介護者の**介護負担**が増加し，介護者，要介護者の身体的・精神的健康を損ねることが指摘されている．その結果，在宅での介護が困難となり，今後，要介護者の施設入所率が増加すると予想されている．したがって，介護負担の程度や内容を評価することは，介護者や要介護者のQOLの向上はもちろん，介護負担の軽減策を講じ，今後の介護方法などを検討するうえで重要である．

1 cost of care index（CCI）

a. 特　徴

■CCIは，Kosbergらが開発した**介護負担度**の評価法である．溝口らによって日本語版が作成され，信頼性と妥当性が明らかになっている．

■介護をしている家族を援助し，介護者の潜在能力を見出すことや，介護の継続が困難な家族の問題点を評価する指標として用いられている．

b. 項目と尺度

■介護者に対して20項目を5分野から評価するように構成されている．

■介護者に対する質問であり，各質問の回答は「1絶対にそうは思わない」「2そうは思わない」「3そう思う」「4絶対にそうだと思う」の4項目から選択する．

■評価の合計点は最高80点，最低0点であり，得点が高ければ高いほど介護の負担感が高いことを示している．

ZBI：Zarit burden interview

2 Zarit介護負担尺度（ZBI）

a. 特　徴

■Zaritらは介護負担とは「親族を介護した結果，介護者が情緒的，身体的健康，社会生活および経済状態に関して被った被害の程度」であると定義している．

■ZBIは介護負担の定義に基づき，身体的負担，心理的負担，経済的困難などを総括し，介護負担として測定するために開発された．その後，荒井らが日本語版のJ-ZBI（**表4-4**）を作成し，その信頼性と妥当性が確認されている．

■実際の介護現場で，より簡便に測定できるようにJ-ZBI短縮版（J-ZBI_8）も

表 4-4 Zarit 介護負担尺度日本語版

各質問について，あなたの気持ちに最も当てはまると思う番号を○で囲んで下さい.

	思わない	たまに思う	ときどき思う	よく思う	いつも思う
1 介護を受けている方は，必要以上に世話を求めてくると思いますか.	0	1	2	3	4
2 介護のための自分の時間が十分にとれないと思いますか.	0	1	2	3	4
3 介護のほかに，家事や仕事などもこなしていかなければならず「ストレスだな」と思うことがありますか.	0	1	2	3	4
4 介護を受けている方の行動に対し，困ってしまうと思うことがありますか.	0	1	2	3	4
5 介護を受けている方のそばにいると腹が立つことがありますか.	0	1	2	3	4
6 介護があるので，家族や知人と付き合いづらくなっていると思いますか.	0	1	2	3	4
7 介護を受けている方が将来どうなるのか不安になることがありますか.	0	1	2	3	4
8 介護を受けている方は，あなたに頼っていると思いますか.	0	1	2	3	4
9 介護を受けている方のそばにいると，体が休まらないと思いますか.	0	1	2	3	4
10 介護のために，体調を崩したと思ったことがありますか.	0	1	2	3	4
11 介護があるので，自分のプライバシーを保つことができないと思いますか.	0	1	2	3	4
12 介護があるので，自分の社会参加の機会が減ったと思うことがありますか.	0	1	2	3	4
13 介護を受けている方が家にいるので，友達を自宅に呼びたくても呼べないと思ったことがありますか.	0	1	2	3	4
14 介護を受けている方は「あなただけが頼り」というふうにみえますか.	0	1	2	3	4
15 今の暮らしを考えれば，介護にかける金銭的な余裕がないと思うことがありますか.	0	1	2	3	4
16 介護にこれ以上の時間は割けないと思うことがありますか.	0	1	2	3	4
17 介護が始まって以来，自分の思いどおりの生活ができなくなったと思うことがありますか.	0	1	2	3	4
18 介護をだれかに任せてしまいたいと思うことがありますか.	0	1	2	3	4
19 介護を受けている方に対して，どうしていいかわからないと思うことがありますか.	0	1	2	3	4
20 自分は今以上にもっと頑張って介護するべきだと思うことがありますか.	0	1	2	3	4
21 本当は自分はもっとうまく介護できるのになあと思うことがありますか.	0	1	2	3	4
	まったく負担ではない	多少負担に思う	世間並みの負担だと思う	かなり負担だと思う	非常に大きな負担である
22 全体を通して，介護をするということは，どれくらい自分の負担になっていると思いますか.	0	1	2	3	4

[Arai Y, et al: Reliability and validity of a Japanese version of a Zarit Caregiver Burden Interview. *Psychiatry Clin Neurosciences* **51**: 281-287, 1997]
[荒井由美子：介護負担度の評価. 総合リハ, **30**(11): 1005–1009, 2002 より引用]

作成されている.

- ZBIは当初，アルツハイマー型認知症患者の介護者負担を評価する目的で作成されたが，リハビリテーション医学の分野におけるさまざまな疾患に関しても応用することができ，わが国においても多くの大学，研究所などで用いられている．

b. 項目と尺度

- 22項目の質問から構成されており，0～4点までの5段階を回答者が選択し，負担度が大きいほど高得点になるように配点されている．
- 介護負担が最大のときは88点となり，介護負担がまったくないときは0点となる．
- 第1～21問目はさまざまな場面における介護の負担感に関しての質問であり，第22問目は全体として介護がどのくらい大変であるかを問う質問である．

C　日常生活動作の評価

理学療法の評価では，個々の機能的な評価はもちろん重要であるが，高齢者に対しては，日常生活の状況に即した評価がさらに重要である．高齢者の理学療法を実施するにあたり，対象者の日常生活活動（ADL）の現状を評価すること，目標を設定すること，その改善度（目標達成度）を明確にすることは重要であり，その正確な評価方法を理解する必要がある．

ADL：activities of daily living

1 障害高齢者の日常生活自立度（寝たきり度）判定基準（表4-5）

a. 特　徴

- 厚生労働省が高齢者の日常生活状況を評価するための指標の1つとして作成した判定基準である．
- 高齢者の寝たきり度を評価する指標であり，要介護認定の参考資料などとして利用されている．

表4-5　障害高齢者の日常生活自立度（寝たきり度）判定基準

判定	区分	内容
生活自立	ランクJ	何らかの障害などを有するが，日常生活はほぼ自立しており独力で外出する． 1. 交通機関などを利用して外出する． 2. 隣近所へなら外出する．
準寝たきり	ランクA	屋内での生活はおおむね自立しているが，介助なしには外出しない． 1. 介助により外出し，日中はほとんどベッドから離れて生活する． 2. 外出の頻度が少なく，日中も寝たり起きたりの生活をしている．
寝たきり	ランクB	屋内での生活は何らかの介助を要し，日中もベッド上での生活が主体であるが，座位を保つ． 1. 車いすに移乗し，食事，排泄はベッドから離れて行う． 2. 介助により車いすに移乗する．
	ランクC	1日中ベッド上で過ごし，排泄，食事，着替において介助を要する． 1. 自力で寝返りをうつ． 2. 自力では寝返りもうたない．

b. 項目と尺度

■障害のある者を対象としており，まったく障害のない者を判定する場合には，「自立」とする．

2 Barthel Index（BI）（表4-6）

a. 特　徴

■BIはMahoneyらが開発したADLを評価するための指標である．Grangerらによって改訂版が作成された．

■ADLを評価するために点数化した指標であり，10項目100点満点で評価される．

b. 項目と尺度

■各項目において，おおまかには「全介助」「部分介助」「自立」で評価されるが，各項目でどのような状況でどれにあてはまるかは決められている．

3 機能的自立度評価法（FIM）（表4-7）

FIM：functional independence measure

a. 特　徴

■FIMはGrangerらが開発した，対象者の介助量によってADLを評価する方法である．

■BIと同様に，わが国において最も使用されているADL評価法である．また，国際的な関連雑誌でもよく使用されている．

b. 項目と尺度

■18項目126点満点で評価される．各項目は「しているADL」の介助量で7段階尺度での評価とし，介助（1～4点），監視（5点），自立（6～7点）に分類される．最低点は18点である．

■FIMは，運動に関する13の下位項目と認知に関する5つの下位項目に分けられる．BIとの大きな違いは，認知項目が含まれていることである．

■リハビリテーション総合実施計画書の記載ではBI，もしくはFIMが使用される．

4 基本チェックリスト（表4-8）

a. 特　徴

■厚生労働省が特定高齢者*把握のために，介護予防・日常生活支援総合事業の一環として発表したものである．

＊特定高齢者　介護予防施策で分けられた4つの階層（「一般高齢者」「特定高齢者」「要支援高齢者」「要介護高齢者」）のうちの1つであり，要支援・要介護状態となるおそれがある高齢者のこと．

■基本チェックリストは，高齢者において日常生活関連動作，運動機能，栄養状態，口腔機能，閉じこもり，認知機能，うつ病の可能性などの状況を把握するためのものであり，自立支援に向けたサービス利用につなげるためのものである．

b. 項目と尺度

■25項目で評価される．25項目のうち24項目は「はい」「いいえ」で解答し，1項目のみ身長・体重よりBMIを算出し評価する．No.1～5は日常生活関連動作，No.6～9は運動機能，No.11～12は栄養状態，No.13～15は口腔状態，No.16

表 4-6　**Barthel Index**

項目	判定	点数	基準
食事	自立	10	適当な時間内で皿やテーブルから自力で食べ物をとって，食べることができる．自助具を用いる場合は自己にて装着可能であること
	部分介助	5	食べ物を細かく切ってもらうなどの部分介助が必要
	全介助	0	全介助
車いす・ベッド間の移乗	自立	15	以下の動作がすべて自己にて可能（車いすで安全にベッドに近づく，ブレーキをかける，フットレストを上げる，ベッドに安全に移乗する，横になる，起き上がりベッドに腰かける，必要であれば車いすの位置を変える，車いすに移乗する）
	最小限の介助	10	上記の動作のいずれかにわずかな介助が必要．または安全のための指示や監視が必要
	移乗の介助	5	1人で起き上がり腰かけることは可能であるが，移動に介助が必要
	全介助	0	全介助
整容	自立	5	手洗い，洗顔，整髪，歯磨き，髭剃り（道具の準備も含む），化粧が可能
	全介助	0	介助が必要
トイレ動作	自立	10	トイレへの出入り，衣服の着脱，トイレットペーパーの使用が自己にて可能．必要であれば手すりを使用してもよい．ポータブルトイレや集尿器を使用する場合はその洗浄管理もできる
	部分介助	5	バランスが悪いために介助が必要．衣服の着脱やトイレットペーパーの使用に介助が必要
	全介助	0	全介助
入浴	自立	5	浴槽に入る，シャワーを使う，体を洗う，このすべての動作が自己にて可能
	全介助	0	介助が必要
移動	自立	15	監視や介助なしに 45 m 以上歩ける．義肢・装具や杖，松葉杖，歩行器（車輪付きは除く）を使用してもよいが，装具使用の場合には装着と取り外し，継手のロック操作が可能なこと
	部分介助	10	上記について，監視やわずかな介助があれば 45 m 以上歩ける
	車いす使用	5	歩けないが車いす駆動は自立し，角を曲がること，方向転換，テーブル，ベッド，トイレなどへの操作ができ，45 m 以上操作可能
	全介助	0	全介助
階段昇降	自立	10	監視や介助なしで安全に階段昇降ができる．手すり，松葉杖や杖を利用してもよい
	部分介助	5	上記について，監視または介助が必要
	全介助	0	全介助や不能
更衣	自立	10	通常の衣類や靴の着脱，さらに装具やコルセットを使用している場合はその着脱も行うことができる
	部分介助	5	上記について介助を要するが，作業の半分以上は自分で行え，適当な時間内に終わることができる
	全介助	0	全介助
排便自制	自立	10	失禁がなく排便コントロールが可能．脊髄損傷者などは座薬や浣腸を使ってもよい
	部分介助	5	座薬や浣腸の使用に介助が必要，または時に失禁がある
	全介助	0	上記以外
排尿自制	自立	10	失禁がなく排尿コントロールが可能．脊髄損傷者などは集尿器の着脱や清潔管理ができていること
	部分介助	5	ときに失禁がある．集尿器をもってきてもらうまで，またはトイレに行くまで間に合わない．集尿器の着脱や管理に介助が必要
	全介助	0	上記以外

表 4-7　FIM 評価表

Functional Independence Measure（FIM）

評価日　　年　　月　　日

評価者：

採点基準	介助者	手出し	
7：完全自立	不要	不要	課題を，通常どおりに適切な時間内に，安全に遂行できる．
6：修正自立	〃	〃	3 倍以上時間がかかる，補助具が必要，または安全性の配慮．
5：監視・準備	必要	〃	監視，指示，促し．
4：最小介助	〃	必要	手で触れる程度．75% 以上自分で行う．
3：中等度介助	〃	〃	手で触れる程度以上．50% 以上，75% 未満自分で行う．
2：最大介助	〃	〃	25% 以上，50% 未満を自分で行う．
1：全介助	〃	〃	25% 未満を自分で行う．

		自立		監視	介助量（%）					
					25	50	75	100		
食事	嚥下障害［＋－］ ［常食・特殊食・経管］ ［箸・スプーン］	7	6	5	4	3	2	1		口まで運ぶ→咀嚼・嚥下→食べ残しを集める
整容	洗顔	7	6	5	4	3	2	1	平均点 （切り捨て）	
	整髪	7	6	5	4	3	2	1		
	歯みがき	7	6	5	4	3	2	1		
	手洗い	7	6	5	4	3	2	1		
	ひげそりまたは化粧	7	6	5	4	3	2	1		
更衣(上)	［寝巻き・T シャツ・パジャマ・トレーナー］	7	6	5	4	3	2	1		肩袖を通す→頭からかぶる→もう肩袖を通す→ひきおろす
更衣(下)	パンツ	7	6	5	4	3	2	1	平均点 （切り捨て）	未経験の項目は 1 点
	ズボン	7	6	5	4	3	2	1		
	靴下	7	6	5	4	3	2	1		
	靴	7	6	5	4	3	2	1		
清拭	［ベッド・シャワー］ 洗う	7	6	5	4	3	2	1	平均点 （切り捨て）	10 ヵ所 左右上肢・大腿・下腿・胸部・腹部・会陰部前面・殿部
	拭く	7	6	5	4	3	2	1		
トイレ	［ベッド・トイレ・カテーテル・オムツ］ 下げる	7	6	5	4	3	2	1	平均点 （切り捨て）	カテーテルを自分で管理できない場合は 1 点 3 動作のみを評価
	拭く	7	6	5	4	3	2	1		
	上げる	7	6	5	4	3	2	1		
排尿管理	尿意→排泄	7	6	5	4	3	2	1		
排便管理	便意→排泄	7	6	5	4	3	2	1		
移乗	車いす⇔ベッド	7	6	5	4	3	2	1		手すり使用の場合は 6 点
	便器	7	6	5	4	3	2	1		ポータブル使用の自立 6 点
	シャワー・浴槽	7	6	5	4	3	2	1		シャワーいす使用の自立 6 点
移動	歩行	7	6	5	4	3	2	1	平均点	トイレ移動の主な手段
	車いす	7	6	5	4	3	2	1		
階段	［杖・手すり］	7	6	5	4	3	2	1		「できる」ADL を評価する
言語	理解	7	6	5	4	3	2	1		
	表出	7	6	5	4	3	2	1		
社会的交流	問題（＋－）	7	6	5	4	3	2	1		
問題解決	問題（＋－）	7	6	5	4	3	2	1		
記憶	問題（＋－）	7	6	5	4	3	2	1		

合計	Motor FIM	/91	Cognitive FIM	/35	Total FIM	/126

＊未経験は 1 点．3 動作おのおのを加点．

表 4-8　基本チェックリスト

No.	質問項目	回答（いずれかに○をおつけください）			
1	バスや電車で 1 人で外出していますか	0	はい	1	いいえ
2	日用品の買い物をしていますか	0	はい	1	いいえ
3	預貯金の出し入れをしていますか	0	はい	1	いいえ
4	友人の家を訪ねていますか	0	はい	1	いいえ
5	家族や友人の相談にのっていますか	0	はい	1	いいえ
6	階段を手すりや壁をつたわらずに昇っていますか	0	はい	1	いいえ
7	いすに座った状態から何もつかまらずに立ち上がっていますか	0	はい	1	いいえ
8	15 分位続けて歩いていますか	0	はい	1	いいえ
9	この 1 年間に転んだことがありますか	1	はい	0	いいえ
10	転倒に対する不安は大きいですか	1	はい	0	いいえ
11	6 ヵ月間で 2 ～ 3 kg 以上の体重減少がありましたか	1	はい	0	いいえ
12	身長　　　cm，体重　　　kg，（BMI =　　　　　）*	1	BMI 18.5 未満	0	BMI 18.5 以上
13	半年前に比べて固いものが食べにくくなりましたか	1	はい	0	いいえ
14	お茶や汁物などでむせることがありますか	1	はい	0	いいえ
15	口の渇きが気になりますか	1	はい	0	いいえ
16	週に 1 回以上は外出していますか	0	はい	1	いいえ
17	昨年と比べて外出の回数が減っていますか	1	はい	0	いいえ
18	周りの人から「いつも同じ事を聞く」などの物忘れがあると言われますか	1	はい	0	いいえ
19	自分で電話番号を調べて，電話をかけることをしていますか	0	はい	1	いいえ
20	今日が何月何日かわからない時がありますか	1	はい	0	いいえ
21	（ここ 2 週間）毎日の生活に充実感がない	1	はい	0	いいえ
22	（ここ 2 週間）これまで楽しんでやれていたことが楽しめなくなった	1	はい	0	いいえ
23	（ここ 2 週間）以前は楽にできていたことが今はおっくうに感じられる	1	はい	0	いいえ
24	（ここ 2 週間）自分が役に立つ人間だと思えない	1	はい	0	いいえ
25	（ここ 2 週間）わけもなく疲れたような感じがする	1	はい	0	いいえ

*：BMI =体重（kg）÷身長（m）÷身長（m）

～ 17 は閉じこもり，No.18 ～ 20 は認知機能，No.21 ～ 25 はうつ病の可能性を示している．

- 表の基準に従い，該当する者を特定高齢者の候補として選定し，介護予防事業につなげる（**表 4-9**）．

memo

認知症検査を行う際に，「馬鹿にするな」と怒る対象者もいる．認知機能の障害を見逃すと転倒事故につながる可能性もある．そこでこのような対象者には，何気ない会話のなかで朝食や，昨日の夕食の内容を聞くとよい（tell story）．二重課題として，歩行中に尋ねることもスクリーニングになる．答えられなかったり，立ち止まったりする場合には，陽性の確率が高い．

表 4-9　特定高齢者を選定する基本チェックリストの基準

1. 基本チェックリストにおいて，次①〜④のいずれかに該当する者
①　No.1 〜 20 までの 20 項目のうち 10 項目以上に該当する者
②　No.6 〜 10 までの 5 項目のうち 3 項目以上に該当する者
③　No.11 および 12 の 2 項目のすべてに該当する者
④　No.13 〜 15 の 3 項目のうち 2 項目以上に該当する者
2. ①〜④に該当しない場合でも，⑤⑥⑦に該当する者は経過観察を行う
⑤　No.16 および 17 の 2 項目のうち No.16 に該当する者
⑥　No18 〜 20 までの 3 項目のうちいずれか 1 項目以上に該当する者
⑦　No.21 〜 25 までの 5 項目のうち 2 項目以上に該当する者

memo

Hsueh らは BI と FIM の運動項目を比較した研究において，急性期脳卒中患者を対象とした場合，相関関係を認めたと報告している．一方で，De Groot らは，ALS（筋萎縮性側索硬化症）患者を 1 年追跡調査した研究では，BI のほうが簡便ではあるが，FIM のほうが感度が高かったと報告している．したがって，状況や対象疾患にあわせ BI と FIM を選択する必要がある．

ALS：amyotrophic lateral sclerosis

D　認知・精神機能の評価

高齢者に対し，認知・精神機能を評価し，その障害度を把握することは，その対象者へ実施する理学療法を決定する大きな要因となる．認知・精神機能の障害度に合わせ，生活の環境の設定や介助量の決定，家族への指導などを考慮しなければならない．認知・精神機能を評価することは，高齢者の理学療法を実施し，目標達成のための第一歩となる．

1 ミニメンタルステート検査（MMSE）（表 4-10）

MMSE：mini-mental state examination

a. 特　徴

- MMSE は，Folstein らが開発した高齢者の高次脳機能全般を評価するための簡易精神機能検査である．全世界で使用され，森らにより日本語版が作成された．

b. 項目と尺度

- 6 項目で構成され，30 点満点で評価される．23 点以下で認知症の疑いがあるとされる．最終的には医師により認知症の診断がなされる．
- アルツハイマー型認知症（AD）の場合は，26 点以下で軽度認知症の疑いがあるとされる．
- MMSE が 23 点以下の高齢者では，転倒のリスクが高いことが示されている．認知機能障害が転倒率を増加させる原因となるため，リスク管理のためにも必要に応じて，認知・精神機能検査を実施することは重要である．

AD：Alzheimer's disease

表 4-10　ミニメンタルステート検査（MMSE）

設　問	質問内容	回　答	得　点
1（5 点） 見当識 （日時）	今年は何年ですか 今の季節は何ですか 今日は何曜日ですか 今日は何月何日ですか	年 季節 曜日 月 日	/1 点 /1 点 /1 点 /1 点 /1 点
2（5 点） 見当識 （場所）	ここは何地方ですか ここは何県ですか ここは何市ですか ここは何病院ですか ここは何階 / 何病棟ですか	地方 県 市 病院 階 / 病棟	/1 点 /1 点 /1 点 /1 点 /1 点
3（3 点） 記銘	検者は関連のない 3 個の物品の名前を，ゆっくりと 1 秒に 1 個ずついう．その後，被検者にそれらを復唱させる．3 個すべて復唱できるまで，最大 6 回まで実施する．正解 1 つに 1 点とする．		/3 点
4（5 点） 注意と計算	100 から 7 を引いてください． 引き算ができたら順次さらに 7 を引いてもらう． 5 回まで引き算を実施する． ※引き算ができない場合は「フジノヤマ」を逆唱させる		/5 点
5（3 点） 記憶再生	3 で提示した関連のない 3 個の物品を再度復唱してもらう．		/3 点
6（2 点） 呼称	（時計をみせて）これは何ですか （鉛筆をみせて）これは何ですか		/1 点 /1 点
7（1 点） 復唱	次の文章を繰り返してください 「みんなで，力を合わせて綱を引きます」		/1 点
8（3 点） 言語指示	次の 3 段階の命令を口頭で伝え，その後実施してもらう． 「右手にこの紙をもってください．」 「それを半分に折りたたんでください．」 「机の上に置いてください．」		/1 点 /1 点 /1 点
9（1 点） 書字指示	次の文章を読んで指示に従ってください． 「目を閉じなさい」		/1 点
10（1 点） 自発書字	何か文章を書いてください． （検者は例文を出さず，意味のある文章なら正答とする）		/1 点
11（1 点） 図形描写	次の図形を書いてください． （2 個の 5 角形が交差していれば正答とする）		/1 点
		合　計	/30 点

1：図形描写という動作性検査が含まれるため，半側空間無視や構成障害などの検出もあわせて行うことができる利点がある．
2：30 点満点中，23 点以下で認知症の疑いがあると評価することができる．
［Folstein MF, et al.: "Mini-mental state". A practical method for grading the cognitive state of patients for the clinician, J Psychiatr Res. **12**(3): 189–189, 1975 を参考に作成］

HDS-R：Hasegawa dementia scale for revised

2 改訂長谷川式簡易知能評価スケール（HDS-R）（表 4–11）

a. 特　徴

■HDS-R は，長谷川らが開発した高齢者の認知機能の障害を評価するための簡易精神機能検査である．わが国で最も使用され，加藤らにより改訂版が作成された．

表 4-11 改訂長谷川式簡易知能評価スケール（HDS-R）

No.	質問内容		配 点
1	お歳はいくつですか？（2 年までの誤差は正解）		0 1
2	今日は何年の何月何日ですか？ 何曜日ですか？（年 月 日 曜日が正解でそれぞれ 1 点ずつ）	年	0 1
		月	0 1
		日	0 1
		曜 日	0 1
3	私たちがいまいるところはどこですか？（自発的にでれば 2 点，5 秒おいて家ですか？ 病院ですか？ 施設ですか？ のなかから正しい選択をすれば 1 点）		0 1 2
4	これから言う 3 つの言葉をいってみてください．あとでまた聞きますのでよく覚えておいてください．（以下の系列のいずれか 1 つで，採用した系列に○印をつけておく） 1：a）桜 b）猫 c）電車 2：a）梅 b）犬 c）自動車		0 1 0 1 0 1
5	100 から 7 を順番に引いてください．（100 － 7 は？，それからまた 7 を引くと？と質問する．最初の答えが不正解の場合，打ち切る）	(93) (86)	0 1 0 1
6	私がこれからいう数字を逆からいってください．（6-8-2，3-5-2-9 を逆にいってもらう，3 桁逆唱に失敗した場合，打ち切る）	2-8-6 9-2-5-3	0 1 0 1
7	先ほど覚えてもらった言葉をもう一度いってみてください．（自発的に回答があれば各 2 点，もし回答がない場合，以下のヒントを与え正解であれば 1 点） a）植物 b）動物 c）乗り物		a：0 1 2 b：0 1 2 c：0 1 2
8	これから 5 つの品物を見せます．それを隠しますのでなにがあったか言ってください．（時計，鍵，タバコ，ペン，硬貨など必ず相互に無関係なもの）		0 1 2 3 4 5
9	知っている野菜の名前をできるだけ多く言ってください．（答えた野菜の名前を右欄に記入する．途中で詰まり，約 10 秒間待っても答えない場合にはそこで打ち切る） 0 ～ 5 = 0 点，6 = 1 点，7 = 2 点，8 = 3 点，9 = 4 点，10 = 5 点		0 1 2 3 4 5
		合計得点	

［加藤伸司ほか：改訂長谷川式簡易知能評価スケール（HDS-R）の作成．老年精神医学 **2**（11）：1339–1347, 1991 より引用］

b. 項目と特徴

- 9 項目で構成され，30 点満点で評価される．20 点以下で認知症の疑いがあるとされる．
- 28 点から 21 点でも軽度認知障害（MCI）や認知症が否定できない．失語症合併例や前頭側頭型認知症では得点が認知レベルを反映しない可能性があるため，注意を要する．
- HDS-R と MMSE は似ているが，MMSE は書字や図形模写などの動作性の検査が含まれているのに対し，HDS-R は動作性の検査が含まれず，すべて言語回答する検査という点に違いがある．

MCI：mild cognitive impairment

MoCA：Montreal cognitive assessment

3 モントリオール認知評価検査（MoCA）

a. 特 徴

- MoCAはNasreddineらがMCIのスクリーニングのために開発した．軽度ADのスクリーニングにも適している．鈴木らにより日本語版が作成された．
- MMSE, HDS-Rでは判断しにくい軽度の認知症に対して，感度，特異度が高く非常に有用である．

b. 項目と尺度

- 多領域の認知機能について30点満点で評価し，26点以上が健常範囲とされる．
- MMSEやHDS-Rと異なる点は，記銘・遅延再生課題が5単語で構成され，さらに実行機能検査，時計描画課題，抽象概念化課題が含まれている点である．

WAIS-III：Wechsler adult intelligence scale-third edition

4 Wechsler成人知能検査第3版（WAIS-III）

a. 特 徴

- WAIS-IIIは，Wechslerらが開発した，Wechsler–Bellerue知能検査I型を起源とした全般的な成人知能検査である．藤田らにより日本語版が作成されている．
- 適応年齢は16〜89歳と，幅広い年齢層に使用可能である．

b. 項目と尺度

IQ：intelligence quotient
VIQ：verbal IQ
PIQ：performance IQ
FIQ：full scale IQ
VC：verbal conprehention
PO：perceptual organaization
WM：working memory
PS：processing speed
WMS-R：Wechsler memory scale-revise

- 検査は14の下位検査から構成され，言語性IQ（VIQ），動作性IQ（PIQ），全検査IQ（FIQ）の3つのIQを基に評価する．さらに言語理解（VC），知覚統合（PO），作動記憶（WM），処理速度（PS）の4つの群指数も評価できることから，いっそう多面的な評価が可能な検査である．

5 Wechsler記憶検査（WMS-R）

a. 特 徴

- WMS-Rは，Wechslerらが開発した検査を改定した総合的記憶検査であり，杉下らにより日本語版が作成された．

b. 項目と尺度

- 適応年齢は16〜74歳と幅広い年齢層に使用可能である．
- 検査は言語と図形の材料を用いた13の下位項目から構成され，「一般的記憶」と「注意/集中力」の2つの主要な評価に加え，「一般的記憶」を細分化した「言語性記憶」と「視覚性記憶」の評価，さらに「遅延再生」を評価することができる．

E QOLの評価

- リハビリテーションの最終目標は，日常生活活動（ADL）の向上からQOLの向上へとシフトすることである．
- QOLの定義は，研究者によってさまざまであるが，リハビリテーション医療

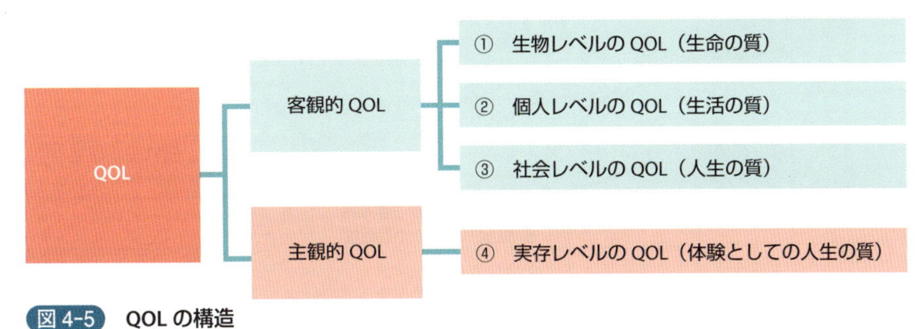

図4-5 QOLの構造
［上田 敏：ADLとQOL，その基本的な考え方．PTジャーナル **26**（11）：736–741, 1992より引用］

のアウトカム（効果，結果）の指標として**健康関連QOL（HRQOL）**の概念が注目されている．

HRQOL：health related QOL

- QOLは「障害のレベル」に対応した客観的QOL（3つ）と主観的QOL（1つ）に分けることができる．4つの側面から捉えることで，障害レベルに対応して考えることができるため，リハビリテーションプログラムを立案するうえで合理的である（**図4-5**）．
- 高齢者では，疾病，体力低下などの身体機能，意欲やうつ状態などの精神・心理機能，家族状況，経済状況などがQOLに大きく影響する．
- 高齢者にとっては，生命の長さも重要であるが，健康で過ごすための生活や人生の質を向上させること，つまり**健康寿命**の延伸がより重要視される．

1 MOS short-form-36-item（SF-36v2）

a. 特 徴

- SF-36は米国で行われた主要慢性疾患患者を対象とした医療評価研究であるMOSに伴い，HRQOLを包括的に測定する尺度である．
- 疾患を特定することなく，健常人も含むさまざまな対象者に測定できる包括的尺度であるため，健常人との比較や疾患の異なる対象者のHRQOLを比較することができる．
- 国際的に広く使用されており，福原らにより日本語版が作成された．
- SF-36v2は，さまざまな疾患を抱えている人から健常者まで測定できるとともに，性別・年代別の国民標準値（2007年）が公開されているため，対象群と比較することで健康状態を検討することが可能である．
- 短縮版としてSF-12やSF-8も作成されている．

MOS：medical outcomes study

b. 項目と尺度

- SF-36は36項目で8つの下位尺度から構成されている．
- 8つの下位尺度は，HRQOLの構成概念として採択されたものであり，身体・心理・社会的な側面における健康状態を含んだ多次元的な指標である．
- 8つの下位尺度は，①身体機能（PF），②日常役割機能（身体）（RP），③体の痛み（BP），④全体的健康感（GH），⑤活力（VT），⑥社会生活機能（SF），⑦日常役割機能（精神）（RE），⑧心の健康（MH）から成り立っている．

PF：physical functioning
RP：role-physical
BP：bodily pain
GH：general health perception
VT：vitality
SF：social functioning
RE：role-emotional
MH：mental health

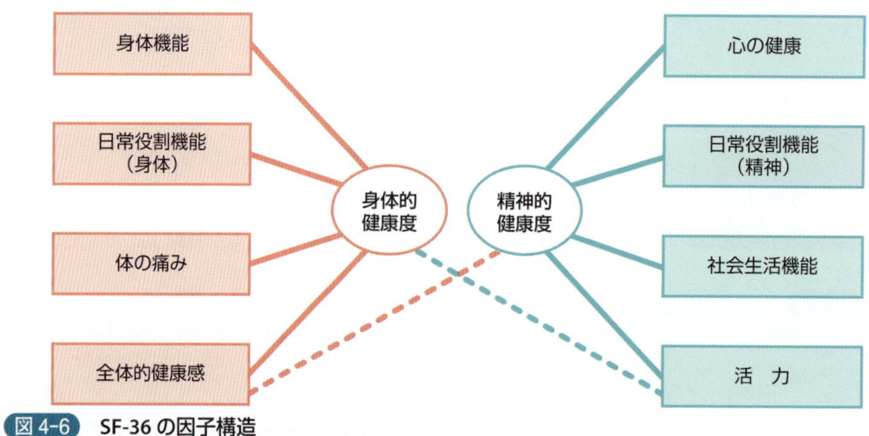

図 4-6　SF-36 の因子構造

表 4-12　老年期うつ病評価尺度（Geriatric depression scale 15；GDS15）

No.	質問事項	回答	
1	毎日の生活に満足していますか	いいえ	はい
2	毎日の活動力や周囲に対する興味が低下したと思いますか	はい	いいえ
3	生活が空虚だと思いますか	はい	いいえ
4	毎日が退屈だと思うことが多いですか	はい	いいえ
5	大抵は機嫌よく過ごすことが多いですか	いいえ	はい
6	将来の漠然とした不安に駆られることが多いですか	はい	いいえ
7	多くの場合は自分が幸福だと思いますか	いいえ	はい
8	自分が無力だなあと思うことが多いですか	はい	いいえ
9	外出したり何か新しいことをするより家にいたいと思いますか	はい	いいえ
10	何よりもまず，もの忘れが気になりますか	はい	いいえ
11	いま生きていることが素晴らしいと思いますか	いいえ	はい
12	生きていても仕方がないと思う気持ちになることがありますか	はい	いいえ
13	自分が活気にあふれていると思いますか	いいえ	はい
14	希望がないと思うことがありますか	はい	いいえ
15	周りの人があなたより幸せそうに見えますか	はい	いいえ

1，5，7，11，13には「はい」0点，「いいえ」に1点を，
2，3，4，6，8，9，10，12，14，15にはその逆を配点し合計する．
5点以上がうつ傾向，10点以上がうつ状態とされている．
［松林公蔵，小澤利男：総合的日常生活機能評価法－Ⅰ評価の方法．d 老年者の情緒に関する評価．*Geriatric Medicine*; **32**(5): 541–546, 1994 より引用］

PCS：physical component summary
MCS：mental component summary

■8つの下位尺度から，身体的健康度を表すサマリースコア（PCS）と精神的健康度を表すサマリースコア（MCS）の2つの因子構造にまとめることができる（図4-6）．

GDS：geriatric depression scale

2 高齢者うつ尺度（GDS）

■老年期うつ病（うつ症状）は高齢者の精神疾患のなかで最も多く，自殺の原因やリハビリテーションの阻害因子ともなり，QOLを低下させる大きな要因である．
■リハビリテーションを進めるうえで，精神・心理機能を評価することは重要である．

表4-13 意欲の指標 vitality index

項目	点
1. 起床 wake up	
■いつも定時に起床している	2
■起こさないと起床しないことがある	1
■自分から起床することはない	0
2. 意思疎通 communication	
■自分から挨拶する，話し掛ける	2
■挨拶，呼びかけに対して返答や笑顔がみられる	1
■反応がない	0
3. 食事 feeding	
■自分から進んで食べようとする	2
■促されると食べようとする	1
■食事に関心がない，まったく食べようとしない	0
4. 排泄 on and off toilet	
■いつも自ら便意尿意を伝える，あるいは自分で排尿，排便を行う	2
■ときどき，尿意便意を伝える	1
■排泄にまったく関心ない	0
5. リハビリテーション rehabilitation，活動 activity	
■自らリハビリテーションに向かう，活動を求める	2
■促されて向かう	1
■拒否，無関心	0
除外規定：意識障害，高度の臓器障害，急性疾患（肺炎など発熱）	
判定上の注意	1）薬剤の影響（睡眠薬など）を除外．起座できない場合，開眼し覚醒していれば2点 2）失語の合併がある場合，言語以外の表現でよい 3）器質的消化器疾患を除外．麻痺で食事の介護が必要な場合，介助により摂取意欲があれば2点（口まで運んでやった場合も積極的に食べようとすれば2点） 4）失禁の有無は問わない．尿意不明の場合，失禁後にいつも不快を伝えれば2点 5）リハビリテーションでなくとも散歩やレクリエーション，テレビでもよい．寝たきりの場合，受動的理学運動に対する反応で判定する

［Toba K et al：Vitality Index as a useful tool to assess elderly with dementia. Geriatrics and Gerontology International **2**(1)：23–29, 2002を参考に作成］

a. 特 徴

■GDSは高齢者を対象にした**うつ症状**のスクリーニング検査である．

■高齢者は身体的症状を併発することで気分の変調をきたすことも考えられるが，GDSは身体的症状に関する項目を含んでいないため，純粋にうつ症状を評価するうえでより正確な尺度となると考えられる．

■GDSの原版は30項目で構成されているが，高齢患者の疲労を避けるため，短時間で調査ができるGDS短縮版（**表4-12**）も作成されている．

b. 項目と尺度

■GDSは30項目から，GDS短縮版は15項目から構成されている．

■質問に対して「はい」か「いいえ」で答え，点数が高いとうつ症状の可能性ありと判定される．

■GDSは11点以上，GDS短縮版は6点以上がカットオフ値として推奨されているが，患者本人の訴えや身体疾患，環境要因も含め，さらには他の評価尺度と組み合わせてスクリーニングを行うことが重要である．

VI：vitaling index

3 意欲の指標（VI）

- 意欲の低下は，リハビリテーションの阻害因子となりうるだけでなく，身体状況の悪化，要介護度の重度化を招き，死亡率とも強い相関をもつとの報告もある．よって，高齢者にとってQOLを向上させるためには意欲が大きく関与する．

a. 特　徴

- VIは鳥羽らが開発した虚弱な高齢者を対象とするADLに関連した「**意欲**」についての客観的機能評価法である（**表4-13**）．

b. 項目と尺度

- 起床，意思疎通，食事，排泄，リハビリテーション・活動の5項目のADLに関する「意欲」について，介護者が客観的に判定する．
- 評価の順番は，判定するものが自然に想起できるようになっている．
- 得点範囲は0～10点であり，得点が高いほど生活意欲が高いことを示す．
- 判定上の注意事項を**表4-13**に示す．

学習到達度自己評価問題

1. 高齢者の立ち上がり動作を活用した評価方法について説明しなさい．
2. 高齢者のバランス能力の評価方法について説明しなさい．
3. TUGを実施するために必要な準備物を説明しなさい．
4. 歩行テストのカットオフ値を説明しなさい．
5. 転倒スコアFRIのカットオフ値を説明しなさい．
6. ロコモ度1およびロコモ度2のカットオフ値を説明しなさい．
7. 握力のカットオフ値を男女別に説明しなさい．
8. 障害高齢者の日常生活自立度は，どのようなランクがあるか説明しなさい．
9. BI，FIMのそれぞれの特徴と違いについて説明しなさい．
10. 基本チェックリストによる特定高齢者の選定基準について説明しなさい．
11. MMSE，HDS-R，MoCAのそれぞれの満点と，認知症が疑われる得点について説明しなさい．
12. MMSEとHDS-Rのそれぞれの特徴と違いについて説明しなさい．
13. 介護負担が抱える問題と評価を行う目的を説明しなさい．
14. ZBIの評価項目数と尺度について説明しなさい．
15. 高齢者のQOLに及ぼす影響について説明しなさい．
16. SF-36の特徴を説明しなさい．
17. 高齢者に用いることができる精神・心理状態の評価を2つあげなさい．

5 高齢者の理学療法を実施するうえでの留意事項

一般目標

1. 高齢者の理学療法を実施するうえでの留意事項として，高齢者の一般的特徴や理学療法における高齢者，障害者のリスク管理について理解する．
2. 高齢者の機能状態によって，栄養管理や運動管理の方法が異なることを理解する．
3. 身体活動の維持・向上はどんな機能状態にある高齢者にとってもその機能や健康を維持するための重要な要件であることを理解する．

行動目標

1. 高齢者の一般的特徴を説明できる．
2. 高齢者の理学療法における陥りやすい症候やリスク管理を説明できる．
3. 基礎代謝量とエネルギー消費量を，基本的な属性から推定できる．
4. 対峙している高齢者に適した運動機能や身体活動を向上させる方法を提案できる．

調べておこう

1. 高齢者の陥りやすい症候群を調べておこう．
2. 高齢者の理学療法を見直し，各疾病に関するリスク管理を調べてみよう．
3. 生理機能，運動機能の加齢変化を調べておこう．
4. 成人に対する運動処方の概要を調べておこう．

A 高齢患者の一般的特徴

- 高齢者の理学療法を実施するうえで知っておくべきこととして高齢者の特徴について**表5-1**にまとめた．なかでも下記に注意を要する．
- まず，高齢者は個人差が大きく，身体機能の多様性がある．高齢者では疾患や障害の重症度，認知，意欲などの個人差が大きい．とくに，身体機能の多様性に関しては，**図5-1**のようにSpirdusoらが6つの階層として記述した．このように高齢者は多様性に富むため，各個人に適した理学療法を考慮するうえで身体機能などに関する経時的評価が必要となる．
- また，高齢者は予備能が低下していることで，いったん疾病を発症すると重篤化しやすい．それに伴って全身状態の悪化や合併症の併発をきたしやすい．
- 個々人の状態に応じて，常に起こりうるリスクを予測し，評価・治療を行うことが必要である．その他，防衛反応の低下，回復力の低下，適応力の減退などの加齢に伴う変化にも留意する．

表 5-1　高齢者の特徴

1.	個人差が大きい，多様性がある
2.	予備能が低下している
3.	複数疾患を有していることが多い
4.	疾病の非定型的症状を呈する
5.	記銘力，記憶力が低下してくる
6.	精神症状（せん妄，意識低下，うつ）が現れやすい
7.	食欲不振から脱水・低栄養に陥りやすい

表 5-2　廃用症候群の主症状

1.	筋力低下，筋萎縮，筋持久力低下
2.	骨萎縮，骨粗鬆症
3.	関節制限（拘縮）
4.	心肺機能の低下（全身持久力の低下，起立性低血圧，換気障害）
5.	食欲低下，低栄養
6.	便　秘
7.	尿路結石，尿路感染
8.	精神活動の低下（見当識障害，せん妄）

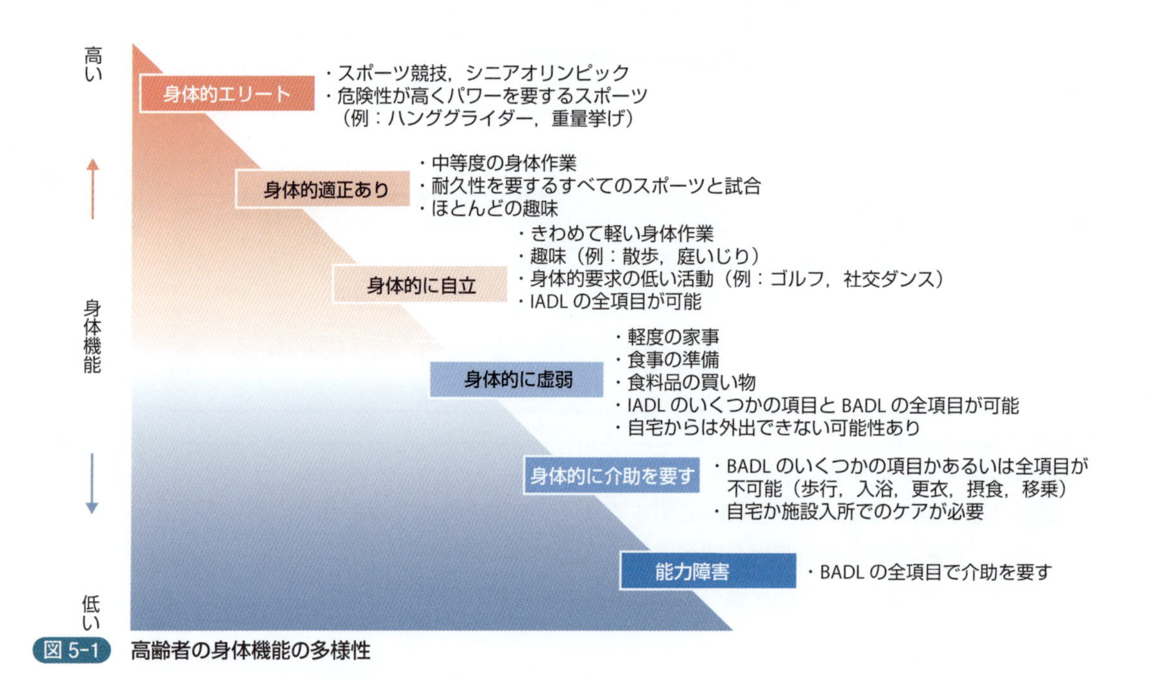

図 5-1　高齢者の身体機能の多様性

- 高齢者では，現在問題となっている疾患以外にも多くの疾患を有している場合が多い．
- 既往歴による機能低下をあらかじめ把握しておくことが重要である．また，高齢者では症状や徴候がはっきりしないことが多く，また非定型的であるために正確な検査を行ううえで，慎重，かつ，継続的な評価が必要となる．
- その他として高齢者は，記銘力や記憶力が低下していることが多い，精神症状（せん妄，意識低下，うつ）が現れやすい，食欲不振から脱水，低栄養に陥りやすい，などの特徴がある．

memo

理学療法士によってなされる高齢者のための運動処方は，最も効果のある介入の１つである．常日ごろの身体活動と適切に処方された運動は高齢者理学療法の柱であるといえる．

ここでの身体活動とは，骨格筋の活動によって安静時よりもエネルギー消費を伴う活動であり，監視の必要がほとんどない，ゆっくりとした3～6 METs程度の低強度の活動である．豊富な経験と熟練した技術をもちうる理学療法士は，高齢者の健康維持および個々人のQOLを支援するうえで重要な役割を担う．とくに，高齢患者は加齢に伴うさまざまな疾病のある場合があり，その心身評価を関連する専門家で共同作業し，より医療チームとしての対応が必要となる．ここに高齢者のための理学療法の専門性の一端がある．このことは老人専門病院で受けた入院および外来での専門治療・看護によってその心身機能に関する医療コストが大幅に削減され，再入院が減少したという報告が多数あることからも理解できる．理学療法士は身体機能および健康全般に関する障害，問題点に関して広い知識，経験を求められる．

QOL：quality of life

- このように，高齢者の理学療法においては，高齢者の特性と罹患した疾患や障害が関連するため疾患別の理学療法的アプローチに加え，家族関係，居住地域などの生活環境を含む高齢者の個人の特性を考慮した包括的評価・治療を行う必要がある．

B 安静の弊害と廃用症候群（生活不活発病）

- 身体の不活動は高齢者の移動能力などの重要な危険因子となる．不活動の有害な例として，座りすぎが死につながる症候群「セデンタリー・デス・シンドローム sedentary death syndrome」があげられる．高齢者の不活動はバランス能力や移動能力の障害を悪化させる．理学療法士は高齢者の何らかの病態を回復させるというよりむしろ移動能力の改善を主たる目標とし，その障害を減少させることが重要である．Gillらは，移動性障害を4分の1マイル（約400 m）の歩行と階段昇降が不可であることと定義している．この移動性障害は長引く入院による一時的な座位生活によってしばしば起こる．身体活動を維持することはこの移動性障害を予防し，改善することになる．理学療法士はこのような移動性障害のリスクを理解し，かつ，WHOの障害モデルにおける環境と個人要素も十分考慮しておく必要がある．

WHO：world health organization

- 廃用症候群は，「身体の不活動状態により生ずる二次的障害」として体系化された概念で，不動や不活動・低運動，臥床に起因する全身の諸症状を総称する（**表5-2**）．廃用症候群の症候は，筋骨格系，循環・呼吸器系，内分泌・代謝系，精神神経系など各臓器の症状として多岐に現れ，日常生活自立度を低下させる．加齢による身体機能や予備能の低下などの生理的変化に伴い生活習慣が変化すると，身体活動量が減少し，廃用症候群発生の温床となる．とくに身体活動の低下により，容易に立位バランスおよび歩行の障害をきたしやすい．廃用症候群の例として，2ヵ月と4ヵ月の臥床によってヒラメ筋のタイプⅠの平均筋線維サイズがそれぞれ12%と39%の減少が生じるという報告がある．筋肉の横断面積に関しては，20日間の臥床によって下腿三頭筋群は膝屈曲筋群および伸展筋群よりも萎縮の程度が大となる報告がある．このように長期臥床によって，

memo

障害に関する国際的な分類として，世界保健機関（WHO）が 1980 年に「国際疾病分類（ICD）」の補助として発表した「WHO 国際障害分類（ICIDH）が用いられてきた．ICIDH では，障害についての分類・定義・細目に関する考え方を 3 つのレベルにて示した．すなわち，病気・変調により，身体的，精神的な喪失をする「機能障害」が生じ，それにより生活上の能力が制約されている「能力障害」が生じる．最終的には，それにより社会的な役割を果たすことが制限され，社会的な不利益を被る「社会的不利」につながることを明らかにした．このように階層的に捉えることの意味は，それぞれの段階における問題の所在を専門技術の立場からまたは施策実施の立場から明らかにし，適切な対応をできるようにすることにあった．

2001 年，健康分類および健康関連分類として作成され，（障害を含む）健康がどのように影響を受けているかを明らかにした新たな国際生活機能分類（ICF）が示された．ICF は障害を 3 つのレベルで捉える面では大きな違いはない．これまでの ICIDH が病気や変調の帰結として機能障害，能力障害，社会的不利と，一方向の流れとして整理されていたが，ICF は健康状態，機能障害，活動，参加，背景因子（環境面と個人）の双方向の関係概念として整理された．「機能障害」は「心身機能・身体構造」に，「能力障害」は「活動」に，「社会的不利」は「参加」に置き換えられた．また，それぞれの背景因子として地域や家の造りなど「環境因子」と性別や年齢など「個人因子」によって影響を受けるとされている．こうして，ICF では，単に障害による制約のみを問題にするのではなく，常に環境とのかかわりのなかで障害をみて行こうということになったのである．

ICD：international classification of disease
ICIDH：international classification of impairments, disabilities, and handicaps
ICF：international classification of functioning, disability and health

筋活動の減退が起こると能力障害，不動・不活動へと移行する．

- また，加齢に対する不安や自信喪失など心理的な要素が加わることで，生活空間がほぼ家のなかへと狭小化し，いわゆる閉じこもりのような状態となって，最終的に，寝たきりへ進行することが問題視されている．加齢性変化は不可逆的であるが，廃用の要素については，適切な対応により活動量を維持できれば，改善を望むことができる．
- 対応としては，早期発見するために，廃用症候群のサインを見逃さない（体力低下，気力低下，易疲労性など）ことが重要である．廃用症候群に対するケアが遅れるほど悪化する傾向が大きい．在宅であれば医療（かかりつけ医など）との連携が重要である．
- 要介護となることや，重症化しないため（もしくは，症候群が重度へ移行しないため）の予防としては，筋萎縮や筋力低下が不動や不活動によるものなのか，もしくはその他の疾病（急性，慢性疾患）によるものなのかを明らかにすることに加え，廃用症候群の要因と本人の心身機能状態との関連性を見極める．とくに，高齢者は日々病態が変化するためその時々の状況から原因を明らかにすることが重要である．また，本人の環境条件として生活現場におけるマンパワー，家屋・自宅周囲環境，社会的サービスの導入状況などにも注目する必要がある．無理のない低運動強度からのリハビリテーションの導入を行い，家事や移動，余暇活動など取り組みやすい活動から意識することが，個々人の ADL

ADL：activities of daily living

活動を改善・維持するうえで重要である．また，家族，介助者などのかかわり方に対する指導，助言を行い，不適切な介助により，不必要な安静をとらないようにする．また，誤用症候群*に注意し，とくに不適切な福祉用具，補装具の使用を十分に検討する．

memo

福祉用具の高齢者使用への注意

高齢者の住居に関しては，高齢者等配慮対策等級基準による移動などに伴う転倒・転落などの防止，並びに介助用車いすの使用者が基本的な生活行為を行うことを容易にするための基本的な措置が確保された住宅に関する基準がある．また，公共建築に関してはハートビル法*が，公共交通機関については交通バリアフリー法*がすでに施行され，街のバリアフリー化は徐々に進んでおり，高齢者の移動範囲拡大に寄与している．さらに，このハートビル法と交通バリアフリー法を統合拡充した法律として，2006年12月20日に『高齢者・障害者等の移動等の円滑化の促進に関する法律』（『バリアフリー新法』）が施行された．高齢者個人の移乗・移動支援に関しては，経年的な変化に伴い図5-1のようななかでレベルの変化が生じる可能性があるため，身体評価に基づく福祉機器の選択が必要となる．慎重に機器の適応を考慮し的確な判断が要求される．

＊誤用症候群　過度の誤った運動・訓練により起こる機能障害をいう．誤用症候群は，不適切な運動・訓練や，誤った福祉用具の使用などによって起こる疲労，ひどい筋肉痛，関節炎，靱帯の損傷，疲労骨折などのことをいう．誤用症候群には，関節周囲炎，腱断裂，動揺関節，反張膝などの骨・関節の変形，末梢神経麻痺などさまざまな症状が現れる．誤用症候群を予防するため，運動・訓練の正しい指導，運動量の調整などに十分な配慮が必要となる．

＊ハートビル法　高齢者，身体障害者などが円滑に利用できる特定建築物の建築の促進に関する法律．

＊バリアフリー法　高齢者，身体障害者などの公共交通機関を利用した移動の円滑化の促進に関する法律．

C　高齢者の理学療法に伴うリスク管理

- 高齢者を身体的虚弱レベル以下にしないためには経時的なリスク因子を理解し，個人の生活環境と生活スタイルに適した身体活動やトレーニングが重要である．
- たとえば，第一段階のリスク因子としては，疾病や不活動の発症により生理的機能が急激かつ慢性的に障害される．これに加え，第二段階は種々の感染症の罹患や骨折などにより急性，亜急性の生理的機能が低下する．さらに，第三段階は回復を妨げる生理的機能の低下が生じる．たとえば，抑うつ，効果のない薬物投与，転倒への恐怖，栄養失調，健康維持には安静こそが重要であるという思い込みからくる不活動などがその誘因となる．この三段階が経時的に進むことによって虚弱レベル以下からの回復が困難となる．このようなリスクを十分理解し高齢者の評価，治療をレベル，段階に応じてチーム医療として包括的にプランニングすることが重要である．
- また，どのような医療，看護，介護を希望するかについて把握し，高齢者の望む日常生活像を踏まえて，高齢者のADLの改善およびQOLの充実を図る．

1 血圧，不整脈

- 高齢者の理学療法において血圧，心拍数はリスク管理の重要な指標となる．高齢者の高血圧は日常的にみられ，原因は慢性疾患が多いが，ときには急性疾患に併発する高血圧もあるので注意が必要である．
- とくに，最大血圧220 mmHg，最低血圧120 mmHg以上の異常値には脳血管障害の要因の可能性がある．

- 逆に血圧低下の場合，ショックによる低血圧への対処は重要である．運動中にショックを生じる疾患は急性心筋梗塞，急性大動脈解離，くも膜下出血などが考えられる．
- 運動療法中は運動と不整脈の関連を十分考慮する必要がある．運動中に出現する不整脈で最も多いのは心室性期外収縮である．
- 高齢者は心筋梗塞，狭心症，心筋症などの既往が多く，その場合に症状として心室性期外収縮には心筋虚血や心不全を反映する場合がある．
- 運動負荷時や運動療法中に心室性期外収縮を生じている場合は運動をいったん中止もしくは運動負荷を軽減するなどの配慮が必要である．

2 リハビリテーション安全ガイドライン

- 日本リハビリテーション医学会および関連団体より『リハビリテーション医療における安全管理・推進のためのガイドライン』が作成されている．リスクの高い高齢者の症例ではチェックを頻繁にすることが必要である．
- 高齢者は運動負荷に対してよりリスクが高いということを念頭に置いて実施すべきである．運動負荷量のこまめな調整が必要である．運動負荷の強度，時間，頻度，回数の調整や休憩を多く取ることが必要である．主治医，医療スタッフとの情報交換を十分に行う．とくに既往歴，現病歴，禁忌事項，服薬状況，医療スタッフの記録，今までの運動歴，リハビリテーション経過の確認，急変時の迅速な対応などを十分把握することが必要である．
- また，療法中における安全管理・推進のためのガイドラインにおけるリスク管理基準を十分理解して実施する必要がある（**表5-3**）．最終的には理学療法士として，高齢者個々人の自覚症状および他覚症状を十分に観察・検査しつつ療法を行うことが重要である．

3 その他の注意すべきリスク

a. めまい

- 高齢者のめまいでは，それに伴う嘔気，嘔吐物による窒息・誤嚥，転倒による骨折など続発するリスクへの対応に注意が必要である．安全ガイドラインでは座位でのめまい，冷汗，嘔気がある場合は運動を中止するとしている．このとき，血圧，意識障害などの有無を確認する．中止の際には，安静臥位をとり，嘔気がある場合は嘔吐物での窒息への対応を行いつつ，医師への連絡，引き継ぎを行う．

b. 脱　水

- 高齢者は若年者と比べて体内の総水分量が少なく，水分が減少した際の渇きの自覚が弱いため，脱水を引き起こしやすい．食欲不振が数日間続くだけでも脱水を起こす場合がある．頻尿や失禁などで自ら水分を控える場合も脱水に留意する．
- なお，厚生労働省では，「成人の指標を目安」や「体重1 kgあたり25 ～ 35

表 5-3　リハビリテーション中止基準

1. 積極的なリハビリテーションを実施しない場合	
1.	安静時脈拍 40/ 分以下または 120/ 分以上
2.	安静時収縮期血圧 70 mmHg 以下または 200 mmHg 以上
3.	安静時拡張期血圧 120 mmHg 以上
4.	労作性狭心症の方
5.	心房細動のある方で著しい徐脈または頻脈がある場合
6.	心筋梗塞発症直後で循環動態が不良な場合
7.	著しい不整脈がある場合
8.	安静時胸痛がある場合
9.	リハビリテーション実施前にすでに動悸・息切れ・胸痛のある場合
10.	座位でめまい，冷や汗，嘔気などがある場合
11.	安静時体温が 38℃以上
12.	安静時酸素飽和度（SpO_2）90% 以下
2. 途中でリハビリテーションを中止する場合	
1.	中等度以上の呼吸困難，めまい，嘔気，狭心痛，頭痛，強い疲労感などが出現した場合
2.	脈拍が 140/ 分を超えた場合
3.	運動時収縮期血圧が 40 mmHg 以上，または拡張期血圧が 20 mmHg 以上上昇した場合
4.	頻呼吸（30 回 / 分以上），息切れが出現した場合
5.	運動により不整脈が増加した場合
6.	徐脈が出現した場合
7.	意識状態の悪化
3. いったんリハビリテーションを中止し，回復を待って再開	
1.	脈拍数が運動前の 30% を超えた場合，ただし 2 分間の安静で 10% 以下に戻らないときは以降のリハビリテーションを中止するか，またはきわめて軽労作のものに切り替える
2.	脈拍が 120/ 分を超えた場合
3.	1 分間 10 回以上の期外収縮が出現
4.	軽い動悸，息切れが出現
4. その他の注意が必要な場合	
1.	血尿の出現
2.	喀痰量が増加している場合
3.	体重が増加している場合
4.	倦怠感がある場合
5.	食欲不振時，空腹時
6.	下肢の浮腫が増加している場合

[日本リハビリテーション医学会診療ガイドライン委員会（編）：リハビリテーション医療における安全管理・推進のためのガイドライン，p6，医歯薬出版，2006 より許諾を得て転載]

mL」などを，高齢者に必要な水分摂取量および摂取基準にしている（一方で，日本神経摂食嚥下・栄養学会では，高齢者の必要水分摂取量を体重 1 kg あたり 30 ～ 40 mL としている）．

c. 体温調節

■ 高齢者は気温上昇などの環境変化への適応力が低下しており，体温や気温の変化に応じて対処が必要である．高齢者は皮膚温度覚の閾値が高く，温度変化がわかりにくくなるため対応に時間がかかることに注意する．

*転倒 転倒の定義は，1987年Kellogg国際ワーキンググループにより「他人による外力，意識消失，脳卒中などにより突然発症した麻痺，てんかん発作によることなく，不注意によって，人が同一平面あるいはより低い平面へ倒れること」と定義された．また，FICSIT研究では「自分の意思ではなく地面，床または他の低い場所につかまったり，横たわること」と定義している．

FICSIT：Frailty and Injuries: Cooperative Studies of Intervention Techniques

*骨粗鬆症（こつそしょうしょう, osteoporosis） 後天的に発生した骨密度の低下または骨質の劣化により骨強度が低下し，骨折しやすくなる疾患あるいはその状態を指す．

PEM：protein-energy malnutrition

d. 転 倒*

- 転倒のリスク因子には，主に内的要因（本人の加齢に伴う状態変化や身体的疾患など）と外的要因（道路や階段など環境要因）がある．とくに高齢者では，身体機能（運動，感覚，認知機能，異常歩行，バランス障害，関節痛など），環境（家具の固定，階段の手すり，照明など），骨粗鬆症，多剤併用などが複雑に関連し転倒を生じている．そのため理学療法士はこれらの因子もていねいに評価し，理学療法プログラムを作成・実施する必要がある．

e. 骨粗鬆症*

- 骨粗鬆症がある場合には，転倒・骨折のリスクや関節痛などを常に念頭に置き理学療法を実施する．骨粗鬆症の予防，治療のためには適切な運動療法を生涯にわたり実施することは効果的であり，筋力，姿勢，バランス，関節の柔軟性，協調性の改善等に焦点をあて，プログラムを構成することが必要である．また，適切な栄養摂取状況を把握しておくことも重要である．
- 骨粗鬆症に伴う脆弱性骨折の危険因子としては，低骨密度が重要であるが，とくに，理学療法士として注意すべき点として，加齢，低栄養，失禁，低体重，骨折歴，転倒歴，喫煙，薬物投与状況，飲酒，関節リウマチなどを把握する．

D 低・過栄養と栄養管理

1 エネルギーバランス

- 高齢者の栄養状態は生命維持に直結し，その把握（管理）は，理学療法を実施するうえで，活動や参加そしてQOLや尊厳を維持し高めるために大切である．
- 栄養の問題は，一般高齢者から施設に入所する重度な要介護状態にある高齢者まで，健康状態や全身状態の維持・改善目的の文脈では同じく重要であるが，介入やかかわりは機能ごとに整理する必要がある．
- 栄養障害は，がん末期のカヘキシアなど重篤な栄養不良，あるいは消化器疾患に端を発する栄養摂取不良などの「栄養不足」の状態と，緊急的な生命の危機はないが将来の身体の自立や代謝に影響を及ぼす「栄養過多」の状態の2つに大別される．
- これらの問題は入院や入所の状態にある高齢者に限らず，在宅高齢者でも高い確率で存在していることに留意すべきである（図5-2）．
- 栄養の問題で最も頻度が高いのが「低栄養」であり，摂取エネルギー不足またはある種の栄養素の摂取不足による健康上何らかの支障がある状態である．
- 運動や活動にとっては，とくにタンパク質の異化・同化のバランスの欠如とエネルギーの欠乏が主要な問題（PEM）となる．
- 理学療法を実施する場合（とくに運動や活動を積極的に高める前）には，基礎代謝量とエネルギー必要量を計算しエネルギーの収支を推計し，そのバランスがとられていることに留意する．

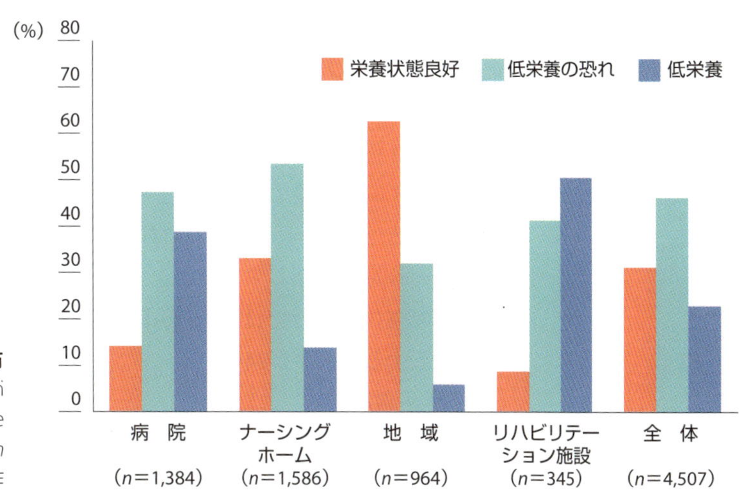

図 5-2　居住施設ごとの栄養状態の分布
[Kaiser MJ, et al.：Frequency of malnutrition in older adults, a multinational perspective using the Mini Nutritional Assessment. *J Am Geriatr Soc.* **58**: 1734–1738, 2010 を参考に作成]

表 5-4　活動係数，障害係数，METs

種　別	具体値
活動係数 activity factor（AF）	寝たきり（1.1），ベッド上安静（1.2），ベッド外活動（1.3），機能訓練室でのリハビリテーション（1.3 〜 1.5）
傷害係数 stress factor（SF）	術後 3 日間（侵襲度により 1.1 〜 1.8），骨折（1.1 〜 1.3），感染症（1.1 〜 1.5），臓器障害（1 臓器により 0.2 追加），発熱 1℃上昇ごとに 0.13 追加）
METs metabolic equivalents	安静座位（1.3），静かに立つ（1.3），遅い歩行（3.2 km/ 時未満，2.0），通常歩行（3.2 km/ 時，2.8），階段（ゆっくり上る，4.0），ストレッチング（2.3），ボールエクササイズ（2.8）レジスタンストレーニング・複合的エクササイズ（さまざまな種類のレジスタンストレーニングを 8 〜 15 回繰り返す（3.5）

- 基礎代謝量（BEE）の推計

BEE：basal energy expenditure

　男性：BEE = 66.47 + 13.75 × 体重 + 5.0 × 身長 − 6.75 × 年齢

　女性：BEE = 655.1 + 9.56 × 体重 + 1.85 × 身長 − 4.68 × 年齢

- 必要エネルギー量の推計

　必要エネルギー量 = BEE × 活動係数 × 障害係数　**（表 5-4）**

- 運動によるエネルギー消費量

　エネルギー消費量 = 1.05 × 体重（kg）× METs × 運動時間（h）　**（表 5-4）**

- たとえば，運動療法を始めた場合には，必要エネルギー量 + 運動によるエネルギー消費量を計算すればよい．
- 必要エネルギー + 運動によるエネルギー消費量が，摂取エネルギーよりも大きい状態が続くと，栄養が足りない状態（飢餓状態）に傾く．

2 低栄養の評価，把握

a. 対　象

- 栄養の問題は，サルコペニア，フレイルなど，臨床的な状態から，回復期，生活期，さらには終末期と，対象の年齢や状態像，病期が異なっても，常に存在している問題として認識すべきである．

BMI：body mass index

■したがって，評価は（体重，BMIを除いて）状態に応じて対応することになる．

b. 血清アルブミン値

■血清アルブミン値（Alb）は栄養状態の最も代表的な指標である．

■アルブミンは肝臓で合成される血液中のタンパク質の一種であり，血漿に含まれるタンパク質の約6割を占めている．

■正常値は，4.1 ～ 5.1 g/dLである．3.5 g/dL未満の場合は積極的な栄養介入（治療）の対象となる栄養障害（栄養失調）の状態である．

■地域在住高齢者では，3.8 g/dL未満を低栄養状態といい，将来の機能的状態が低下するリスクが高い．

c. 形態測定

■体格に関係する測定指標（体重，BMI，四肢周径）は，形態の一指標として取り扱うだけでなく，理学療法を実施する前提条件として栄養状態を考慮した包括的な栄養評価の一部として位置づけられる．

■体重，BMI，四肢の周径は，簡便な測定であるが，栄養状態の概要を知ることができる．

■初見では，低体重（痩せ傾向）（BMI＜18.5），標準体重（18.5≦BMI＜25），肥満（BMI≧25）を把握する．

■体重の急激な変化（半年内の2 ～ 3 kgの減少）は，低栄養状態発生のリスクである．

■四肢周径は長期的な低栄養状態のほか，低タンパク質に由来する浮腫を反映する指標である．臨床的には下腿周径が用いられることが多い．

MNA-SF：mini nutritional assessment-short form

■簡易栄養状態評価表（MNA-SF）は，専門家以外であっても簡便に高齢者の栄養状態についてスクリーニングできる信頼性，妥当性のある質問紙である（**表5-5**）．

■より詳しく評価するにはフルバージョンのMNAを使用する．

d. 栄養管理

■入院・入所者の摂取エネルギーの設定などの栄養管理は，医師や管理栄養士などの専門職によって行われる．

NST：nutrition support team

■重篤な栄養障害の対象者に備えて，施設内に多職種による栄養サポートチーム（NST）が設置されている．理学療法士もこれに参加し，施設内活動や運動療法に関する情報を提供することもある．

■施設内にNSTが設置されていない場合が組織的な栄養管理が必要な場合には，専門職間の情報交換を綿密に行う．理学療法士は，運動・活動による消費エネルギーを推計し医療管理者に情報提供を行う．

■地域在住高齢者は，専門家による栄養管理どころかその情報に接する機会も多くない．

■一般的には，厚生労働省が推奨しているバランスガイドにより30品目を摂取することが推奨されているが，これを高齢者自身が実施するのは困難である（成人でも難しい）．

■高齢者が自身の栄養状態を認識し，また管理するツールとしてはTAKE10!®（テ

表 5-5　簡易栄養状態評価表

簡易栄養状態評価表
Mini Nutritional Assessment-Short Form
MNA®

氏名:

性別:　　年齢:　　体重:　　kg　身長:　　cm　調査日:

下の□欄に適切な数値を記入し、それらを加算してスクリーニング値を算出する。

スクリーニング

A　過去 3 ヶ月間で食欲不振、消化器系の問題、そしゃく・嚥下困難などで食事量が減少しましたか？
0 = 著しい食事量の減少
1 = 中等度の食事量の減少
2 = 食事量の減少なし
□

B　過去 3 ヶ月間で体重の減少がありましたか？
0 = 3 kg 以上の減少
1 = わからない
2 = 1〜3 kg の減少
3 = 体重減少なし
□

C　自力で歩けますか？
0 = 寝たきりまたは車椅子を常時使用
1 = ベッドや車椅子を離れられるが、歩いて外出はできない
2 = 自由に歩いて外出できる
□

D　過去 3 ヶ月間で精神的ストレスや急性疾患を経験しましたか？
0 = はい　　2 = いいえ
□

E　神経・精神的問題の有無
0 = 強度認知症またはうつ状態
1 = 中程度の認知症
2 = 精神的問題なし
□

F1 BMI (kg/m^2)：体重(kg)÷身長$(m)^2$
0 = BMI が19 未満
1 = BMI が19 以上、21 未満
2 = BMI が21 以上、23 未満
3 = BMI が 23 以上
□

BMI が測定できない方は、F1 の代わりに F2 に回答してください。
BMI が測定できる方は、F1 のみに回答し、F2 には記入しないでください。

F2 ふくらはぎの周囲長(cm) : CC
0 = 31cm未満
3 = 31cm以上
□

スクリーニング値
(最大 : 14ポイント)　□□

12-14 ポイント:　栄養状態良好
8-11 ポイント:　低栄養のおそれあり (At risk)
0-7 ポイント:　低栄養

Ref.　Vellas B, Villars H, Abellan G, et al. *Overview of the MNA® - Its History and Challenges.* J Nutr Health Aging 2006;10:456-465.
Rubenstein LZ, Harker JO, Salva A, Guigoz Y, Vellas B. *Screening for Undernutrition in Geriatric Practice: Developing the Short-Form Mini Nutritional Assessment (MNA-SF).* J. Geront 2001;56A: M366-377.
Guigoz Y. *The Mini-Nutritional Assessment (MNA®) Review of the Literature - What does it tell us?* J Nutr Health Aging 2006; 10:466-487.

さらに詳しい情報をお知りになりたい方は、**www.mna-elderly.com** にアクセスしてください。

	肉	魚	卵	牛乳	大豆	海草	イモ	果物	油	緑黄色野菜	合計
1日目											
2日目											
3日目											
4日目											
5日目											
6日目											
7日目											
8日目											
9日目											
10日目											
10日間の合計											

図5-3　TAKE10!®（テイクテン）を用いた食行動の評価とモニタリング（地域在住高齢者）
1日（3食）を通して「少しでも」その食品目を食べたら「1点」とする．1日の合計は10点，10日間で100点となる（主食はほぼ必ず食べるので評価はしないが，不必要という意味ではない）．この表は，東京都健康長寿医療センターとILSI Japanの共同研究の成果物です．
［TAKE10!® ホームページ（http://take10.jp/）を参考に作成］

イクテン）が簡単である（**図5-3**）．本ツールは，信頼性・妥当性および将来の機能に対する予測妥当性が検証されている．

E　運動と負荷量設定方法

1　効果的な運動とは

- 効果的な運動を実施するための原理原則は，高齢者であっても若年者とほぼ同様である．
- すなわち高齢者に対する運動の効果も，運動の強度，頻度，時間，の3要素によって決定される．
- 運動強度は，怪我やリスクの発生が低い「安全限界」と，運動の効果が期待できる最低限の負荷である「有効限界」の間で設定する．
- 筋力や持久性などの目的とする運動能力のカテゴリーによって選択する運動が異なることを意識することが大切である．ただし，その前に，身体活動の向上が前提であることを強調しておきたい．
- レジスタンストレーニングによる科学的な効果は，虚弱高齢者から心不全患者，そして脳卒中患者まで認められている．
- ただし，機能状態が低い高齢者は，改善可能性が高いが，相対的に運動に対するリスクは高くなることに注意を要する．

2　運動強度の設定方法

a．心拍数を用いた設定

- 最大心拍予備能を用いて，相対強度を設定する．もちろん，最大酸素摂取量や嫌気性代謝閾値を測定できる場合には，それを優先する．
- 通常高齢者では，軽度の運動強度から始め，最大でも80%内外の相対強度に

表 5-6 土肥-Andersonの基準

I. 運動を行わないほうがよい場合	
1	安静時脈拍数 120/ 分以上
2	拡張期血圧 120 mmHg 以上
3	収縮期血圧 200 mmHg 以上
4	労作性狭心症を現在有するもの
5	新鮮心筋梗塞 1 ヵ月以内のもの
6	うっ血性心不全の所見の明らかなもの
7	心房細動以外の著しい不整脈
8	運動前すでに動悸，息切れのあるもの
II. 途中で運動を中止する場合	
1	運動中，中等度の呼吸困難，めまい，嘔気，狭心痛などが出現した場合
2	運動中，脈拍が 140/ 分を超えた場合
3	運動中，1 分間 10 個以上の期外収縮が出現するか，または頻脈性不整脈（心房細動，上室性または心室性頻脈など）あるいは徐脈が出現した場合
4	運動中，収縮期血圧 40 mmHg 以上または拡張期血圧 20 mmHg 以上上昇した場合
III. 次の場合は運動を一時中止し，回復を待って再開する	
1	脈拍数が運動時の 30% を超えた場合，ただし，2 分間の安静で 10% 以下にもどらぬ場合は，以後の運動は中止するか，またはきわめて軽労作のものにきりかえる
2	脈拍数が 120/ 分を超えた場合
3	1 分間に 10 回以下の期外収縮が出現した場合
4	軽い動悸，息切れを訴えた場合

設定することが多い．

- Karvonenの式

$$\{(220 - 年齢) - 安静時心拍数\} \times 運動強度(k) + 安静時心拍数$$

kは%/100

- 簡易的には“220 − 年齢”をその年齢の最大心拍数として設定し，その相対強度を推定することもある．
- 加齢に伴い，生理機能や運動機能の個人差が拡大する（ばらつきが大きくなる）．このため暦年齢はあくまでも参考程度とし，運動負荷に対する客観的指標により，その応答を評価する．

b. 力学的負荷による設定

- 高齢者によるレジスタンストレーニング効果のエビデンスレベルは高い．
- 85歳以上のナーシングホームに入居している超高齢者であっても，1RMを基準にした中～高負荷筋力トレーニング（60 ～ 80%：1RM）を行うことによって，下肢筋力や歩行速度が向上することが広く認められている．これらの向上を期待するためには，頻度は3回/週で12週ほど継続することが望ましい．

1RM：1 repetition maximum

- 筋力向上の効果を得るためには，必ずしも高負荷でなくともよい（関節などへの負担は小さくなる可能性がある）．その代わり，運動回数を増やし可能であれば「疲労するまで」運動を行うという方法もある（筋にアシドーシスの状態が発生し，運動後の成長ホルモンの分泌が促される）．

c. リスク管理

- 日常活動の負荷を超える運動負荷が想定される場合には，運動の種類によらず，主治医，かかりつけ医と相談し，土肥-Andersonの基準（**表5-6**）やリハビリテーション中止基準（p. 79，表5-3参照）を参考に，具体的に運動中止基準を決めておく．
- 加えて，上記による運動中止に達した場合の措置を，対応マニュアルなどで確認しておく．
- 高齢者は老化による生理機能の低下，あるいは認知機能の低下により，疲労感や自覚的な作業強度が，実際の負荷と乖離していることがあるので注意を要する．
- 高齢者の運動中は，顔色，口唇の色，呼吸様式，発汗，などを観察し，異常な応答の出現に注意を払う．
- 内部障害患者など，心臓-呼吸系のリスクがあらかじめ高いとわかっている高齢者は，運動負荷時心拍数などのモニタリングを行う．
- 上記に該当しない場合でも，運動開始時や運動負荷を増強する際には，運動負荷に対する心拍数などの指標と自覚的運動強度に乖離がないか確認する．
- 自覚的運動強度はBorgスケールを使用する．

F　NCDs（非感染性疾患）の理解

NCDs：non communicable diseases

1 NCDsとは

- 人口構成の変化（高齢化）に引き続き疾病構造の変化が起こることが知られている．医療の対象は感染性主体の時代から，今や非感染性主体の時代に移行し，当然のことながらリハビリテーション医療の対象もその影響下にある．
- WHOでは非感染性疾患（NCDs）を「偏った食事（栄養）や運動不足，喫煙，過度な飲酒などの生活習慣の改善により予防可能な疾患」と定義している．
- これらは初期にはゆっくりと進行しその後さまざまな病理を呈することが知られており，NCDsは4大領域，①心臓血管疾患（虚血性心疾患のほか，脳卒中もこのカテゴリーである），②がん，③慢性呼吸疾患（たとえばCOPD），④糖尿病，に分類されている．

COPD：chronic obstructive pulmonary diseases

- いずれの疾患も理学療法の対象になる頻度が高く，その病理や治療と科学的根拠に基づく理学療法介入の理解が必要である．
- これらの疾患では，急性期，回復期，生活期（維持期）のそれぞれに理学療法介入が必要であるが，医療保険上（診療報酬上）の問題から主として入院中（急性期と回復期）の時期に実施される．
- しかしながら，NCDsの発症予防や（上記退院後の）再発予防に関してはいまだ十分な対応が成されているとはいいがたい．
- そもそもNCDsは，望ましくない生活習慣が主因とされ，生活習慣の改善への

表 5-7　行動変容とそれに適した介入

行動変容ステージ	内 容	適した介入方法
前熟考期	現在，自分の行動を変えようという気持ちがなく，近い将来（通常６ヵ月以内）にも変えるつもりがない段階.	■共感的姿勢，傾聴 ■情報提供
熟考期	現在は何も行動を起こしていないが，近い将来に行動を変える気持ちになっている段階.	■行動変容することの利点，欠点を考える ■行動のきっかけづくり
準備期	現在，望ましい水準ではないが，不定期に行動している段階，あるいは，すぐに行動を変えようという気持ちになっており，行動を始める最後の調整を行っている段階.	■到達可能な目標設定 ■セルフエフィカシー向上による行動強化
実行期	現在，望ましい水準で目標とする行動を実行しているが，まだ間もない（通常６ヵ月以内）段階.	■行動を中止してしまう逆戻り防止策を事前に考えておく
維持期	現在，望ましい水準で目標とする行動を実行しており，安定して継続している（通常６ヵ月以上）段階.	■ライフイベントによる行動中止対策を講ずる

対策を講じなければ，発症や再発のリスクを軽減できない.

2 身体活動の重要性

- 望ましくない生活習慣のうち，最もNCDs発症に関係しているのは身体活動*（PA）の低下である.
- 身体活動の低下は，他の原因を取り除いてなお世界で第4位の死因を占める.
- はっきりしたメカニズムを理解していなくとも，「活動することは健康によい」ことは，一般の者でも知っているにもかかわらず，不活動である者は多い. たとえ望ましくないものであっても長年培ってきた生活習慣を変えることは，とくに高齢者では容易ではない.
- これは，生活習慣が，疾病モデルや障害モデルでは完全に説明できない行動の問題を内有していることに他ならない.
- 身体活動を促すには，その重要性を伝えることはもちろんだが，行動科学の手法を導入するのが有効である.

＊身体活動　骨格筋の活動によって安静時よりも多くのエネルギー消費を伴う活動. 運動，スポーツに限らず，家事，買い物，散歩のような日常生活活動や趣味，レジャー活動などすべて.
PA：physical activity

3 行動への介入

- 生活習慣に介入する1つの方法として，ステージ理論がある.
- 病気の発症あるいは何かのきっかけで身体活動（運動）を高める行動を開始したとしても，一般的にはその50%が半年を満たないうちにやめてしまうことが知られている.
- 逆に，1年継続できた場合には，その行動が定着することも知られている.
- 行動（生活習慣）に介入する場合には，まずターゲットとしている行動に対する5つの準備状態（行動変容ステージ）によって，その手段が異なることを理解したい（**表5-7**）.
- とくに準備期，実行期の介入のポイントは，目標設定とセルフモニタリングなど（歩数計や日常生活活動測定器を利用）の手法を駆使してセルフエフィカシー*を高めることで，自主トレーニングなどの継続を促したい.
- 原疾患のリスクとなっている生活習慣の改善を念頭におき「再発予防のてび

＊セルフエフィカシー
自己効力感. ある課題に対してそれを達成できるという見込み.

き」などを準備し退院時指導を行う場合も多いと思うが，一方的に終わることなくステージ理論の方法を活用してそれを実施することが望まれる（この理論と介入方法の詳細については，成書を参照されたい）.

学習到達度自己評価問題

1. 高齢者の一般的特徴について説明しなさい.
2. 高齢者の一般的特徴として身体機能の多様性について説明しなさい.
3. 廃用症候群を定義し，その対応を説明しなさい.
4. リハビリテーション安全ガイドラインにおいて，途中でリハビリテーションを中止する場合の基準を説明しなさい.
5. 高齢者の理学療法に伴うリスク管理において不整脈に関して説明しなさい.
6. 廃用症候群患者の歩行練習を30分増やすことにした．この部分の推定消費エネルギー（kcal）を計算しなさい．なお，歩行のMETsは2 METs，体重は50 kgとする.
7. Karvonenの式から年齢75歳，安静時心拍数70，80%HRRの値を計算しなさい.
8. 高齢者の運動（療法），トレーニング効果の特徴について説明しなさい.
9. NCDsの4つのカテゴリー（疾患）を答えなさい.

6 高齢者の骨・関節障害と理学療法① 大腿骨頸部骨折

一般目標

■高齢な大腿骨頸部骨折患者の生活機能の改善のために，その障害像や病態，症状，治療法についての理解を深め，患者にとって最適な理学療法プログラムの立案・遂行能力を習得する．

行動目標

1. 大腿骨頸部骨折の受傷機転や障害像など，疾患の特徴について説明できる．
2. 大腿骨頸部骨折の代表的な手術方法について説明できる．
3. 高齢な大腿骨頸部骨折患者に対する理学療法を実施するうえでの留意点について説明できる．

調べておこう

1. 高齢者の転倒要因を調べよう．
2. 大腿骨頸部骨折における人工骨頭置換術の術式による脱臼肢位とその理由を調べよう．
3. 股関節脱臼を引き起こす危険性のある日常生活動作とそれを回避する方法を調べよう．
4. 以下の用語を調べよう．
   - ■術後せん妄
   - ■深部静脈血栓症
   - ■体格指数（BMI）

BMI：body mass index

A　疾患の概要

1 障害像

■大腿骨頸部骨折は，滑液性の関節包内の骨折である（**図6-1**）．骨折線が垂直方向に近い走行であるために剪断力が働くこと，骨折部に外骨膜がないために骨膜性仮骨が形成されないこと，骨折部に滑液が流入することなどの理由から骨癒合が阻害され，非常に難治な骨折である．

■骨折時に大腿骨頭への栄養血管が破断して骨頭側の血行が断たれ，癒合不全や大腿骨頭壊死を起こすこともある（**図6-2**）．

■発生頻度は高齢者の骨折のなかでも高く，人口の高齢化とともに増え続けている．

■骨折部の転位の程度から，一般的にGarden分類（**図6-3**）が用いられ，stage

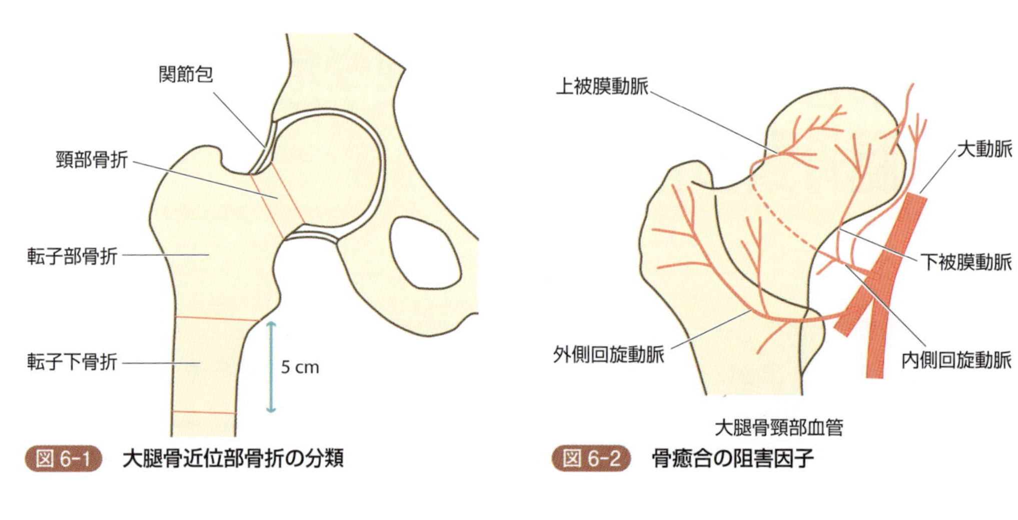

図 6-1　**大腿骨近位部骨折の分類**

図 6-2　**骨癒合の阻害因子**

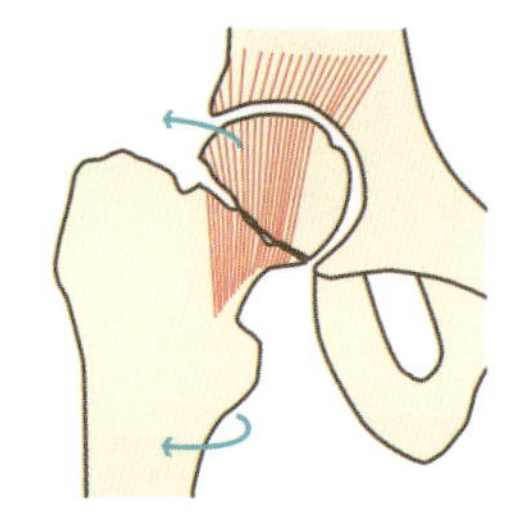

a. stage Ⅰ（不全骨折）
頸部内側の骨性連続が残存しているもの

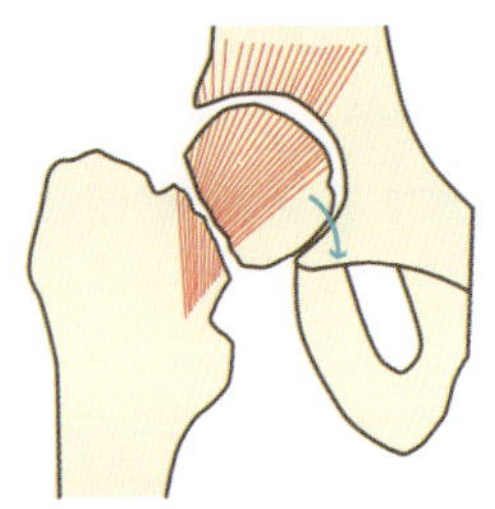

b. stage Ⅱ（完全骨折）
軟部組織の連続性が残存し，骨折部が嵌合しているもの

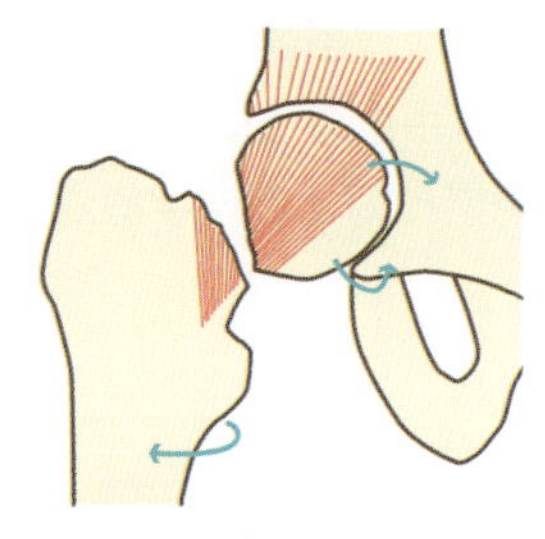

c. stage Ⅲ（完全骨折）
骨頭の回転転位があり，頸部被膜（Weitbrecht 支帯）の連続性は残存しているもの

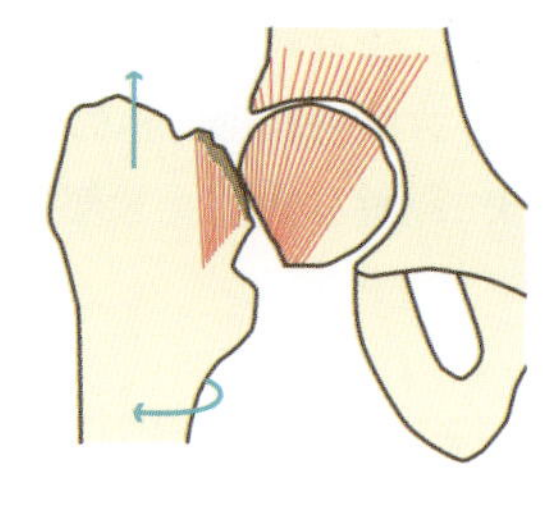

d. stageⅣ（完全骨折）
骨頭の回転転位はなく，すべての軟部組織の連続性が断たれているもの

図 6-3　**Garden 分類**

ⅠとⅡをあわせて非転位型，stage ⅢとⅣをあわせて転位型と分類する．高齢者では転位型の骨折が多い．

- 患者のほとんどは骨密度の低下した高齢者である．骨粗鬆症を基盤とするため，男性よりも女性に多い．
- 受傷機転のほとんどは転倒であり，骨粗鬆症によって軽微な外力でも発生する．転倒は，加齢に伴う下肢筋力や身体バランス機能などの運動機能の低下のほかに，視力障害や難聴などの合併を一因とする．

memo

大腿骨頸部骨折の分類

これまでわが国では，大腿骨近位部の骨折を大腿骨頸部内側骨折（関節包内骨折）と大腿骨頸部外側骨折（関節包外骨折）に大別し，両者を合わせて大腿骨頸部骨折と呼んできた．しかし，用語と定義が合致しないことから，近年では，大腿骨頸部内側骨折を「大腿骨頸部骨折」，大腿骨頸部外側骨折を「大腿骨転子部骨折」とし，両者を総称して「大腿骨近位部骨折」と呼ぶ．

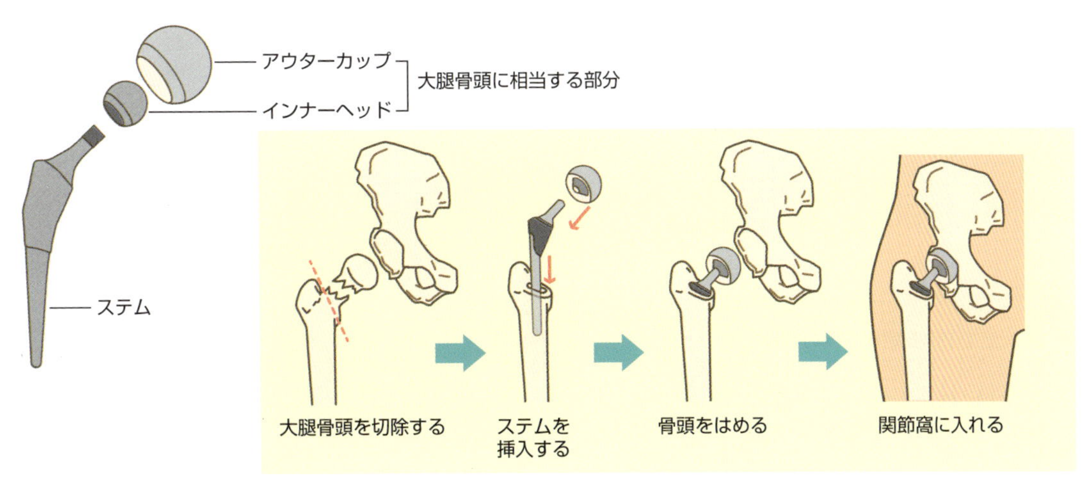

図 6-4 股関節人工骨頭置換術

2 症 状

■ 発生直後から激痛が股関節部に生じ，立位や歩行が不可能となる．また，本骨折が原因で寝たきりとなり，要介護状態に陥ることもあり注意が必要である．

B 治療の概要

■ ほとんどの症例で手術療法が選択される．手術法には，骨接合術と人工骨頭置換術があり，高齢者の転位型骨折では人工骨頭置換術が推奨されている．ここでは，人工骨頭置換術について解説する．

■ 人工骨頭置換術は，大腿骨頭を人工物（人工骨頭）と置き換える手術である．

■ 人工骨頭には，バイポーラ bipolar（双極性人工骨頭）型とユニポーラ unipolar（単純人工骨頭）型の2タイプがある．

■ バイポーラ型は，大腿骨頭に相当する部分がアウターカップとインナーヘッドからなり，アウターカップの中にインナーヘッドが位置し，臼蓋とアウターカップの間，アウターカップとインナーヘッドの間の2ヵ所で可動する構造で，ステムを大腿骨髄腔に挿入し，固定する（**図6-4**）．

■ ステムの固定方法には，骨セメントを使用する方法（セメントタイプ）と使用しない方法（セメントレスタイプ）があり，年齢や骨の状態により選択される．セメントタイプは早期荷重が可能なため，臥床期間が短く廃用症候群を予防できる．その一方で再置換が困難であり，感染の発生頻度が高い．

■ ユニポーラ型は，現在，ほとんど使われていない．

■ 手術アプローチ（侵入経路）には，股関節の後面に位置する大殿筋を切り，深層の股外旋筋群を切離して股関節に進入する後方アプローチ，股関節の前面に位置する大腿筋膜張筋と縫工筋を切ることなく，その間から股関節に進入する前方アプローチなどがある．

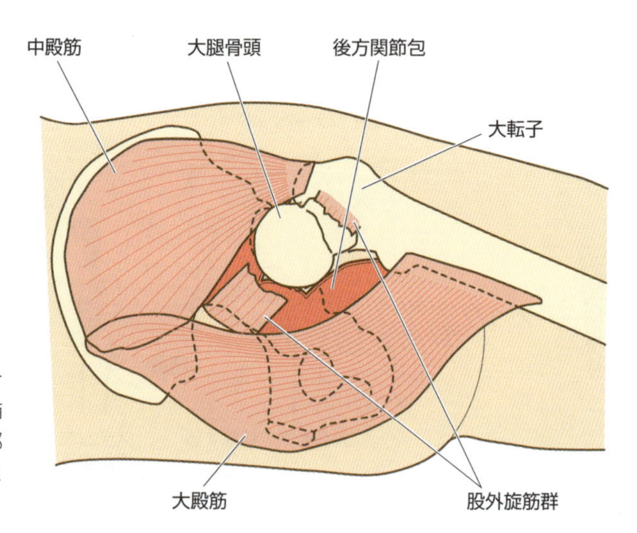

図 6-5　股関節後部の安定化機構の破綻
後方アプローチでは，股関節を内旋させて骨頭を露出させるため，股関節の後部にある外旋筋群を切離し，関節包を切開する．そのため，それらによって得られる後部の関節安定化機構が破綻し，骨頭が後方にはずれるといった後方脱臼を生じやすい．

- 手術により関節の安定化機構が破綻し（**図6–5**），術後に脱臼を生じることがある．
- 術後の合併症として，術後せん妄，肺炎，深部静脈血栓症，肺塞栓症，脱臼などがある．
- 大がかりな手術であることから，実用的な歩行を獲得するまでには時間を要するため，要介護状態に陥ることも多く，「寝たきり」となってしまうことも少なくない．
- 術後の歩行能力の回復には受傷前の生活自立度，年齢，認知症の有無などが大きく影響する．屋外歩行が自立していた患者のうち，受傷後12ヵ月で歩行が自立できた者は48.0%，屋内歩行のみ自立していた患者のうち受傷後12ヵ月で歩行が自立できた者は40.4%との報告がある．
- すでに要支援，要介護の状態にある高齢者が骨折した場合は，受傷前の日常生活が非活動的なことが多く，そもそも著しい運動機能の低下を有している危険性があることから，理学療法の進行に難渋する場合がある．受傷前の生活のあり方が，予後を大きく左右することを忘れてはいけない．
- 歩行が獲得できても本人が歩くことに恐怖心や不安感をもち，歩こうとしなくなること（転倒後症候群post fall syndromeと呼ぶ）で外出しなくなり，いわゆる「閉じこもり」となってしまったり，家族が再転倒を心配して歩かないよう本人の行動を規制することで日々の活動量が低下し，ひいては寝たきりになってしまうこともある．

memo

人工骨頭置換術における長期的な合併症
インプラントの摩耗や緩みにより，新しい人工骨頭に再置換しなければならないという耐久性の問題もある．

C　理学療法の概要

人工骨頭置換術では，手術手技によって多少の違いはあるものの，一般的に，術後2～5日で荷重が許可され，およそ1ヵ月で歩行を獲得して退院する．ただし，高齢者では，他疾患を有する場合や認知症などの問題を抱える場合もある．また，加齢に伴う心身機能の低下（老化）にも個人差があり，順調にプログラムが進まないことも多い．こういった背景を理解し，理学療法士は，術後のリスク管理，早期離床による廃用症候群の予防およびADLの獲得を図っていくことが求められる．

ADL：activities of daily living

1 術　前

- ギャッチアップが許可されている場合は，可能な限り座位をとらせる．
- 手術までの待機期間がある場合は，ベッド上安静による廃用症候群の予防を目的に，非術側下肢と両上肢の筋力トレーニングを行い，移乗や歩行に必要な筋力を維持する．
- 術側の股関節は外旋位をとりやすく，腓骨神経麻痺を防ぐために良肢位を指導する．
- 術後の肺炎を予防するため，呼吸理学療法を実施することもある．
- 深部静脈血栓症が肺塞栓症を引き起こすことがある．そのため，両側の足関節底背屈運動（**図7-4**参照）を指導し，下肢静脈の血流障害の発生を予防する．

2 術後から退院まで

- 高齢になるほど，術後せん妄を引き起こしやすい．そのため，患者が安心して落ち着ける生活環境を整えるとともに，日中の身体活動性を促し，昼・夜のメリハリのある生活を図る．
- 術後は可及的早期に理学療法を開始することが重要である．
- ベッド上では，術前と同様に，深部静脈血栓症の予防として両側の足関節底背屈自動運動を継続させる．その他，下肢挙上位をとらせたり，弾性ストッキングを履かせたり，血液凝固阻止薬を服用することもある．血液凝固阻止薬を服用している場合はめまいによる転倒に注意する．
- 座位は，ベッドアップ，ベッド端座位，車いす座位へと可能な範囲で移行していく．
- 荷重許可が出たら，痛みに応じて歩行の獲得に向けたプログラムを進めていく．
- 術後は脱臼に注意する．手術アプローチによって異なるが，後方アプローチでは，骨頭の後方への脱臼を予防するため，股関節が屈曲・内転・内旋位（いわゆる脱臼肢位，**図6-6**）をとるような姿勢や動作は避けるよう指導する．健側への寝返りは脱臼肢位をとるため，寝返る際は外転枕を着用する（**図6-7**）．また，股関節過屈曲位も脱臼を引き起こす危険性があるため，避けるよう留意させる．
- 前方アプローチでは，股関節が伸展・内転・外旋位で骨頭が前方へ脱臼しやすい．

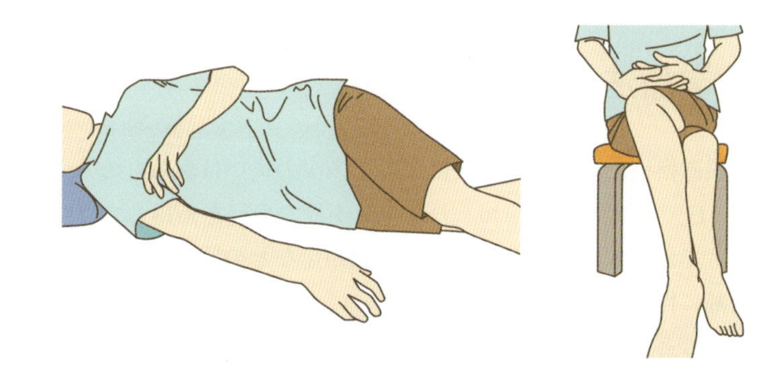

図 6-6　股関節屈曲・内転・内旋を組み合わせた肢位（脱臼肢位）
左図は右側への寝返り動作であり，左股関節の屈曲・内転・内旋が起こる．
右図は左下肢を上に組んだいすにすわった姿勢であり，左股関節の屈曲・内転・内施となっている．

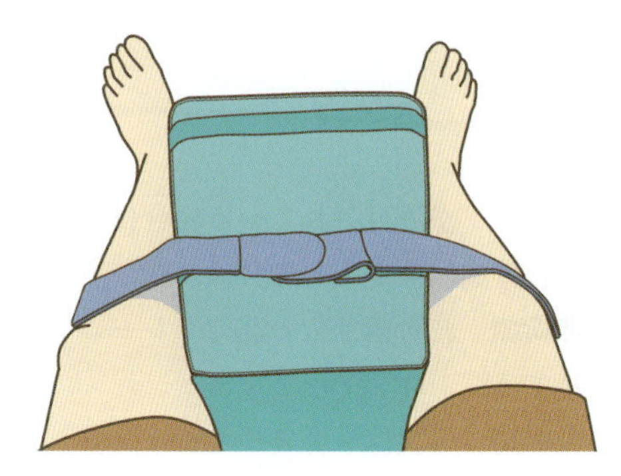

図 6-7　外転枕
股関節を外転位に固定する．

3 退院後

- 在宅生活を送るうえで，再転倒と股関節への過度な負担に留意させる．
- 転倒既往（過去に転倒したことがある）は，それ自体が再転倒を引き起こすリスク因子でもあり，大腿骨頸部骨折者の再転倒率は高いとされている．また，再転倒により反対側の大腿骨頸部骨折を引き起こすリスクが上昇する．再転倒を予防するため，下肢筋力や身体バランス機能の維持，強化を目的としたホームプログラムを作成するとともに，段差の解消や手すりの設置など転びにくい生活環境整備のアドバイスを行う．
- 体重が重いほど股関節の負担は大きくなる．そのため，食事と運動のバランスのとれた日常生活を意識させ，適正な体重を保つよう促す．また，杖を使用し股関節への荷重負担を軽減させるよう指導する．
- 過度な股関節の動きも股関節に負担をかけることになるため，生活様式を見直し，低いいすの使用をやめさせたり，和式トイレを洋式トイレに，布団をベッ

memo

閉じこもりについて

外出可能な状態であるにもかかわらず，1日のほとんどを家のなかや庭先などで過ごし，週に1回も外出しない状態を「閉じこもり」という．高齢者の閉じこもりのきっかけとなる要因の1つに転倒恐怖感がある．転倒恐怖感は，「転倒→再転倒への恐怖→身体活動性の低下→閉じこもり→廃用性の心身機能低下→転倒リスクの増加→再転倒→さらなる転倒恐怖」といった悪循環を招く．

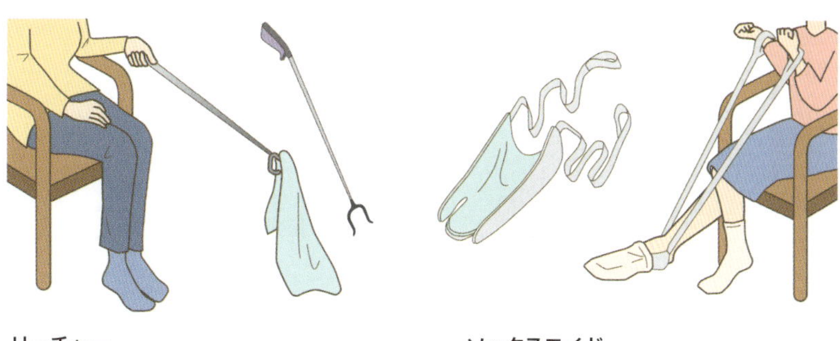

図6-8　自助具

ドに変更させたりする．また，リーチャーやソックスエイドなどの自助具を使うことも1つの方法である（図6-8）．

症例検討

1 患者プロフィール

78歳　女性　身長：145.0 cm　体重：41.0 kg ⓐ

- 診断名：左大腿骨頸部骨折，骨粗鬆症
- 現病歴：自宅の庭にて転倒．自力で起き上がろうとするも疼痛が強く，起き上がれず．隣人の助けにより救急隊に連絡．当院に救急搬送され，左大腿骨頸部骨折と診断される．X線所見よりGarden分類のstage Ⅲにて，翌日，人工骨頭置換術施行（後方アプローチ，セメントレス），同日より理学療法開始となった．
- 画像所見（図6-9）
- 既往歴：高血圧（服薬にてコントロールされている）
  難聴（補聴器を使用している）
  加齢性白内障 ⓑ
  転倒歴あり
- 社会背景：独居であり，年金生活で，身の回りのことはすべて自分で行っていた．
- 家屋構造：自宅は平屋．寝具は布団で，トイレは和式であるが簡易洋式便器を使用していた．

2 理学療法経過

- 術後当日より足関節底背屈自動運動とパテラセッティング（大腿四頭筋の等尺性筋力増強運動）を指導した．また，脱臼の危険性と脱臼肢位について注意を促した．補聴器を使用しても聞き取りにくいことがあり，時折，大きな声で話す必要があった．
- 術後翌日より車いすにてリハビリテーション室へ．初回評価を実施，結果は以下のとおりであった．リハビリテーション室にて平行棒内立位保持練習（疼痛自制内で荷重可）を開始するとともに，関節可動域運動 ⓒ，筋力トレーニング ⓓ を実施した．また，脱臼肢位を回避した安全肢位での立ち上がり動作および移乗動作方法を指導した．

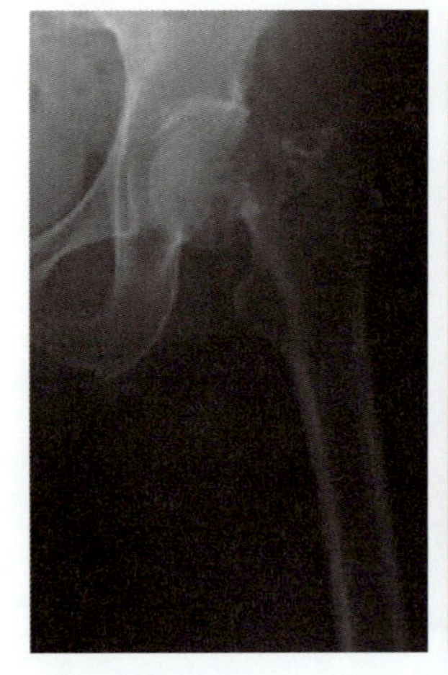
a.

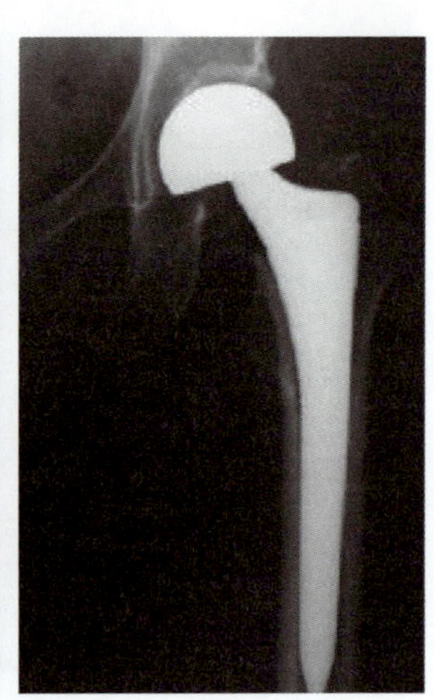
b.

図 6-9　画像所見
(a) 術前のX線画像．完全骨折で骨頭の回転転位がみられる（Garden 分類の stage Ⅲ）．(b) 術後のX線画像（人工骨頭置換術）

理学療法初回評価（術後１日目）

①患者のモチベーション

- 理学療法への意欲は高く，自宅復帰を希望している．

②コミュニケーション

- 補聴器を使用しており，ゆっくり話せば理解できる．日常の意思疎通に問題はない．

③検査データ ⓔ

血清総タンパク質（TP）	6.3 g/dL
血清アルブミン（ALB）	3.4 g/dL
白血球数（WBC）	17,600/μL
C 反応性タンパク質（CRP）	6.1 mg/dL

④認知機能

- MMSE ⓕ では 23/30 点（減点項目：日時などに関する見当識，場所に関する見当識，3つの言葉の記銘，計算問題，3つの言葉の遅延再生）

⑤関節可動域および筋力

	ROM（°）		MMT	
	右 ⓖ	左	右 ⓖ	左
股関節屈曲	110	60（P）	4	1
伸展	−	−	−	−
外転	35	0（P）	4	2
内転	15	−	4	−
外旋	35	−	4	−
内旋	30	−	4	−
膝関節屈曲	130	130	−	−
伸展	0	0	5	5
足関節背屈	15	15	4	5
底屈	40	40	4	−

⑥疼　痛

- 安静時痛：なし

■運動時痛：股関節屈曲・外転時にVASにて6/10の痛みあり
■荷重時痛：股関節部にVASにて7/10の痛みあり
⑦ADL
■FIMでは70/126点（運動項目44/91点，認知項目26/35点）

■術後4日目，疼痛の軽減に伴い，1/2部分荷重が可能となり，両松葉杖歩行練習を開始した．立ち上がり動作および移乗動作の脱臼回避方法について忘れてしまうことがあり，そのつど，指導する必要があった．
■術後1週目，2/3部分荷重が可能となり，片松葉杖歩行に移行した．
■術後10日目，疼痛なく，全荷重可能となり，単脚杖歩行練習を開始した．
■術後3週目，階段昇降および応用歩行練習を開始した．再評価を実施，結果は以下のとおりであった．

理学療法再評価（術後3週目）

①検査データ

白血球数（WBC）	7200/μL
C反応性タンパク質（CRP）	0.27 mg/dL

②認知機能
■MMSEでは22/30
③関節可動域および筋力

	ROM（°）		筋力（MMT）	
	右	左	右	左
股関節屈曲	110	105	5	5
伸展	20	20	5	4
外転	35	30	5	5
内転	15	15	4	―
外旋	35	30	5	5
内旋	35	20	4	―
膝関節屈曲	130	130	5	5
伸展	0	0	5	5
足関節背屈	15	15	5	5
底屈	40	40	5	4

④疼　痛
■運動時痛：なし
■荷重時痛：VASにて1/10
⑤ADL
■FIMでは104/126点（運動項目78/91点，認知項目26/35点）

■術後4週が経過し，疼痛もなくなり，単脚杖歩行 h にて自宅退院となった．脱臼肢位を回避するため，寝具を布団からベッドに変えるよう助言した．動作能力面においては順調な改善を認めたが，視機能および聴覚の低下により危険を予測，察知，回避することが困難であること，転倒歴があること，骨粗鬆症があること，高血圧治療薬の副作用によるめまいなどから，今後，再転倒の危険性ⓘが予測されることで注意するよう指導した．また，本患者のような転倒による大腿骨頸部骨折者は，転倒恐怖感が原因で，身体活動性が低下して廃用症候群（p. 75参照）を招いたり，外出の機会が減って閉じこもりとなる可能性を秘めている．退院後の生活状況が独居であることからも，地域資源を活用し，外出の機会を増やすよう助言した．

■なお，本症例は，術後，疼痛はあったものの翌日から自制内の範囲で荷重ができ，離床がスムーズであったこと，そもそも受傷前の日常生活が自立しており，自分のことは自分で行っていた（行えていた）ことで心身機能が良好であったことから，順調な経過を辿った症例といえる．ただし，中には，認知症による理解力の低下があり，脱臼肢位を回避する動作が学習できないケースや受傷前から要支援・要介護の生活で活動性が乏しく，受傷側下肢以外にも筋力低下（廃用症候群）をきたしているケースなど，プログラムが順調に進まない場合も多々ある．

学習到達度自己評価問題

本章の「症例検討」において，対応するアルファベットの●を参照して下記の問いに答えなさい．

ⓐ身長と体重からBMIを計算し，その値から読み取れることは何か答えなさい．
ⓑ加齢性白内障による理学療法を実施するうえでの注意点について答えなさい．
ⓒこの時期の関節可動域運動を実施するうえで留意すべき点を答えなさい．
ⓓこの時期の筋力トレーニングを実施するうえで留意すべき点を答えなさい．
ⓔ4つの検査データから考えられることは何か答えなさい．
ⓕMMSEの結果から何が読み取れるか答えなさい．
ⓖ非術側の右下肢筋力にも筋力低下が認められるが，その原因を考察しなさい．
ⓗ杖の役割について答えなさい．
ⓘ転倒を防ぐための対応策について考えなさい．

7 高齢者の骨・関節障害と理学療法②
変形性膝関節症

一般目標

■高齢な変形性膝関節症患者の生活機能の改善のために，その障害像や病態，症状，治療法についての理解を含め，患者にとって最適な理学療法プログラムの立案・遂行能力を習得する．

行動目標

1. 変形性膝関節症の障害像や症状など，疾患の特徴について説明できる．
2. 変形性膝関節症の病態運動学について説明できる．
3. 変形性膝関節症の加齢による病態変化について説明できる．
4. 変形性膝関節症に対する保存療法と手術療法について説明できる．
5. 高齢な変形性膝関節症患者に対する理学療法を実施するうえでの留意点について説明できる．

調べておこう

1. 変形性膝関節症の特徴的症状を調べよう．
2. Kellgren-Lawrence（K/L）分類を調べよう．
3. 変形性膝関節症の保存療法と手術療法の特徴を調べよう．
4. 大腿脛骨関節と膝蓋大腿関節の機能を調べよう．
5. 以下の用語を調べよう．
   - ■大腿四頭筋の等尺性筋力増強運動
   - ■有酸素運動の種類と効果
   - ■人工膝関節置換術の種類とその合併症

A 疾患の概要

1 障害像

■変形性関節症（OA）は関節を構成する組織に退行性や増殖性の変性を生じる疾患で，加齢とともに発症頻度が高くなる．膝関節や股関節などの荷重関節に生じるが，とくに膝関節に生じることが多く，X線像で関節裂隙の狭小・消失，骨棘（こつきょく）の形成，関節面の不整合などが認められる．

OA：osteoarthritis

■変形性膝関節症は時間とともに進行し，悪化することから一側（患側）のみな

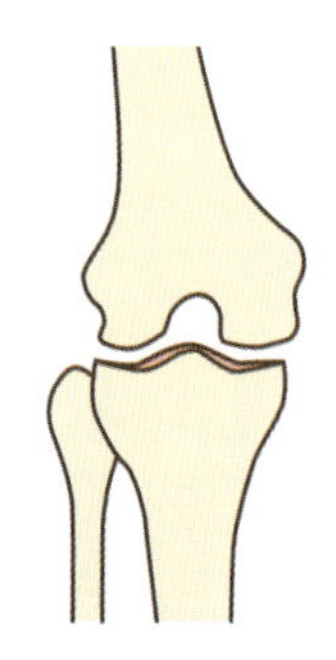

Grade 0：正常

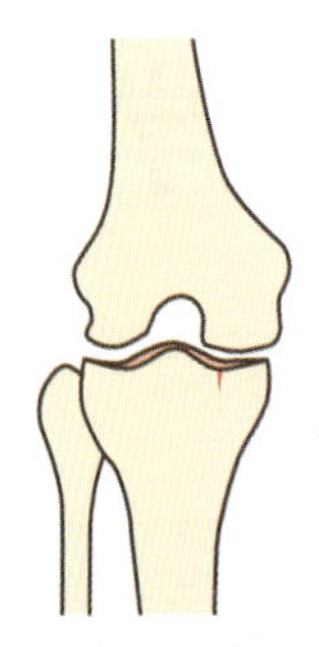

Grade 1：関節裂隙狭小化の疑い．軽度の骨棘形成

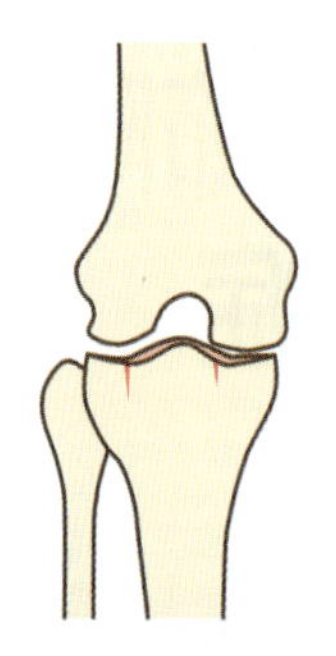

Grade 2：骨棘形成と軽度の関節裂隙狭小化

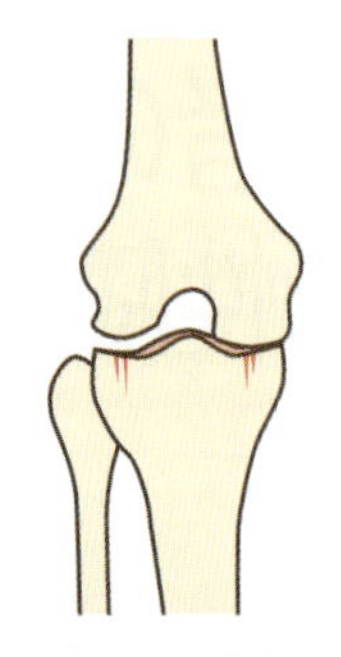

Grade 3：中等度，複数の骨棘，関節裂隙狭小化，軟骨下骨化

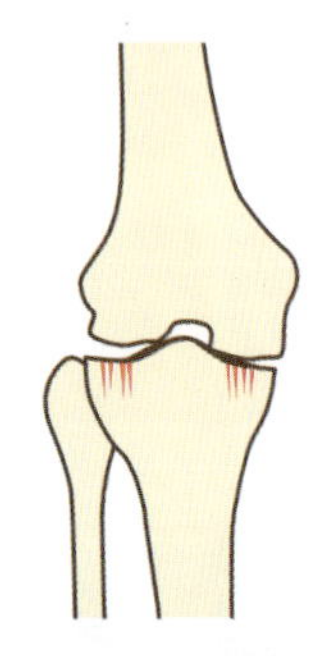

Grade 4：大きな骨棘形成，高度の関節裂隙狭小化，高度の軟骨下骨硬化

図7-1　Kellgren-Lawrence（K/L）分類
関節裂隙幅と骨棘形成，軟骨下骨の硬化の程度で分類する．

らず，他側肢についても状態を把握する必要がある．

- Kellgren-Lawrence（K/L）分類のGrade 2以上が変形性膝関節症と診断される**（図7-1）**．
- 男性と女性では，女性の頻度が高く（男女比＝1：4），肥満傾向の女性に多くみられる．
- 原因となる疾患を見出すことのできないもの（一次性）と，代謝性疾患や外傷などに続発するもの（二次性）に分類される．多くの場合が一次性変形性膝関節症である．
- 日本整形外科学会が定めた「歩行」「疼痛」「可動性」「腫脹などの関節症状」の評価方法（膝関節JOAスコア）があり，広く臨床で使用されている**（表7-1）**．

2 症　状

ROM：range of motion

- 歩行時，起立時などの疼痛，関節可動域（ROM）制限，関節腫脹，内反変形などの症状がみられる．これらにより膝関節の運動が減少し，大腿四頭筋などの関節周囲筋が萎縮する．
- 進行に伴い安静時痛が増悪，また起立や歩行などの動作が困難となり，歩行・移動能力が低下する．これにより転倒しやすい状態や閉じこもりとなり，最終的に要介護や寝たきりへとつながることもある．

ADL：activity of daily living

BMI：body mass index

QOL：quality of life

memo

変形性膝関節症とそれによる疼痛，日常生活活動（ADL）の障害との関連についての研究では，男性においては重症度が疼痛の発生，増悪とは関連しないが消失には影響すること，ADL障害の発生，増悪には関連するが消失には影響しないことが示唆されている．一方，女性においては体格指数（BMI）や握力が疼痛の発生，増悪，消失に関連していること，ADL障害の発生にはBMIや握力が強く関連し，障害の消失には重症度と握力が関連していることが示唆されている**（表7-2）**．この結果から女性の場合，重症度が高くても肥満改善や筋力の増大によって生活の質（QOL）が向上する可能性が期待される．

表 7-1　膝関節 JOA スコア（100 点満点）

Ⅰ　疼痛・歩行能力		
評　価	右	左
1 km 以上歩行可能．通常疼痛はないが動作時たまに疼痛あってもよい	30	30
1 km 以上歩行可能．疼痛あり	25	25
500 m 以上，1 km 未満の歩行可能．疼痛あり	20	20
100 m 以上，500 m 未満の歩行可能．疼痛あり	15	15
室内歩行または 100 m 未満の歩行可能．疼痛あり	10	10
歩行不能	5	5
起立不能	0	0
Ⅱ　疼痛，階段昇降能力		
評　価	右	左
昇降自由．疼痛なし	25	25
昇降自由．疼痛あり．手すりを使い，疼痛なし	20	20
手すりを使い疼痛あり．一歩一歩の昇降は疼痛なし	15	15
一歩一歩の昇降も疼痛あり．手すりを使えば一歩一歩の昇降は疼痛なし	10	10
手すりを使っての一歩一歩の昇降も疼痛あり	5	5
できない	0	0
Ⅲ　屈曲角度および強直，高度拘縮		
評　価	右	左
正座可能な可動域	35	35
横座り・あぐら可能な可動域	30	30
110° 以上屈曲可能	25	25
75° 以上屈曲可能	20	20
35° 以上屈曲可能	10	10
35° 未満の屈曲，または強直，拘縮高度	0	0
Ⅳ　腫　脹		
評　価	右	左
水腫，腫脹なし	10	10
時に穿刺必要	5	5
頻回に穿刺必要	0	0
合計　右　　　点，左　　　点		

［腰野富久ほか：OA 膝治療成績判定基準．日整会誌，**62**: 901–902, 1988 より許諾を得て改変し転載］

表 7-2　変形性膝関節症と疼痛，ADL 障害との関連

		男性			女性		
		発生	増悪	消失	発生	増悪	消失
重症度	疼痛			○			
	ADL 障害	○	○				○
BMI，握力	疼痛				○	○	○
	ADL 障害				◎	◎	○

［村木重之：大規模縦断研究による変形性膝関節症の疫学：The ROAD Study，第 4 回膝 OA と運動・装具療法セミナー，2013 を参考に作成］

memo

OA の患者は, 将来的に 2 型糖尿病（インスリン非依存性糖尿病［NIDDM］）を発症する確率が高くなり, とくに血縁関係のある家族親族に罹患者がいる場合には, その確率はさらに高くなる.

NIDDM：non-insulin dependent diabetes mellitus

B 治療の概要

- まず保存療法が選択され, 効果の認められない患者は手術療法の適応となる.

1 保存療法

- 保存療法では栄養指導を含めた日常生活の指導, 薬物療法, 運動療法, 装具療法, 物理療法などが行われる.
- 日常生活の指導では, 和式トイレから洋式トイレへなどのように, 生活の様式を和式から洋式へ移行させたり, 食生活の改善を指導し減量に努め, 日常生活での膝への負担を少なくする. ただし, 減量指導の際には無理のない範囲にとどめるよう留意する.
- 薬物療法では, 非ステロイド性抗炎症薬（NSAIDs）の使用や, ヒアルロン酸の関節内注射が行われることもある. 同時に運動療法の実施が重要である.
- 運動療法では, 大腿四頭筋や股関節内転筋などの膝関節周囲筋の萎縮の予防や筋力強化を行う.
- 装具療法では, サポーターや, 外側足底板（大腿脛骨角［FTA］が175°前後の患者に使用する. 180°の場合は効果がない）が使用される.

NSAIDs：non-steroidal anti-inflammatory drugs

FTA：femoro tibial angle

2 手術療法

a. 関節鏡視下手術

- 関節の変形が高度でなく, 痛みの原因が半月板損傷や滑膜炎などの場合に適応される. 内視鏡で関節内を観察しながら, 半月板や軟骨, 骨棘や滑膜の切除を行う.

b. 高位脛骨骨切り術

- 脛骨の一部を切除することで, O脚を矯正し, 膝内側にかかる負担を外側の健常な関節にも分散させ, 負担を軽減させる. 70歳以下が適応とされている.
- 切除した骨の癒合に2ヵ月程度かかるとされており, ほかの手術療法に比べ治療期間が長期化する傾向がある.

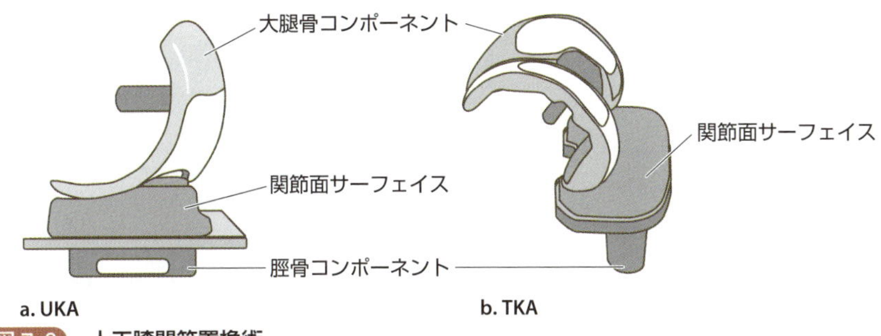

図7-2 人工膝関節置換術

近年では，患者の関節を温存する脛骨高位骨切り術の実施が少なくなる一方で，人工膝関節置換術の実施が多くなってきている．これは，保険診療上の効率的医療を優先すると，技術的に難しく，長期間の入院を余儀なくされる脛骨高位骨切り術よりも人工関節置換術を選択せざるを得ない状況であるからである．しかし，患者の心理を考えれば患者自身の関節が温存されるほうがよいことは自明である．また，運動器の疫学調査の進展から，変形性膝関節症を抱える症例が多いことがわかってきており，今後は理学療法士が手術後の入院期間での機能的，心理的な支援のみならず，保存療法にかかわる機会が多くなることも予想される．
運動器理学療法の診療報酬改定などにより，より患者が満足する治療が提供されるようになることを期待したい．

c. 人工膝関節置換術

- 変形した関節の表面を金属などの人工の部品で置き換える．関節の一部を部分的に置き換える人工膝単顆置換術（UKA）と関節表面全体を置き換える人工膝関節全置換術（TKA）とがある（図7-2）．
- 適応年齢はUKAでは70歳以上，TKAでは60～65歳以上とされている．

UKA：unicompartmental knee arthroplasty
TKA：total knee arthroplasty

d. 手術療法における留意事項

- 術後の安静期間に長時間足を動かさないでいると深部静脈血栓症が発症することがある．さらに肺塞栓症へと進行し，呼吸困難や胸痛などの重篤な症状を引き起こすことがある．
- 人工膝関節置換術の場合，人工関節と骨の間に生じた緩みや感染などにより再手術となることもあり，注意が必要である．
- 糖尿病患者の場合は種々の感染のリスクが高くなり，注意が必要である．

C 理学療法の概要

高齢の変形性膝関節症患者ではフレイルに陥らないように下肢の筋力を向上させることが重要である．これとともに活動量を可能な限り低下させないよう配慮し，フレイルの原因となる低栄養状態を予防しなくてはいけない．したがって，

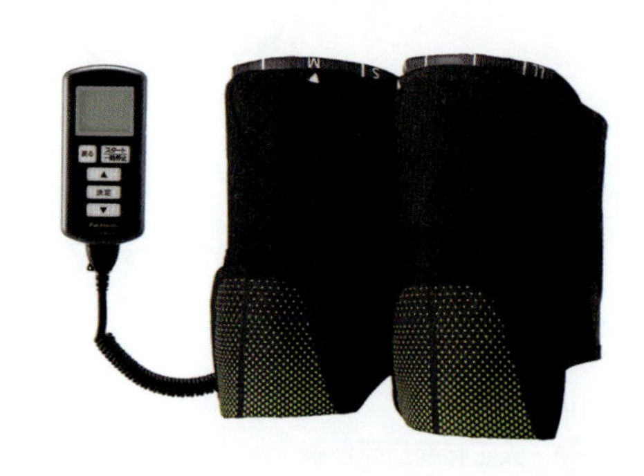

図 7-3　**高齢者向け筋力増強機器**
[写真：パナソニックホームページより]

手術療法適応例の場合でも，術後できるだけ早く離床させ，運動療法を開始することが重要である．

1 保存療法

a. 筋力増強運動

SLR：straight leg raising

- 大腿四頭筋の筋力増強運動ではパテラセッティングや下肢挙上運動（SLR）が行われる．また，両大腿部で挟んだボールを圧迫するようにして股関節内転運動による膝伸展筋の改善を行う．
- 高齢患者の場合，最大筋力の改善は必ずしも必要ではなく，歩行補助具や装具などの資源が活用されることが多い．また，低負荷，非荷重を理想とし，その環境下で実践できる活動を目的に，水中運動も推奨する．

memo
近年，高齢者の筋力向上を目的とした電気刺激機器が開発，販売されている（図 7-3）．
装着した状態で歩行をし，筋収縮を促す機器．歩行時に無理なく筋力強化ができ，股関節の動きがフリーとなり，膝の動きに対して効果的な動作修得につながる．

b. 関節可動域運動

IADL：instrumental activities of daily living

- 膝関節のROMの減少は姿勢や動作だけでなく，ADLや手段的日常生活活動（IADL）などの身体活動や移動能力に影響を与える．
- 膝蓋骨の滑動性の改善のため，徒手によるモビライゼーションを行う．
- 屈曲拘縮が生じている場合には原因となる膝屈筋群を伸長する．
- 関節裂隙に重度の狭小化がみられる場合には，遠位下腿を牽引し可動域を確保する．
- 高齢患者の多くは，脊椎へも影響があるなど，一関節にとどまらず多関節の障害がみられる．そのため，脊椎，股関節，足関節などの可動域制限へも対応する必要がある．

c. 有酸素運動

- 適正以上の体重は疼痛の悪化に加え，要介護のリスクを上昇させるので，疼痛を管理しながら，自転車エルゴメータなどの有酸素運動を実践し，高齢による他のリスクファクターの軽減とロコモティブシンドローム（運動器症候群）の予防を図る．

2 手術療法

a. 術　前

- 基本的には保存療法に準ずる．術前理学療法が十分でないと術後の経過がよくないこともあるので，患者にはしっかりと説明をし，理学療法に取り組むよう

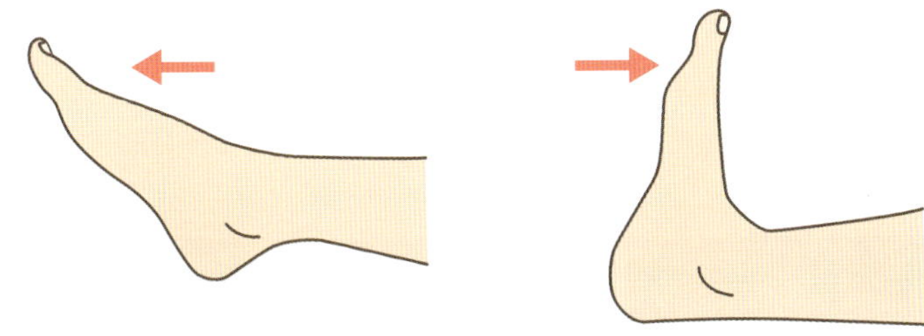

図7-4　足関節底背屈運動

指導する．

- 術前の可動域が術後に影響を及ぼすことから，術前はできる限り可動域改善を図るようにする．

b. 術　後

①術後早期からの運動療法の開始

- 早期の離床を目指し，術後翌日から運動療法を開始する．基本的には各医療機関の後療法に準ずるが，高齢患者では術後せん妄を防ぐため，メリハリのある生活を送らせるなどの配慮が必要である．

②深部静脈血栓症の予防

- 術後の臥床の影響などにより，深部静脈血栓症となることがある．これを防ぐためには術後早期から足関節の底背屈運動（図7-4）や歩行練習を開始する．また，弾性ストッキングを着用させたりする．
- 血栓形成傾向の高い患者ではDダイマー*の値が高くなる．

＊Dダイマー　フィブリンがプラスミンによって分解される際の生成物である．すなわち，フィブリンが溶ける「線溶現象」を調べる検査である．

③感染予防

- とくに人工膝関節置換術では感染が大きなリスクファクターとなる．糖尿病は感染のリスクが高くなるので，術後はもちろん，術前も血糖値のコントロールが重要である．

c. 退院後

- 筋力増強運動と関節可動域運動は毎日行うように指導する．また自転車や水泳などの膝関節に負担のかからない運動を行うよう指導する．
- 自宅復帰後の転倒予防の観点から，住宅など生活環境の改善のアドバイスを行うこともある．
- 定期的に受診し，悪化がないかなどをチェックするように指導する．

症例検討

1 患者プロフィール

73歳　女性

- 診断名：変形性膝関節症（両側）
- 現病歴：3年前に膝痛のため整形外科を受診し，K/L分類のGrade 1と診断され，保存療法を主体とした理学療法を実施してきた．しかし，患者のモチベーションが低いことに加え，最近になって体重が増加したことで疼痛コントロールが不良になった．階段昇降時の疼痛の増悪をはじめとする歩行の困難と関節可動域の制限もみられるようになったため再度受診したところ，K/L分類のGrade 3と診断された．そのため，人工膝関節全置換術の施行を目的に入院となった．

■ 画像所見（図7-5）

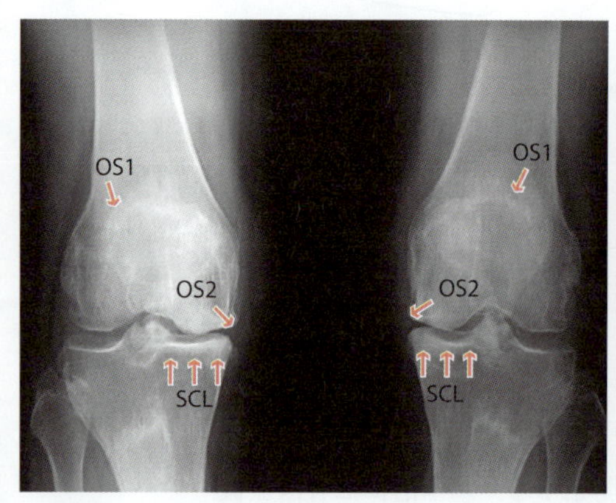

a. 正面像

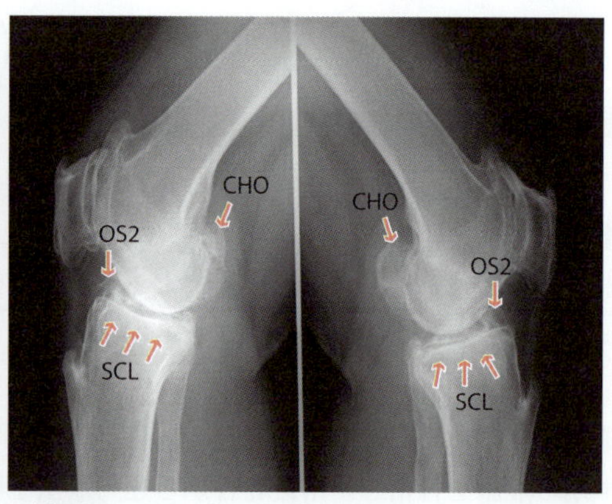

b. 側面像

OS1：膝蓋骨の骨棘，OS2：内側部の骨棘，CHO：骨軟骨腫，SCL：骨硬化像

図7-5　画像所見（Kellgren-Lawrence［K/L］の分類による）

①両膝内側の骨棘形成，②両膝内側裂隙の狭小化，③両膝内側部（脛骨内側）の荷重部への骨硬化像が強くみられる．基本的にこれら3つのうち1つでも所見が確認されると変形性膝関節症ということになるが，高齢重症化した例では多くにこのような所見がみられる．X線像読影のポイントは「関節裂隙の狭小化」「軟骨下骨の硬化」「骨棘」「骨嚢胞」「関節面不適合」「遊離体」などであるが上記X線像では前者3つが確認されている．

■ 既往歴：高血圧

糖尿病 ⓐ

肝疾患（Hbs抗原＋）

歯周病（＋）

心肥大

■ 社会背景：独居で，身の回りのことはすべて自分で行えていたが，最近では症状の悪化のため近所に住む娘に買い物などを手伝ってもらっていた．

■ 家屋構造：2階建て一軒屋．かつては2階の寝室にて就寝していたが，最近は1階にベッドを移動した．トイレは洋式．

2 理学療法経過

a. 初期評価と保存療法の経過

理学療法初期評価（3年前外来初日）

①患者のモチベーション

■ 服薬などにより疼痛を抑えることができればよいと思っており，理学療法への意欲は低い．

②身体測定の結果

■ 身長：157 cm　体重：66.7 kg　腹囲：98 cm　FTA：（右）178°，（左）180°

③検査データ

尿検査	タンパク質（－） 糖（＋）190 mg/dL（空腹 99，随時 134）
YAM 比	69%
血 圧	144/72 mmHg
HbA1C	6.2%
FT3 b	2.21 pg/mL
CEA（ECLIA） b	7.0 ng/mL
CRP b	0.31 mg/dL
ウロビリノーゲン	（＋ －）

④関節可動域

	右	左
膝関節屈曲	140	140
膝関節伸展	0	0

⑤疼 痛

- 歩行時に内側部に弱い痛みがある．とくに立脚初期の疼痛と大腿外側の屈曲筋付着部の圧痛が認められる．

⑥服 薬

- NSAIDs，チラージンS®錠50 mg，アムロジン®錠5 mg，プロブレス®錠8 mg，タケプロン®OD錠30 mg，グリコラン®錠250 mg，アマリール®錠1 mg，リピトール®錠10 mg，ラシックス®錠20 mg，ハルシオン®0.25 mg錠

- 温熱療法などの物理療法 c に加え，ヒアルロン酸の関節内注射，内服薬の服用により疼痛コントロールを実施した．
- 筋力低下の予防のためにいすに座ってのSLRを5秒間，左右20回を毎日行うよう指導した．
- 体重増加を抑えるため，バランスよい食事を心がけるように指導するとともに，30分程度の散歩など定期的な有酸素運動を指導した．
- 運動後に動悸などを生じるようになり，その不安から身体運動を妨げるようになった．結果として不動化が進み，体重の増加がみられるようになった．

b. 人工膝関節全置換術にいたるまでの経過

- 引き続き疼痛コントロールのための理学療法を試みるが，1年前よりも体重の増加が進み機能向上のための理学療法実施を拒んだことで，さらに疼痛の増悪と機能障害が進行，人工膝関節全置換術を施行することとなった．
- そのため，術前の理学療法として水中での歩行練習や関節可動域練習など機能維持と術後を見据えた理学療法 d を行った．
- 生活の世話をするようになった家人（娘）には，体重増加につながらないような栄養指導を行った．

術前理学療法評価

①患者のモチベーション

- 手術に対する不安はあるが，術後の生活を見据えた理学療法には前向きに取り組んでいる．

②身体測定の結果

- 身長：157 cm　体重：74 kg　腹囲：105 cm　FTA：181°　BMI：30.0

③関節可動域

	右	左
膝関節屈曲	110	100
膝関節伸展	−15	−10

④疼　痛

- 常に両膝に強い疼痛．荷重時痛のほか，夜間痛のため眠れないこともあるため睡眠導入薬が処方されている．

⑤歩　行

- JOAスコア：歩行20点，総計55点

c. 術後から退院にいたるまでの経緯

- 術後早期の運動療法 e では大腿四頭筋および他の抗重力筋を中心に等尺性筋収縮を行い，筋力強化を促した．大腿四頭筋の筋力強化ではSLR練習を行い，そのでき栄えを目安に離床時期を決定した．そして車いす移乗を安定して行えるようになった時点で歩行練習を開始した．
- 術後10日ごろから歩行練習を開始した．その際，創部の状態や下肢静脈血栓症などの合併症の有無を確認しながら荷重量を決定した．また，平行棒から歩行器，杖歩行へと移行した．
- 階段昇降の練習は術後2～4週に開始することを目指した．
- 疼痛を訴えた際には，疼痛コントロールを目的とした物理療法を実施した．
- 術後4週が経過し，疼痛，関節可動域が改善し，歩行が可能となったことから自宅退院となった．
- 退院にあたっては，患者と娘に体重増加や筋力低下を防止するために引き続き食事量の制限や適度な運動を指導した．
- また，退院時の歩行能力の目標には歩容もさることながら，歩行距離などの活動・参加につながる要因を重視するように指導した．
- 内服薬の副作用により転倒などを起こす危険性があるので，注意を促した．

d. 生活機能向上に向けた理学療法ゴール

- 本症例は初期段階に理学療法への意欲が低く，変形性膝関節症の進行が進み，結果として本人が望んでいなかった人工膝関節全置換術を施行することとなった例である．このようなことは往々にしてあり，術後，理学療法士は患者のモチベーションを上げるように心がける必要がある．
- また，本症例の患者は甲状腺機能亢進症を疑わせる所見が読み取れる．この疾患は甲状腺ホルモンの欠乏による体重増加といった症状が起こりやすくなり，間接的に膝痛につながることがある．このように理学療法士は検査値などから対象とする疾患を悪化させることのないよう，医師などと連携して患者の生活機能の向上を目指す必要がある．

学習到達度自己評価問題

本章の「症例検討」において，対応するアルファベットの●を参照して下記の問いに答えなさい．

ⓐ糖尿病のある変形性膝関節症患者に理学療法を実施するうえでの注意点について答えなさい．

ⓑFT3，CEA（ECLIA），CRPの3つの検査データの意味について答えなさい．

ⓒ温熱療法などの物理療法の効果について答えなさい．

ⓓ人工膝関節全置換術にいたるまでの術前の理学療法の目的とその内容について答えなさい．

ⓔ人工膝関節全置換術後の早期運動療法について留意すべき点を答えなさい．

8 高齢者の中枢神経障害と理学療法① 脳血管障害(脳卒中)

一般目標

■高齢な脳血管障害（脳卒中）患者の生活機能の改善のために，その障害像や病態，症状，治療法についての理解を深め，患者にとって最適な理学療法プログラムの立案・遂行能力を習得する.

行動目標

1. 脳血管障害（脳卒中）の障害像や症状など，疾患の特徴について説明できる.
2. 脳血管障害（脳卒中）による機能障害について説明できる.
3. 脳梗塞，脳出血，くも膜下出血について説明できる.
4. 脳血管障害（脳卒中）の理学療法について急性期，回復期，生活期ごとに説明できる.
5. 高齢な脳血管障害（脳卒中）患者に対する理学療法を実施するうえでの留意点について説明できる.

調べておこう

1. 脳卒中の機能障害に大きく関連する錐体路と錐体外路について調べよう.
2. なぜ，高齢になると脳卒中になりやすくなるのか調べよう.
3. 脳卒中発症のリスク因子について調べよう.
4. 以下の用語を調べよう.
   - 遺伝子組換え組織プラスミノゲンアクチベータ（rt-PA）
   - Brunnstromステージ
   - 回復期リハビリテーション病棟

rt-PA：recombinant tissue plasminogen activator

A　疾患の概要

■脳血管障害とは文字どおり脳の血管にまつわる脳神経系の障害の総称であり，脳卒中，一過性脳虚血発作，血管性認知症，高血圧性脳症などが含まれる．なかでも脳卒中は，罹患率が高く，障害が長期化かつ重度化することから脳血管障害を代表する疾患である．また，一般的に脳血管障害と脳卒中はほぼ同義的に扱われることも多い.

1 障害像

■脳卒中は運動麻痺や運動失調などの随意運動の障害，認知症，失語症，失認，失行，抑うつなどの認知機能の障害，嚥下障害，構音障害などの脳神経機能の障害，さらに触覚や痛覚の鈍麻・消失，しびれ，痛みなどの感覚機能の障害，失禁などの自律神経機能の障害など多様な機能障害を呈するのが特徴である．

■脳卒中で起こる運動麻痺は片麻痺が特徴的である．一側の上下肢は運動麻痺が生じるのに対し，反対側の上下肢は非麻痺側（健常側）として機能が残存する．また，体幹機能も両側性の神経支配の影響で大部分の機能が残存する．

■脳卒中患者は非麻痺側と体幹機能が残存することで，代償動作が可能となるため，6割以上の患者において基本的ADLが自立する．いい換えると，4割程度の患者でADL自立が困難であるが，その原因としていくつかの阻害因子があげられる．中でも“高齢”は代表的な阻害因子として多数報告されており，とりわけ75歳以上を境界にしてその寄与率はより高くなるとの報告が多い．その他の阻害因子には，再発，重度麻痺，体幹機能低下，重度高次脳機能障害，重度併存症，抑うつ状態などが代表的である．

■脳卒中では体性感覚*の低下も生じる．体性感覚は感覚野，放線冠，脳幹，視床，内包後脚などで重度化することが多い．体性感覚の低下により，熱さや痛みなどの日常生活上起こるリスクを回避することができなくなるだけでなく，円滑でスムーズな運動の阻害にもなる．

■脳卒中による筋緊張異常では，弛緩状態が問題になることもあるが，多くの場合，筋緊張の亢進状態が問題となる．脳卒中などのいわゆる錐体路症状では痙縮*が出現することがよく知られている．しかし，錐体路に加え錐体外路もあわせて侵されていることが多く，固縮症状も混同した痙固縮*といわれる筋緊張亢進所見を示すことが多い．

■高次脳機能障害には優位半球損傷で起こりやすい失語，劣位半球損傷で起こりやすい左半側無視などがある．そのため，脳卒中では右片麻痺と失語，左片麻痺と左半側無視の組み合わせで出現することが多い．

■右片麻痺と失語ではコミュニケーションが取りづらく，詳細な言語指示が理解できないため，理学療法の進行を妨げることがしばしばある．

■左片麻痺と左半側無視では，身体に対して頸部が右回旋している（right neck rotationと呼ばれる）現象がみられたり，いわゆるプッシャー現象*により，座位や立位の姿勢が崩れたりすることがある．

■このように右片麻痺と左片麻痺では特徴的な障害像を示すことがあり，どちらも重度化すれば予後不良となる例は多数存在するものの，平均的な値を比較すれば右片麻痺と左片麻痺では明確な予後の差は確認されていない．

ADL：activities of daily living

＊体性感覚　温度覚，痛覚，触覚などの表在感覚と，関節覚や位置覚などの深部感覚からなる．

＊痙縮　いわゆる錐体路障害でみられる代表的な症状である．伸張反射が亢進した状態であり，筋緊張の速度依存性の増加が特徴である．他動的に素早く伸張刺激を与えることで，抵抗感を感じる「ジャックナイフ現象」が臨床所見としては特徴である．

＊痙固縮　脳卒中患者では速度依存性の痙縮だけでは説明できない筋緊張異常所見を示すことが多い．たとえば可動域全般にわたって抵抗感を感じるような固縮様の症状や一定の筋の長さになると筋が過活動を起こす現象，すなわち長さ依存性がそれにあたる．このような，脳卒中でみられる，いわゆる錐体路障害による痙縮だけでは説明できず，錐体外路系の関与も疑われる筋緊張異常の所見は古くから痙固縮と呼ばれている．

＊プッシャー pusher 現象　半側無視や注意障害，半側身体失認などを併発する右半球損傷（左片麻痺）患者に多くみられ，機能帰結を低下させる要因になる．立位をとると，非麻痺側上下肢で平行棒や床を強く突っ張って，麻痺側である左側へ「押す」動作がみられる．車いす上でも，アームレストやフットレストを非麻痺側の手足で強く押してしまうため安定した座位姿勢がとれなくなる．

2 病　態

■脳卒中は脳の血管が「詰まる」か「破れる」かによって起こる．「詰まる」場合は脳梗塞，「破れる」場合は脳出血（**図8-1a**）とくも膜下出血（**図8-1b**）

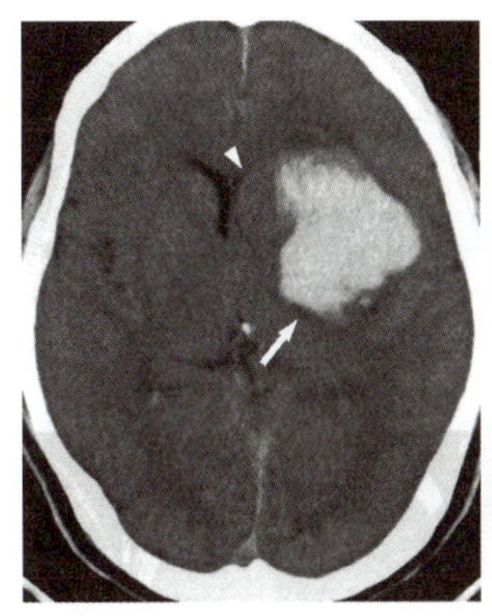

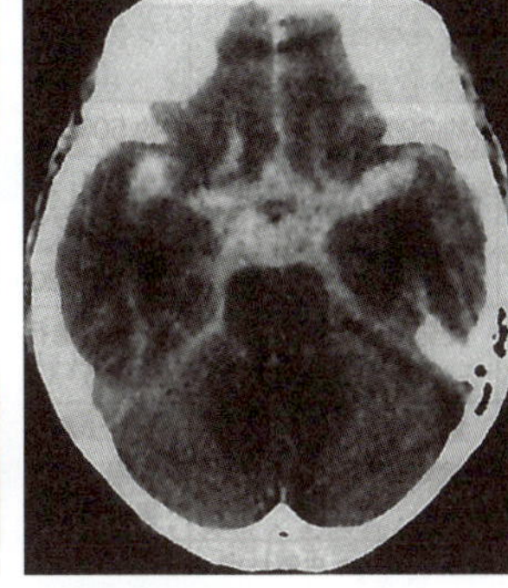

図 8-1 脳出血とくも膜下出血の CT 画像
CT 画像では血腫は白く写る．脳出血は脳の実質で出血しているが，くも膜下出血では，くも膜下腔に広がった出血が白く写るため，所々に白い箇所がみえる．
［(a) 日向野修一：脳出血，研修医必携救急で役立つ CT・MRI．細野貴亮，佐々木真理（編），p. 63，南江堂，2006，(b) 前田眞治：脳血管障害，リハビリテーション医学テキスト，第 4 版．三上真弘（監），出江紳一，加賀谷斉（編），p. 102，南江堂，2016 より引用］

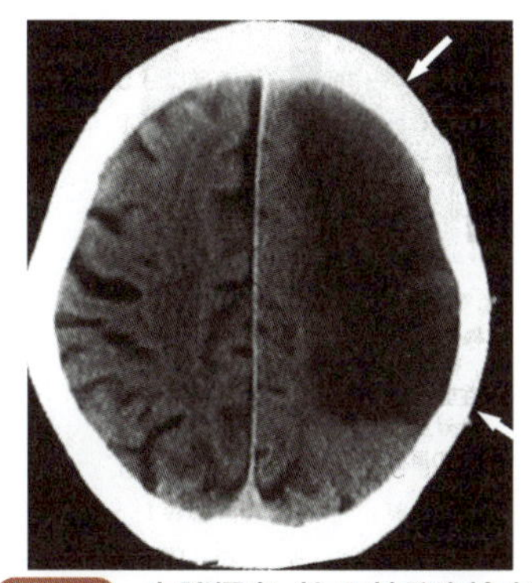

図 8-2 左脳梗塞（心原性脳塞栓症）の CT 画像
CT 画像では梗塞巣は黒く写る．左脳に非常に広範な梗塞巣が広がっているのがわかる．
［前田正幸：脳梗塞，研修医必携救急で役立つ CT・MRI．細野貴亮，佐々木真理（編），p.36，南江堂，2006 より引用］

がある．脳梗塞は詰まり方によって，アテローム血栓性脳梗塞，心原性脳塞栓症（**図8-2**），ラクナ梗塞に分類される．

- 脳卒中は高齢化と密接な関係を有する疾患である．わが国で行われた10万人規模の疫学調査の結果を図に示した（**図8-3**）．梗塞性疾患は70歳以降で発症する割合が高く，アテローム血栓性梗塞では70～79歳が，心原性脳塞栓では80歳以降が最頻値である．梗塞性疾患は脳卒中のなかでも6割以上を占めるといわれており，脳卒中が高齢化と密接に関連することが伺える．出血性疾患では高齢者での発症の割合も比較的高いが，60歳未満での発症が最頻値である．
- アテローム血栓性脳梗塞は血管内に形成される異常な蓄積物であるアテローム（アテローム硬化）により起こる血管内腔の閉塞である．好発部位には中大脳動脈，内頸動脈起始部・サイフォン部，椎骨動脈起始部，頭蓋内椎骨動脈，脳底動脈起始部・終末部などがある．
- 心原性脳塞栓症は不整脈などの心疾患によって心臓内に形成された血栓が，遊離して脳血管内に詰まることによって発症する．突発的に閉塞するため，血管の側副路も形成されず梗塞巣が広範囲に及ぶ傾向がある．
- ラクナ梗塞は，脳内主幹動脈から分岐した穿通枝動脈の閉塞で起こる梗塞である．梗塞巣15 mm以下の小さな梗塞巣のため，症状としては無症候のケースも多いが，発症部位に応じて軽度の片麻痺や構音障害などもみられる．ラクナが多発する場合（多発性脳梗塞）は，脳血管性認知症，パーキンソン Parkinson 症候群がみられる場合もある．
- 脳出血は，脳の実質内に起こる出血で生じる．出血部位では被殻出血（約50%），視床出血（約30%）で全体の約80%が発症する．その他，皮質下出血が約10%，橋出血が5%，小脳出血が約5%である．
- くも膜下出血は，脳の表面の血管，すなわちくも膜下腔を走行する主幹脳動脈

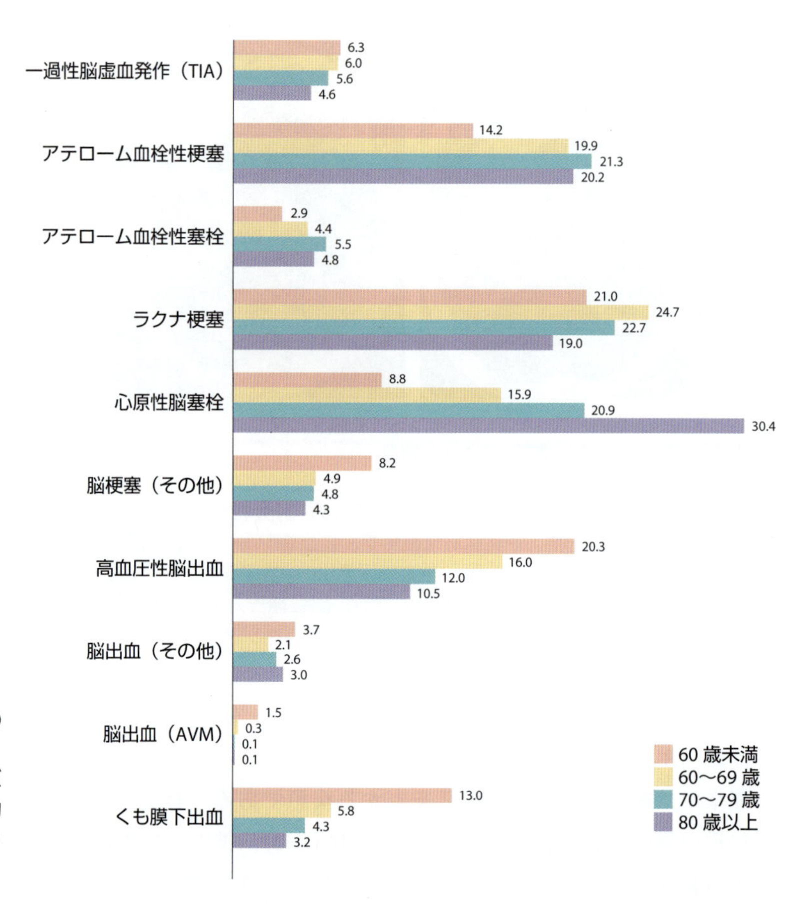

図 8-3　年代別にみた脳卒中病型の頻度
［山口修平，小林祥泰：脳卒中データバンクからみた最近の脳卒中の疫学的動向．脳卒中，**36**(5): 378–384, 2014 より引用］

の破裂で発症することがほとんどである．40歳台での発症も多く，脳出血や虚血性疾患と比べて，若年で発症する傾向が高く，死亡率も高いとされる．

B　治療の概要

1 脳梗塞

- 脳梗塞では，血管内に詰まった血栓をできるだけ早く溶解させ，脳血流を再灌流させることで，梗塞巣の拡大が防止（虚血性ペナンブラ*の梗塞巣への移行の防止）でき良好な転帰が期待できる．そのためには発症後できるだけ早期に血栓溶解療法を実施することが重要である．
- 脳梗塞に対する血栓溶解療法では，遺伝子組換え組織プラスミノゲンアクチベータ（rt-PA）が最も エビデンスレベルの高い治療法の1つとしてあげられる．rt-PAは脳梗塞発症から5時間以内に静脈内投与する必要がある．発症から投与までの時間が早いほど，高い効果が期待できる．ただし，発症後5時間以内に血栓溶解療法が実施できるケースはまだ決して多くはなく，救急医療体制の充実，脳梗塞のサインを見逃さない国民的な啓発活動が急務である．

***虚血性ペナンブラ**　梗塞部位周辺にある血流が低下した脳の組織で，すでに梗塞により壊死した領域と違い，血流が回復することにより神経機能の回復が期待できる領域である．

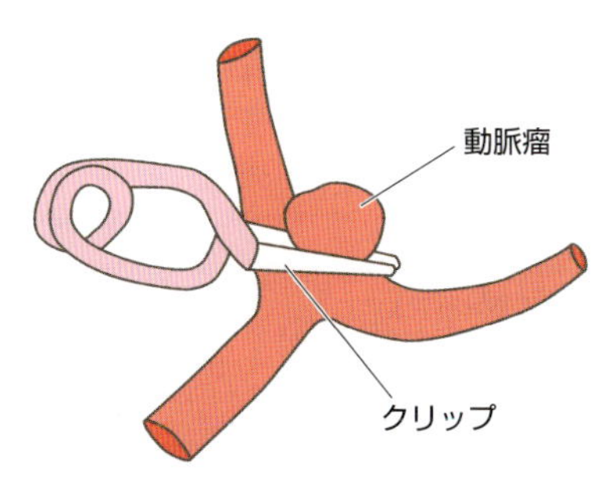

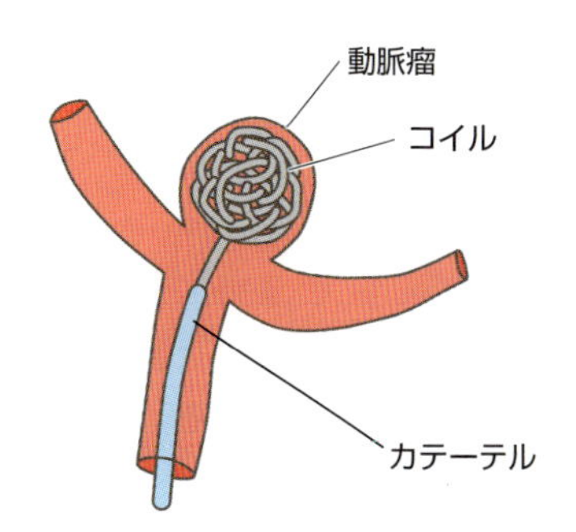

a. 脳動脈瘤頸部クリッピング術　　b. 脳動脈瘤コイル塞栓術

図 8-4　くも膜下出血に対する手術療法
動脈瘤の破裂予防のために行われる治療である.（a）では開頭が必要であるのに対し,（b）では血管内にカテーテルを挿入するだけで治療ができるため, 開頭は必要としない. 脳動脈瘤の部位, 大きさ, 形状などにより, いくつかの選択肢のなかから選択される.

- その他の脳梗塞の急性期に行われる治療には, 脳保護療法, 抗脳浮腫療法, 抗凝固療法, 抗血小板療法などがある.

2 脳出血

- 脳出血の治療には大きく分けて保存療法と手術療法の2つがある. 保存療法では血腫拡大の防止と急性期の脳浮腫, 頭蓋内圧亢進の管理が重要となる. そのためにも血圧のコントロールはとりわけ重視され, 降圧薬などによって管理されることが通常である.
- 外科的に血腫を除去する開頭手術も行われるが, 保存療法と転帰を比較した結果, 有意な差がみられないという報告もあり, 手術療法の適応に関しては症例ごとに検討する必要性が示唆されている. 脳出血の部位に関係なく, 血腫量10 mL未満の小出血や神経学的所見が軽度な症例では手術は行われないことが多い. また, 意識レベルが深昏睡の症例に対する手術療法も科学的根拠が乏しいとされる.

3 くも膜下出血

- くも膜下出血の主たる原因である破裂脳動脈瘤を保存的に治療すると, 発症後1ヵ月で20～30%の割合で再出血するといわれている. そのため, 破裂脳動脈瘤では再出血の予防処置が重要であり, 開頭による外科的治療（脳動脈瘤頸部クリッピング術, **図8-4a**）や血管内治療（脳動脈瘤コイル塞栓術, **図8-4b**）が施行される.
- くも膜下出血後には, 遅発性脳血管攣縮の発症に留意が必要である. 遅発性脳血管攣縮とは, くも膜下出血後に起こる脳主幹動脈の可逆的狭窄であり, 症状が続けば脳虚血となり, 運動麻痺などの症状が現れる. 20～55%の症例でみられるといわれており, 多くの場合, 発症後4～14日に発症する.
- くも膜下出血では, 10日～3ヵ月にかけて, 10～30%程度の割合で, 正常圧水頭症も発症する. 正常圧水頭症は髄液の吸収が障害され, CT上は側脳室の拡大がみられる. 認知症, 歩行障害, 失禁などが症状として現れることが多い.

	急性期		回復期		生活期（維持期）
実施場所	急性期病院	転棟・転院 →	回復期リハビリテーション病棟	退　院 →	在宅や老人保健施設
理学療法の主な目的	廃用症候群予防		機能障害，能力低下の最大限の改善		生活場面での実践
理学療法の主な内容	・早期座位 ・早期起立 ・関節可動域運動 など		・麻痺肢へのアプローチ ・非麻痺肢の筋力増強運動 ・歩行練習 ・基本動作練習 ・ADL 練習　など		・実生活場面での歩行練習や ADL 練習 ・筋力増強運動 ・関節可動域　など

図 8-5　脳卒中患者に対する理学療法の流れ

C　理学療法の概要

■脳卒中患者に対するリハビリテーションでは治療技術の高度化，専門化が進んでいる．そのため，近年では1つの病院，施設でリハビリテーションが完結することはほとんどなく，それぞれの時期にそれに適した医療・福祉サービスを受けるために専門病院や専門病棟，介護保険事業所への移行が必要となる．

■脳卒中患者の理学療法を実施するうえで，まず，考えなければならないのは，患者が急性期-回復期-生活期（維持期）のどの時期にあるかということである．

■急性期の脳卒中患者は医療的介入の必要性はきわめて高い．しかし，この時期を過ぎれば，症状は安定し，質的にも量的にも十分なリハビリテーションを受ける必要性が高まる．また，多くの脳卒中患者に後遺症が残存するため，病院を退院後も，自宅や介護施設などで，継続的な医療，福祉の支援を受ける必要がある．それぞれの時期で，理学療法の目的や役割も大きく異なる（図8-5）．

1 急性期

■急性期は非常に重篤な場合が多く，救急・救命措置が第一優先となる．バイタルサインの管理，とりわけ血圧のコントロールは重要となるが，バイタルサインの変動を恐れた過度の安静は廃用による身体・精神機能の低下を招き，回復の遅延につながる．

■近年では，全身状態さえ安定すれば発症翌日からリハビリテーションが開始されることも珍しくない．そのなかで，理学療法士は中核的な役割を担い集中治療室や脳卒中専門の病棟（SCU）などで，積極的に治療にかかわることが多い．

SCU：stroke care unit

memo

stroke care unit（SCU）

発症直後から脳卒中に対する適切な治療とリハビリテーションを，多職種が連携して，組織的，計画的に行う脳卒中専用の治療病棟である．SCU で治療することによって，脳卒中患者の死亡率の減少，在院期間の短縮，自宅退院率の増加，長期的な ADL と QOL の改善を図ることができるというエビデンスが多数存在する．

QOL：quality of life

- 急性期の理学療法の主な目的は廃用症候群の予防である．廃用症候群予防のために発症後できるだけ早期の座位練習，起立練習が重要となる．意識レベルが低い場合や症状が安定しない場合は，良肢位の保持や関節可動域運動，さらに脳卒中後に多い不顕性肺炎の予防には呼吸理学療法だけでなく口腔のケアも重要となる．
- ただし，単に「起こせばよい」「立たせればよい」というものではなく，脳卒中発症後は脳血流量の自動調節能の破綻，脳浮腫や頭蓋内圧の異常などリスクが高い状態であるため，医師や看護師と綿密に連絡をとり，心電計や血圧計などをモニターしながら，慎重な理学療法の実施が求められる．

2 回復期

- 脳卒中は急性期を過ぎれば症状が安定し，医療的介入の必要性は低くなる．この時期になれば，医学管理が中心の急性期病院から，積極的なリハビリテーションが実施できるリハビリテーション専門の病院・病棟へ転院・転棟となる．
- 回復期のリハビリテーションは「回復期リハビリテーション病棟」で実施される場合が多い．この病棟は医療保険制度上認められており，診療報酬上も優遇されているため，スタッフ数，実施できるリハビリテーションの頻度・量，設備や環境など，多くの面で一般病棟より優れているためである．
- 回復期の理学療法の主な目的は，機能障害と能力低下の最大限の改善にある．これには，運動麻痺で失われた機能を少しでも改善させるという「機能的回復」という側面と，残存している非麻痺側の機能を最大限に活用して新しい動き方を学習するという「行動学的機能代償」という側面がある．
- 麻痺肢に対するアプローチとして，重度の麻痺にはバイオフィードバック療法や電気刺激などが施行され，軽度の麻痺にはCI療法*などが行われる．いずれの場合も，患者自身による運動を，機器や人の手による介助下であっても，繰り返し行うことが重要である．
- 能力低下に関しては，課題指向型トレーニング*にて，練習をすることが多い．脳卒中後の機能不全の程度に応じた新しい立ち上がり方や歩き方などを習得するために，その動作を直接的に，繰り返し練習していく．ただし，麻痺や感覚障害などを抱える脳卒中では立位や歩行ができないことが多いため，装具や補助具，介助などの変数を駆使しながら行う必要があり，理学療法士としての経験やスキルも必要である．

＊CI療法　constraint induced movement therapy を略してCI療法と呼ばれている．非麻痺側上肢をミトンや三角巾などで固定して使用できなくし，麻痺側上肢を半ば強制的に使用させることで麻痺側上肢の使用頻度を上げ，機能の改善を試みる手法である．

＊課題指向型トレーニング　ある運動課題を学習するためには，その運動課題を反復練習することが最も効率のよい学習方法であるという運動学習の原則から提唱されている方法論である．

3 生活期

- 生活期の理学療法の目的は，これまでに病院で修得した動作を，自宅での生活に実践できるよう般化させることである．大幅な機能改善は期待できない時期であるが，実際の住環境への適応や住宅改修などにより，ADLやQOLの改善は期待できる時期である．
- 生活期には，在宅での生活に適応するために，介護保険で居宅サービスが提供されている．訪問看護，訪問介護，訪問リハビリテーション，通所介護，通所リハビリテーション，福祉用具貸与，住宅改修などがある．理学療法士は通所リハビリテーションや訪問リハビリテーションなどで，理学療法介入をすることが多い．

- 具体的には，実際の生活場面でのADL練習や歩行練習を行うことで，練習課題を生活場面で実践できるように試みていく．つまり，練習場面とは違った床の材質や手すりの位置などに適応させていく必要がある．廃用症候群を引き起こさないためにも，散歩や自転車エルゴメータなどを取り入れ体力の維持，向上に努めることも重要である．趣味活動再開のためのトレーニングや社会的役割の構築のための外出支援などにも積極的にかかわっていくべきである．
- 在宅での生活が困難な場合は，老人保健施設や特別養護老人ホームなどの施設サービスも利用することになる．

memo

高齢の脳卒中患者の評価のポイント

高齢の脳卒中患者は，心疾患や代謝疾患，呼吸器疾患を併存していることが多く，このような併存疾患が理学療法の進行の阻害因子となる．併存疾患がある場合は脳卒中の評価以外にも，その評価も合わせて行うことが重要である．また，高齢になればなるほど脳卒中の再発率も高くなり，再発をすれば累積された障害のため，予後が悪くなる点も留意が必要である．

高齢者の場合，発症前にフレイルや要支援・要介護の状態である可能性が高い．発症前の生活状況は理学療法のゴール設定に大きく影響するため入念に評価する必要がある．

症例検討

1 患者プロフィール

79歳　男性

- 診断名：左被殻出血
- 現病歴：朝9時，自宅の庭で倒れる．倒れているところを近所の人に発見され，急性期病院Aに救急搬送された．収縮期血圧185 mmHg．意識レベルはJapan Coma Scale（JCS）にて3桁レベルで清明．右片麻痺，運動性失語が認められた．CTにて左被殻出血と診断され，保存的に治療された．
- 既往歴：高血圧，不整脈，慢性心不全
- 社会背景：妻と長女の3人暮らし．職業は65歳まで会社役員であった．
- 家屋構造：持ち家で一軒家．数年前に新築し，室内はバリアフリー構造となっているが，玄関アプローチは段差が多い．
- 発症前の生活状況：退職後は主だった社会的活動はなく，75歳くらいからは自宅に閉じこもりがちであった．ただし身の回りのことは自分で行っていた．

2 理学療法経過

a. 急性期の理学療法

- 発症後4日目，血腫の増大は確認されず，収縮期血圧は140 mmHg以下にコントロールされていた．意識レベルも清明のため，医師の指示にて，ベッドサイドでの理学療法が開始され初期評価を行った．ベッド上での座位練習から急激なバイタルの変動や患者の状態の変化に対応できるように心電計や血圧計，パルスオキシメータ a などを常設しながらの実施となった．
- まずは廃用症候群予防のための早期座位練習を開始した．SCUでのベットサイドで実施した．この時期は再発および神経症状増悪のリスクが高いため，とくに慎重に理学療法を実施した．
- さらに数日後，座位でバイタルサインなどに大きな変動が認められないため，起立練習へと移行した．麻痺側下肢の支持性は不十分で，介助量は最大介助レベルであった．

理学療法初期評価

- 評価場所（SCU内ベッドサイド）

①全体像
- 意識レベルは清明．コミュニケーションは可能だが，理解面は単文レベルのみ可，表出面はYes/Noレベルで，うなずきにて表出する．

②随意性
- 運動麻痺はブルンストローム Brunnstrom ステージにて右側で上肢Ⅱ，手指Ⅱ，下肢Ⅱ

③感覚障害
- 深部・表在感覚ともに軽度鈍麻

④筋緊張
- 肘関節屈筋，足関節底屈筋は改訂アシュワース Ashworth スケールにて1レベルの軽度の筋緊張亢進がみられた．

⑤筋力（MMT）
- 体幹屈曲2，股関節伸展2，膝関節伸展2（その他は検査不可）

⑥基本動作
- 座位（ベッド上での端座位）
  静的な座位保持は見守りレベル
  動的には介助レベル
- 立位：未実施

⑦歩　行
- 未実施

⑧ADL
- FIM（functional independence measure）にて
  運動項目合計点15点：食事のみ3点，他は全介助レベル
  認知項目合計点24点：表出2点，理解5点，社会的認知5点，問題解決5点，記憶7点

- 高齢のため発症前より家に閉じこもりがちであったため，非麻痺側下肢および体幹の筋力低下が著明であり，座位や立位の獲得が十分ではなかった．

■発症後30日の時点で，さらなるリハビリテーションのため，近隣の回復期リハビリテーション病棟を有する病院へ転院となった．

b. 回復期の理学療法

■回復期リハビリテーション病棟入院翌日より理学療法開始となった．運動麻痺はブルンストロームステージにて上肢Ⅱ，手指Ⅱ，下肢Ⅱ b と，前院での初回評価時と大きな変化は認められなかった．感覚は右上下肢ともに表在・深部感覚軽度鈍麻であった．筋緊張は安静時にて，手指の屈筋，肘の屈筋，足関節底屈筋に改訂アシュワーススケール c にて2レベルの筋緊張亢進が認められた．

■基本動作は静的な座位保持は自立，動的には見守りが必要なレベル．立位は長下肢装具を装着して見守りレベルであった．歩行は平行棒内で中等度介助レベルであった．ADLはFIMにて，運動項目合計点は35点ですべての項目で介助が必要な状態であり，認知項目は26点であった．

■理学療法実施中は，高齢で慢性心不全もあり，疲労の訴えが強かった（易疲労性）．検査や練習は少量に分けて実施する必要があった．

■運動麻痺に対しては分離運動の獲得を目指し，促通反復療法 d を実施したが，退院時までに分離運動は獲得できず，上肢Ⅲ，手指Ⅲ，下肢Ⅲまでの改善となった．

■歩行は平行棒での評価用長下肢装具から開始したが，麻痺側下肢の支持性および立位バランスは日数は要したものの徐々に改善した．そのため慢性心不全による易疲労性に留意しながら段階的に平行棒，四点杖 e ，T字杖へと移行した．それに合わせ，患者用のプラスチック短下肢装具 f を作製した．歩行レベルは見守りから，自立レベルへと移行し，入院から50日後には，病棟内はT字杖と靴べら式プラスチック短下肢装具を用いて自立して移動するようになった．このころの最大歩行速度は10 mで30秒であった．歩行耐久性は易疲労性の影響もあり100 mほどと低かった．

■基本的なADLはほぼ自立し，運動項目合計点は70点，認知項目合計点は26点となった．日常生活は身の回りのことについては問題がなくなったため，回復期リハビリテーション病棟入院後110日にて退院となった．

c. 生活期の理学療法

■退院後は自宅に戻ることとなった．入院中に申請していた介護保険は，要介護1 g と判定された．訪問リハビリテーションと通所リハビリテーションを利用することになり，週2回の理学療法を継続的に受けることになった．

■訪問リハビリテーションと通所リハビリテーションでは，歩行耐久力の向上を目指して屋外歩行を中心に実施した．

■介護保険を利用し，自宅の玄関アプローチに適宜手すりをつけて移動しやすくした．家屋内はもともとバリアフリーになっていたため大きな改造は必要なかったが，玄関まわりと浴室まわりには手すりや介護用品 h を設置した．

■妻も高齢であり入浴介助は困難であった．そのため通所リハビリテーション時の入浴に加え，週1回の訪問介護にて入浴介助を受けることとなった．

■現在は自主トレーニングとして上肢の麻痺肢に対する運動と失語症に対する言語療法にも積極的に取り組んでいる．

■発症後200日での再評価の結果を記した．

理学療法再評価

- 評価場所：自宅

①全体像

- 意識レベルは清明．コミュニケーションは比較的難解な会話も理解可能である．表出面はごく簡単な会話はできるが，喚語困難も目立つ．

②随意性

- 運動麻痺はブルンストロームステージにて右側で上肢Ⅲ，手指Ⅲ，下肢Ⅲ

③感覚障害

- 右側で深部・表在感覚ともに軽度鈍麻

④筋緊張

- 右の肘関節屈筋，足関節底屈筋は改訂アシュワーススケールにて2レベルの中等度の筋緊張亢進がみられた．

⑤基本動作

- 座位：静的にも，動的にも自立レベル
- 立位：自立レベル
  非麻痺側片足立ちは5秒程度，麻痺側では片脚立ち不可

⑥歩　行

- 非麻痺側にT字杖をつき，麻痺側下肢にプラスチック短下肢装具を装着しての三動作前型歩行
- 10 m歩行速度：28秒
- 歩行耐久性は連続200 mは可能
- 歩容は麻痺側遊脚期に背屈角度の低下がみられ，軽い分廻し歩行となっている．

⑦ADL

- FIMにて
  運動項目合計点72点：階段と入浴を除くほとんどの項目で修正自立レベル
  認知項目合計点28点：表出3点，理解6点，社会的認知6点，問題解決6点，記憶7点

- なお，本症例は発症前の生活状況により非麻痺側下肢と体幹の筋力低下が著明であったため，通常より日数は要したものの，屋内レベルのADLは修正自立レベルとなったケースである．高齢の脳卒中患者に特徴的な併存疾患や発症前の機能低下がみられ，理学療法実施時に留意が必要であった．

学習到達度自己評価問題

本章の「症例検討」において，対応するアルファベットの〈●〉を参照して下記の問いに答えなさい．

ⓐパルスオキシメータで測れる値について説明しなさい．またその正常値についても説明しなさい．

ⓑこの時期にこの程度の麻痺の場合，最終的にはどのくらいまで回復するか予測しなさい．

ⓒ改訂 Ashworth スケールについて説明しなさい．

ⓓ促通反復療法について説明しなさい．

ⓔ四点杖はどのような患者に使用されるか説明しなさい．

ⓕプラスチック短下肢装具のメリットとデメリットをあげなさい．

ⓖ在宅復帰した要介護1で受けられる介護保険サービスについて説明しなさい．

ⓗ浴室まわりで使用できる介護用品について説明しなさい．

9 高齢者の中枢神経障害と理学療法②パーキンソン病

一般目標

■高齢なパーキンソン病患者の生活機能の改善のために，その障害像や病態，症状，治療法についての理解を深め，患者にとって最適な理学療法プログラムの立案・遂行能力を習得する．

行動目標

1. パーキンソン病の障害像や症状，予後など疾患の特徴について説明できる．
2. パーキンソン病の運動症状発現のしくみを基底核の機能と関連づけて説明できる．
3. パーキンソン病の治療薬の種類やそれぞれの副作用について説明できる．
4. 高齢なパーキンソン病患者に対する理学療法を実施するうえでの留意点について，ステージごとに説明できる．

調べておこう

1. 大脳基底核の役割について調べよう．
2. パーキンソン病の診断基準について調べよう．
3. パーキンソン病の典型的な徴候について調べよう．
4. 以下の用語について調べよう．
   - wearing-off，on-off
   - ジスキネジアとジストニア
   - 低栄養の分類（マラスムスとクワシオルコル）
   - 深部脳刺激療法

A 疾患の概要

1 障害像

■パーキンソンParkinson病（PD）は，病理学的には中脳黒質緻密層の神経伝達物質であるドパミンの減少を特徴とし，多くはLewy小体という細胞質封入体を認める．発生機構には細胞内の異常なタンパク質の蓄積によるconformational disease説，ミトコンドリア機能障害を原因とするミトコンドリア機能障害説，酸化ストレスやフリーラジカルによる酸化ストレス説などがあるが決定的な説にはいたっていない．

PD：Parkinson's disease

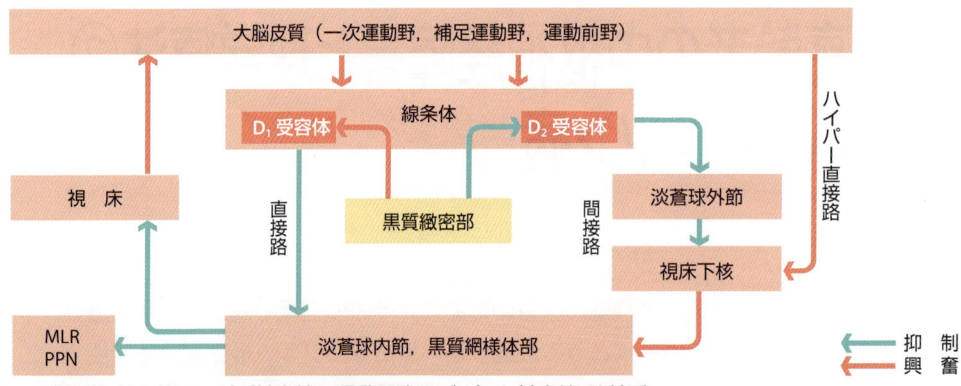

図 9-1　大脳皮質-基底核ループ（基底核の運動回路モデル）と基底核-脳幹系
黒質緻密部の変性により直接路，間接路とも視床への抑制は強化され，運動は全体的に減少する．
［高草木薫：大脳基底核による運動の制御．臨床神経学 **49**(6): 325–334, 2009 を参考に作成］

- 大脳皮質からの情報は，直接路，間接路により視床を経由して再び大脳皮質にフィードバックされる（**図 9-1**）．直接路は視床から大脳に抑制的に働いているのを抑制し（脱抑制）必要な運動の選択に関与し，間接路は逆に抑制を強化し不必要な運動の抑制に関与している．PD では直接路と間接路の両者に影響し，視床からの抑制出力が過剰に働くようになる．

2 症　状

- PD の症状は運動症状と非運動症状に分けられ，主な運動症状は安静時振戦，固縮（筋強剛），無動（寡動），姿勢反射障害の四徴候に代表される運動障害であり，非運動症状は認知機能障害（遂行機能，記憶など），嗅覚障害，睡眠障害，便秘などである．これらは，最近では臨床診断される数年前から認められるといった報告があり，注目されている．
- 診断基準として厚生労働省の診断基準（**表 9-1**）および国際的に汎用される UK brain bank の基準が有名である．UK brain bank の診断基準では良好なレボドパ（L-DOPA）に対する反応や L-DOPA の効果が 5 年以上良好に維持されるなどの項目が含まれ，初期 PD の診断が容易でないことを示している．
- 初発症状は約 50% の患者が振戦で始まる．一側上肢で始まり，同側下肢，反対側上肢，反対側下肢へと広がることが多い．他の初発症状は約 30% が歩行障害で発症する．
- 振戦は 4 ～ 6 Hz の頻度で安静時に出現する．手指にみられる振戦は丸薬丸め様運動と呼ばれている．随意運動を行うと振戦は減弱，消失し，精神的緊張で増強する．
- 固縮（筋強剛）は錐体外路系の障害であり，筋を他動的に伸展した際にほぼ一定の抵抗を感じる鉛管様現象や，ガクガクと断続的な抵抗となる歯車様現象を呈する．初期には手関節や肘関節によくみられ，進行に従って頸部や体幹といった全身にみられるようになる．
- 無動（寡動）は随意運動の開始に時間がかかり，また，開始後もゆっくりとし

表 9-1 パーキンソン病の診断基準

以下の4項目のすべてを満たした場合，パーキンソン病と診断する．ただし，ホーン・ヤールの分類のStageは問わない．1，2，3は満たすが，薬物反応を未検討の症例は，パーキンソン病疑い症例とする．
1. パーキンソニズムがある．＊1 2. 脳CTまたはMRIに特異的異常がない．＊2 3. パーキンソニズムを起こす薬物，毒物への曝露がない．＊3 4. 抗パーキンソン病薬にてパーキンソニズムに改善がみられる．

＊1 パーキンソニズムの定義は，つぎのいずれかに該当する場合とする．
（1）典型的な左右差のある安静時振戦（4～6 Hz）がある．
（2）歯車様筋強直，動作緩慢，姿勢歩行障害のうち2つ以上が存在する．
＊2 脳CTまたはMRIにおける特異的異常とは，多発脳梗塞，被殻萎縮，脳幹萎縮，著明な脳室拡大，著明な大脳萎縮など他の原因によるパーキンソニズムであることを示す明らかな所見の存在をいう．
＊3 薬物に対する反応はできるだけドパミン受容体刺激薬またはL-DOPA製剤により判定することが望ましい．
［厚生労働省：指定難病の診断基準を参考に作成］

て行えず，動作遂行時間が延長する現象をいう．PDの理学療法では多くの時間をこの無動に費やすことになる．日常生活のさまざまな場面に影響し，動作の緩慢や開始の遅延，歩行時のすくみ足，表情が少なくなり能面な顔貌になる仮面用顔貌，書字の際に文字がだんだんと小さくなる小字症，よだれを流す流涎（りゅうぜん）など多様である．

- 姿勢反射障害は，姿勢保持，平衡反応，立ち直り反応が障害され，PDの進行に伴い出現する．わずかな外力によりバランスを崩しやすく，前方または後方に押すと容易に突進する突進現象が観察される．PD特有の前傾姿勢は直立位では後方重心となり，代償的に前傾になるという考えがある．
- PDは原因不明の進行性の疾患である．薬物療法により一時的に症状が改善するが徐々に進行する．Evansらの報告では，診断から姿勢反射障害を認めるホーン・ヤールHoehn-Yahr重症度分類3度に達する中央値は3.8年，認知症では6.2年，ジスキネジアは6.6年であった．
- PDでは痛みを訴える割合が高く，30～80%の患者が痛みを訴えている．内容はwearing-off時に頭痛，腰痛，下肢の痛みを訴える頻度が比較的高い．
- 高齢で発症経過の長い者も多く，多くの症状や合併症をきたしやすい．

B 治療の概要

- PDの薬物療法は対症療法であり，不足するドパミンを補うことで大脳基底核の機能回復をはかる．
- 主な治療薬はドパミンの補充療法として用いるL-DOPA，末梢でL-DOPAからドパミンへの代謝を防ぐ末梢性ドパ脱炭酸酵素（DCI）配合剤，ドパミン受容体を刺激してドパミンと同様の作用をするドパミンアゴニスト（ドパミン受容体刺激薬）などである（**表9-2**）．

DCI：decarboxylase inhibitor

- L-DOPAは脳内に取り込まれドパミンに変化して黒質に貯蔵され，必要に応じてシナプス間隙に放出され，線条体の神経細胞に作用する．初期にはドパミン

表 9-2　パーキンソン病の治療薬

1. ドパミン作用を高める薬剤 1）脳にドパミンを補う薬 ■ L-DOPA のみの薬剤 ■ L-DOPA にドパ脱炭酸酵素阻害薬を配合した薬剤 2）脳のドパミンの利用を高める薬 ■ MAOB 阻害薬：セレギリン 3）L-DOPA の利用を高める薬 ■ COMT 阻害薬：エンタカポン 4）脳のドパミン遊離促進薬（またはグルタミン酸受容体阻害薬） ■アマンタジン
2. ドパミン受容体を直接刺激する薬剤（ドパミンアゴニスト） ■麦角系：ブロモクリプチン，ペルゴリド，カベルゴリン ■非麦角系：プラミペキソール，タリペキソール，ロピニロール，ロチゴチン
3. 抗コリン薬（脳のアセチルコリン作用を阻害） ■トリヘキシフェニジール
4. ノルアドレナリンを補充する薬剤 ■ドロキシドパ

［下濱　俊：パーキンソン症候群の臨床．日本老年医学会雑誌 **44**(5): 564–567，2007 を参考に作成］

表 9-3　主な抗パーキンソン病薬の副作用

薬　剤	副作用
L-DOPA，DCI	運動障害：ジスキネジア，舞踏病，日内変動（wearing-off, on-off）
	消化器症状：吐き気，食欲不振
	精神症状：幻覚，せん妄，幻想
ドパミンアゴニスト	消化器症状：吐き気，嘔吐，食欲不振
	心血管症状：起立性低血圧，動悸
	精神症状：幻覚，幻想，混乱，せん妄
	心弁膜症，浮腫，胸水，突発的睡眠，ドパミン調整異常症候群（DDS）
アマンタジン	浮腫，精神異常
抗コリン薬	口渇，便秘，頻脈，排尿障害，ジスキネジア，せん妄，幻覚，記憶喪失

DDS：dopamine dysregura-tion syndrome

の貯蔵能力が保たれており，一日中効果がみられるが，進行すると貯蔵能力が低下しwearing offが出現する．

■ PDの運動症状に対する中心的な薬剤はL-DOPAとドパミンアゴニストである．高齢者では運動症状に対する効果や精神症状への影響を考慮し，L-DOPAを中心に治療を進めるのが原則である．

■ 抗コリン薬はPD治療薬のなかでも最も古典的な薬剤であるが，高齢者ではイレウス，尿閉，記銘力障害，幻覚を生じるため，使用を避けるべきである．

■ L-DOPAは開始後5年以上経過すると過半数の患者に症状の日内変動が出現する．また，数ヵ月以上の中長期投与においては，ジスキネジアやwearing offなどの運動合併症が容量依存的に誘発される（**表9-3**）．

■ 薬物療法で改善が不十分な主要運動症状ならびに運動症状の日内変動，ジスキネジアに対しては手術療法として脳深部刺激療法（DBS）が行われることがあ

DBS：deep brain stimulation

る．視床下核（STN）に電極を埋め込み刺激することで投薬の減量やwearing off，ジスキネジアの改善が期待できる．

STN：subthalamic nucleus

memo

多能性幹細胞であるiPSやES細胞を用いた細胞移植による治療研究が進められている．とくにiPS細胞では元の細胞が入手しやすく，また，自家移植も可能であり今後の研究の進捗が期待されている．

iPS細胞：induced pluripotent stem cell
ES細胞：embryonic stem cell

C 理学療法の概要

- 疾患早期では日常生活上の問題はなく，医療費の補助を受けることができる特定疾患の基準を満たしていないことから，一般的に医師からの理学療法処方は少ない．しかし，早期からの介入による身体機能低下の予防効果の報告もみられるため，早期からの介入を検討するべきである．
- PDの運動障害には四大徴候に代表される一次的な機能障害と低活動や廃用による二次的な障害がある．理学療法によりPDの進行を抑制する可能性は低いが，代償動作の学習や二次的障害の改善により日常生活自立度の向上，歩行障害による転倒・骨折などを予防できる可能性がある．
- PDは進行性のため病気の進行段階ごとに介入目的や方法が異なる（**図9-2**）．修正版ホーン・ヤール重症度分類ではstage 1～2.5の場合には不活動の予防，転倒および転倒恐怖の予防，身体機能の維持向上が介入目的となる．stage 2～4では先述に加え転倒予防と5つのコア領域（移乗，姿勢，手を伸ばしてつかむ，平衡保持，歩行）の制限を少なくすることが介入目的となる．stage 5ではstage 2～4の例に加えて生活機能の維持，褥瘡（じょくそう）予防，拘縮予防が介入目的となる．
- PDの症状は日内変動，日差変動を把握し，できるだけ動きのよい時間帯に理学療法を実施するよう調整する．
- PD治療ガイドライン2011では運動療法が身体機能，健康関連QOL，筋力，バランス，歩行速度の改善に有効であるとの報告や，外部刺激，とくに聴覚刺激による歩行練習で歩行は改善するなどが強く推奨されている．

QOL：quality of life

- 理学療法診療ガイドラインでは，理学療法全般で複数の種目を適宜用いた複合運動が強く推奨されている．介入内容別では筋力増強運動，バランス運動，全身運動，トレッドミル歩行，感覚刺激，ホームプログラムなどが検討されトレッドミル歩行が強く推奨されている．しかし，他の介入内容については論拠とされたランダム化比較試験（RCT）論文の症例数がきわめて少なかったり，研究方法の問題などから一段階低い推奨グレードとなっている．

RCT：randomized controlled trial

- 王立オランダ理学療法学会のガイドラインでは理学療法に関する主要勧告として，①歩行を改善するための合図（cue）の利用，②移動を改善するための認知行動療法の適応，③平衡を改善するための特別な運動，④身体能力を向上さ

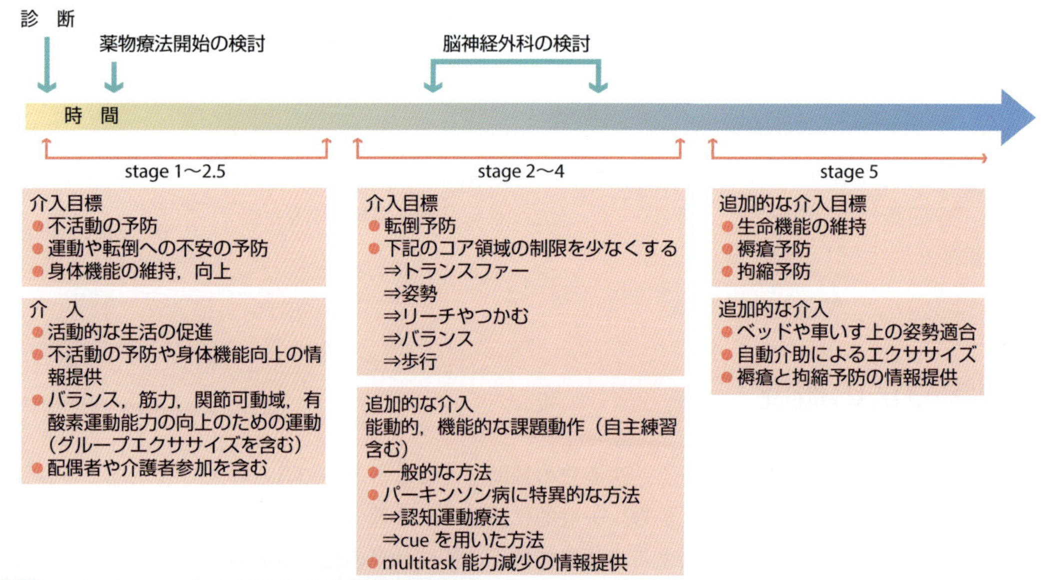

図 9-2　パーキンソン病の病期別の目標設定と介入方法

[Keus SH, et al. : Evidence-based analysis of physical therapy in Parkinson's disease with recommendations for practice and research, *Mov Disord* **22**: 451–460, 2007 を参考に作成]

せるための関節可動性と筋力の練習があげられている.

- すくみ足への日常生活上の対応では，歩きはじめではどちらの足が出しやすいか決めておく，方向転換時には大きく回ることや右回り，左回りの回りやすい向きの把握，家族や介護者にすくみ足が出現した際には「いち，に」など外的な合図（cue）を利用する，転倒頻度が高い場所への手すりの設置などを考慮する.
- 寝返りや起き上がり動作では，寝返り側への頸部の軽度屈曲と回旋，両膝立て，上肢を大きく使って寝返るなどの指導や，手すりを利用する場合には寝返り側と反対側の手の握る位置に印をつけるなどの対応を考慮する.
- 立ち上がる際には両足を引かずに立ち上がったり，十分な股関節屈曲による前方への重心移動をしないうちに立ち上がるなどの動作が観察される．両足を手前に引き，前方への重心移動を意識して立ち上がるよう指導する．また，offの時間帯では肘付きのいすに座るなどの対応も考慮する.
- PDでは多岐にわたる症状がみられるため，疾患特異的な評価指標，身体機能に関する評価指標，QOL・精神機能に関する評価指標などを用いて評価する（**表9-4**）．なかでも最もよく用いられるのがホーン・ヤール重症度分類で，最近では5段階評価から7段階評価となった修正版ホーン・ヤール分類も用いられている.
- PDは運動症状，非運動症状を示す進行性の疾患である．経過が長いため，加齢による影響や廃用症候群なども考慮する必要がある．できる限り本人の意欲を引き出し，活動が低下しないように留意する.

表 9-4 パーキンソン病理学療法診療ガイドラインによる評価指標と推奨グレード

主な評価指標	推奨グレード
1. 疾患特異的指標	
ホーン・ヤール重症度分類	B
修正版ホーン・ヤール重症度分類	B
パーキンソン病統一スケール（UPDRS）	A
パーキンソン病質問票（PDQ-39）	A
自記式パーキンソン病患者障害スケール	B
2. 身体機能に関する評価指標	
歩行速度，歩幅，歩行率	A
Berg balance scale（BBS）	A
Functional reach test（FRT）	A
timed up & go test（TUG）	A
falls efficacy scale（FES）	A
3. QOL，精神機能に関する評価指標	
SF-36	A
EuroQol	B
GDS	A

症例検討

1 患者プロフィール

75歳　女性　身長：150 cm　体重：40 kg　BMI：17.8

- 診断名：パーキンソン病
- 現病歴：10年前に振戦（左）にて発症，4年ほど前よりoff時の動きが悪くなり，歩行障害が顕著となるが，onのときには介助不要で就業もできていた．3ヵ月ほど前より，姿勢障害，歩行障害，動作緩慢などが強くなり投薬コントロールと理学療法を目的に入院となる．
- 既往歴：とくになし．
- 社会背景：夫と2人暮らし．収入は年金のみ．
- 家屋構造：自宅は2階建て，生活は1階を使っている．屋内の段差は敷居や戸枠など1 cmほどの段差が数ヵ所ある．上り框は約30 cm.
- 現在までの治療 ⓐ

商品名	一般名	朝	昼	夕	夜
スタレボ®配合錠	レボドパ・カルビドパ・エンタカポン	○	○	○	○
レキップ®CR錠	ロピニロール塩酸塩	○			
ノウリアスト®錠	イストラデフィリン		○		
ドプス®OD錠	ドロキシドパ	○		○	

- 検査データ ⓑ

血清総タンパク質（TP）	6.4
血清アルブミン（ALB）	3.4
ヘモグロビン（Hb）	12.1
CRP	0.2

2 理学療法経過

■全体像 c ：部屋のなかの移動は独歩で可能であるが腕の振りが少なく，小刻み歩行，すくみ足歩行などがみられた．在宅では月に2～3回は転倒していた．姿勢は胸椎上部の前傾に加えて，腰折れがみられた．基本動作は可能であるが動作緩慢であった．表情は乏しいが，コミュニケーションは良好であった．朝方の動きがとくに悪いと感じていた．ADLは自立していた．食事は時間がかかるが全量とれていた．

理学療法初期評価

①感染症

■な　し

②血圧および心拍

	収縮期血圧	拡張期血圧	心　拍
安静臥床	130	74	70
起立時	120	70	80

血圧：mmHg，心拍：(回 / 分)

■起立負荷時の血圧下降はみられるが，収縮期血圧20 mmHg以内，拡張期血圧10 mmHg以内であり大きな変動はみられず，起立性低血圧症状は現れていないと思われる．

③認知・精神

■HDS-Rでは21/30点（減点項目：数字の逆唱，3つの言葉の遅延再生，言語の流暢性）

④修正版ホーン・ヤール分類

■stage 3 d

⑤関節可動域

	ROM (°)	
	右	左
頸部屈曲	40	－
伸展	30	－
体幹屈曲	35	－
伸展	0	－
体幹回旋	10	10
股関節屈曲	125	125
伸展	0	0
膝関節屈曲	140	145
伸展	0	0
足関節背屈	5	5

⑥粗大筋力

■上肢：4，下肢：4，体幹：3レベル

⑦肺機能検査，胸郭拡張差 e

■%肺活量：70%，剣状突起高で4 cm

⑧筋緊張

■四肢に軽度の鉛管様抵抗を認めた．固縮は左に比べて右が強い．体幹は回旋に抵抗感あり．

軽度（MDS-UPDRS）.

⑨静止時振戦

■両側＋軽度（MDS-UPDRS）

⑩姿勢反射

■中等度（MDS-UPDRS）

⑪無動・寡動

■表情が少ない，軽度から中等度（MDS-UPDRS）

MDS-UPDRS：movement disorder society-sponsored revision of the unified Parkinson's disease rating scale

ホーン･ヤール分類は簡便に症状を表記することができるが，詳細な変化を捉えるには不向きである．MDS-UPDRS は Part1（非運動症状），Part2（運動症状），Part3（運動検査），Part4（運動合併症）の 4 つの Part からなり，パーキンソン病の症状変化をより詳細に捉えることができる．

⑫Short Physical Performance Battery（SPPB）*

バランステスト		
閉足立位	10 秒以上	1 点
セミタンデム立位	10 秒未満	0 点
タンデム立位	10 秒未満	0 点
4 m 歩行テスト	9.1 秒	1 点
いす立ち上りテスト	13.8 秒	2 点
判定　0～6 低　7～9 標準　10～12 高パフォーマンス		合計 4 点

* SPPB は，虚弱高齢者の身体機能を評価するために開発された．European Working Group on Sarcopenia in Older People（EWGSOP）のサルコペニアの診断基準の 1 つとして用いられている．

⑬ADL

■自立している．

⑭基本動作

■寝返りや起き上がりは体軸内回旋が少なく，手すりを用い努力を要している f．

■立ち上がりは2～3回前屈を繰り返し勢いをつけて立ち上がる g．

⑮歩　行

■腰折れの姿勢で体軸内回旋，腕の振り，歩幅の減少がみられる．

■歩行開始時および目標到達前にすくみ足や小刻み歩行が顕著となる h．

■午前10時～11時にかけては比較的動きがよく，理学療法はその時間に設定した

■高齢であり，BMI 17.8と低栄養を疑う症例である．理学療法は食事量や体重を管理しつつ，疲労のない範囲で行った．高齢者では予備力が低下しており，運動負荷の漸増は慎重に行うべきである．

■投薬調整による活動性向上が見込める．無動やすくみ足による転倒は軽減できるが，活動量増加による転倒が考えられる．したがって，これらを考慮し理学療法では歩行の安全性向上，基本動作能力の向上を目標とした．理学療法介入では，基本動作障害や歩行障害の要因となっている固縮，無動，姿勢反射障害などの錐体外路障害に対する介入，環境調整を中心に行った．

■具体的には介入時間，患者体力を考慮し基本動作練習，歩行練習を中心に行い，適宜，頸部・四肢・体幹の可動域改善，筋力強化を加えて実施した．基本動作練習の1つである起立練習では離殿前の足関節背屈や股関節屈曲が不十分であったため，口頭およびビデオによるフィードバックによる改善を試みた．また，動作を行う前にメンタルプラクティス（運動イメージ想起

練習）も取り入れた．歩行練習も同様の方法を取り入れた．

- あわせて調子のよい時間帯にストレッチングおよび歩行の自主練習を指導した．
- 4週の入院で投薬コントロールおよび理学療法により，すくみ足や小股歩行の改善を認め，転倒も減少したため自宅退院となった．腰折れや振戦には変化はみられなかった．退院時理学療法評価は以下のとおりである．

退院時理学療法評価

①認知・精神

- HDS-Rでは21/30点（減点項目：数字の逆唱，3つの言葉の遅延再生，言語の流暢性）

②SPPB

バランステスト		
閉足立位	10秒以上	1点
セミタンデム立位	10秒未満	0点
タンデム立位	10秒未満	0点
4m歩行テスト	7.5秒	2点
いす立ち上りテスト	12秒	3点
判定　0〜6低　7〜9標準　10〜12高パフォーマンス		合計6点

③筋緊張

- MDS-UPDRS軽度

④静止時振戦

- 両側＋MDS-UPDRS軽度

⑤姿勢反射

- MDS-UPDRS軽度

⑥無動・寡動

- MDS-UPDRS軽度

⑦基本動作

- 起き上がりは側臥位でいったん止まることなくできている．また，起立動作では，何度も前かがみになって勢いをつけなくても立ち上がりが可能となった．

⑧歩　行

- 腰折れの姿勢に大きな変化はみられないが，安定性や歩行速度がわずかに向上した．また，入院後は転倒することがなくなった．

- 入院期間中に投薬調整が終了し自宅退院となった．退院後はL字のベッド柵への変更，手すりの設置，コードやカーペットなどの屋内の小さな段差をできるだけ少なくするなどの環境調整を行った．パーキンソン病では経過が長くなるとL-DOPAの副作用は必須であり，これに加齢による心身機能の影響も加わる．したがって，転倒などをきっかけに著しくADLや活動性が低下する場合があることに留意する．また，非運動症状による無関心，認知症，抑うつなどにより自宅から出なくなり，ますます活動性が低下していく可能性がある．地域の資源を活用して外出の機会を作り，家族のレスパイト（休息，息抜き）を図るとともに本人の活動性を低下させないようにする必要がある．

学習到達度自己評価問題

本章の「症例検討」において，対応するアルファベットの●を参照して下記の問いに答えなさい．

ⓐ使用されている薬剤の効果や副作用を調べなさい．

ⓑ検査データおよび身長，体重から考えられることは何か答えなさい．

ⓒパーキンソン病の運動症状と非運動症状についてまとめなさい．

ⓓ修正版ホーン・ヤール分類でstage 3とはどのような状態か答えなさい．また，日本理学療法士協会の『理学療法診療ガイドライン 第1版 Ⅳ-8．パーキンソン病』を読み，疾患特異的な評価およびよく用いられている評価についてまとめなさい．

ⓔ肺機能検査，胸郭拡張差の結果はどのように解釈できるか答えなさい．

ⓕ寝返り，起き上がりの際の動作指導方法を考えなさい．

ⓖ立ち上がりの際の動作指導方法を考えなさい．

ⓗ歩行の際の指導方法を考えなさい．

10 高齢者の代謝障害と理学療法 糖尿病

一般目標

■高齢な糖尿病患者の生活機能の改善のために，その障害像や病態，症状，治療法についての理解を深め，患者にとって最適な理学療法プログラムの立案・遂行能力を習得する．

行動目標

1. 糖尿病の障害像や症状など，疾患の特徴について説明できる．
2. 糖尿病の合併症について説明できる．
3. 糖尿病治療薬の種類やそれぞれの作用について説明できる．
4. 高齢な糖尿病患者に対して理学療法を実施するうえでの留意点について説明できる．

調べておこう

1. 糖尿病の診断基準について調べよう．
2. 血糖管理の指標について調べよう．
3. 以下の用語を調べよう．
   - ■血糖値（空腹時，随時血糖値）
   - ■HbA1c
   - ■インスリン抵抗性
   - ■サルコペニア（筋肉減少症）
   - ■フレイル
   - ■ロコモティブシンドローム（運動器症候群）

A　疾患の概要

1 障害像

■糖尿病（DM）は，インスリン作用不足（インスリン分泌不全，インスリン抵抗性）に基づく慢性の高血糖状態を主徴とする代謝疾患群であり，血糖値はインスリン作用に密接に関係している．

DM：diabetes mellitus

■成因から，1型糖尿病，2型糖尿病，その他の特定の機序・疾患に伴う糖尿病，妊娠糖尿病に分類される．

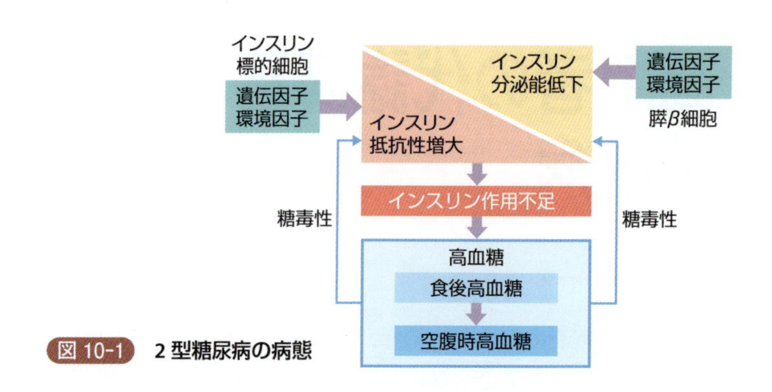

図 10-1　**2 型糖尿病の病態**

■高齢者では，空腹時血糖値の上昇より食後高血糖をきたしやすく，糖負荷後2時間血糖値*の上昇によって糖尿病と診断される頻度が高くなる．

■持続する高血糖状態により，口渇，多飲，多尿，体重減少，易疲労感などが出現するが，高齢者では自覚症状に乏しく病識をもたないことが多い．

■慢性高血糖状態を放置すれば，網膜症や腎症，神経障害の糖尿病三大合併症および糖尿病大血管障害が促進され，心筋梗塞や脳梗塞，末梢動脈疾患（PAD），壊疽（えそ）を生じる．

■高齢者糖尿病では，筋量の減少が血糖コントロールに影響するだけでなく，身体活動に支障をきたしQOLの低下につながる．

＊糖負荷後 2 時間血糖値　10 時間以上の絶食後に 75 g のブドウ糖が入った水溶液を飲み，2 時間後の血糖値のことを示す．140mg/dL 未満が正常型，200mg/dL 以上が糖尿病型，140mg/dL 以上 200mg/dL 未満が境界型と判定される．

PAD：peripheral arterial disease

QOL：quality of life

a. 疫　学

■2016年に厚生労働省が発表した「国民健康・栄養調査」では，糖尿病が強く疑われる人が1000万人，予備群が1000万人と推計されている．

■加齢とともに耐糖能が低下し，糖尿病の頻度が増加する．

■65歳以上の糖尿病患者の大半は2型糖尿病である．

b. 発症機転

■1型糖尿病はインスリンを合成，分泌する膵β細胞の破壊によって発症し，若年者の発症（好発年齢8 ～ 12歳）が多い．

■2型糖尿病は，インスリン分泌不全を主体とするものとインスリン抵抗性を主体とするもの（**図10–1**）があり，両因子の割合は症例によって異なる．

■高齢者に多い2型糖尿病は，遺伝的素因に加齢，過食，運動不足，肥満，筋量の低下などの環境因子が加わり発症する．

■加齢に伴う耐糖能低下のメカニズムとして，①膵β細胞の疲弊によるインスリン分泌の遅延・低下，②筋肉量の減少・内臓脂肪の相対的増加によるインスリン抵抗性の増大，③身体活動量の減少，④糖代謝組織量の減少，⑤ミトコンドリア*機能低下に伴うインスリン抵抗性の増大があげられる．

＊ミトコンドリア　細胞小器官で細胞におけるアデノシン三リン酸生産の中心である．とくに骨格筋ミトコンドリアの機能低下がインスリン抵抗性に影響を及ぼす．

2 症状（高齢糖尿病患者の特徴的症状）

■高齢者は，動悸，冷汗などの低血糖症状が出現しにくいため，判断が遅れて意識消失などの重篤な症状にいたる場合がある．

■高齢者の低血糖は，糖尿病負担感の増大，うつ，転倒・骨折やQOL低下の誘因となる.

- 高齢者では高血糖時の一般症状（口渇，多飲，多尿，体重減少，疲労感など）が出現しにくく，重篤な場合には昏睡にいたることもある.
- シックデイ*に陥りやすく，急性の代謝障害を起こしやすい.
- 動脈硬化疾患（虚血性心疾患，脳血管障害，末梢動脈疾患）の合併が多い.
- 運動量の低下や栄養バランスの乱れによりサルコペニア（p. 36参照）やフレイル（p.35参照），ロコモティブシンドローム（p. 40参照）などによって運動機能低下やインスリン抵抗性が増大する.
- 高齢者糖尿病は，サルコペニア，フレイル，転倒，骨折，尿失禁，低栄養，認知症，うつ，ADL低下などの老年症候群（p.31参照）をきたしやすい.
- 糖尿病による骨代謝異常は骨量の減少よりも骨質の劣化が原因であり，大腿骨頸部骨折や椎体骨折を約2倍起こしやすくなる.
- 加齢とともに腎機能が低下し，腎排泄性の薬剤の蓄積が起こりやすく薬剤の有害事象をきたしやすい.

*シックデイ　発熱や下痢，嘔吐，食欲不振などで食事ができない状態をいう.

ADL：activities of daily living

糖尿病の成因分類と病態（病期）分類

糖尿病は，成因分類として「1型糖尿病」「2型糖尿病」「特定の機序・疾患に伴うその他の糖尿病」「妊娠糖尿病」に分類される．病態（病期）分類として正常血糖と高血糖に大別し，高血糖は境界領域と糖尿病領域に分類され，また糖尿病領域ではインスリン非依存領域とインスリン依存領域に分けられる.

B 治療の概要

- 治療の目標は，患者の病態（併存疾患，重症低血糖のリスク），身体的背景（運動機能障害，手段的ADL，基本的ADL，認知機能，心理状態，QOL），社会的背景（社会・経済状況，患者・家族の希望）などに配慮し個々の患者ごとに個別に設定する.
- 高齢者では厳格な血糖管理の有用性は確立されておらず，安全性を重視した適切な血糖コントロールを行う.
- 患者の認知機能，ADL，併存疾患・機能障害からみた健康状態・特徴から3つのカテゴリーに分け，年齢および重症低血糖が危惧される薬物（インスリン製剤，スルホニル尿素薬，グリニド薬など）の使用の有無に基づき目標値を決定する（**図10-2**）.
- 重症低血糖が危惧される薬剤の使用がない場合は，高齢者においても合併症予防のための目標はHbA1c 7.0%未満である.
- 重症低血糖が危惧される薬剤を使用している場合は，カテゴリーⅠ～Ⅱの後期高齢者の目標はHbA1c 8.0%未満（下限値7.0%），カテゴリーⅢの後期高齢者はHbA1c 8.5%未満（下限値7.5%）とし，前期高齢者はカテゴリーⅠが

患者の特徴・健康状態[注1]			カテゴリーI		カテゴリーII	カテゴリーIII
			①認知機能正常 かつ ②ADL自立		①軽度認知障害～軽度認知症 または ②手段的ADL低下，基本的ADL自立	①中等度以上の認知症 または ②基本的ADL低下 または ③多くの併存疾患や機能障害
重症低血糖が危惧される薬剤（インスリン製剤，SU薬，グリニド薬など）の使用	なし[注2]		7.0%未満		7.0%未満	8.0%未満
	あり[注3]		65歳以上75歳未満 7.5%未満 （下限6.5%）	75歳以上 8.0%未満 （下限7.0%）	8.0%未満 （下限7.0%）	8.5%未満 （下限7.5%）

治療目標は，年齢，罹病期間，低血糖の危険性，サポート体制などに加え，高齢者では認知機能や基本的ADL，手段的ADL，併存疾患なども考慮して個別に設定する．ただし，加齢に伴って重症低血糖の危険性が高くなることに十分注意する．

注1）認知機能や基本的ADL（着衣，移動，入浴，トイレの使用など），手段的ADL（IADL：買い物，食事の準備，服薬管理，金銭管理など）の評価に関しては，日本老年医学会のホームページ（http://www.jpn-geriat-soc.or.jp/）を参照する．エンドオブライフの状態では，著しい高血糖を防止し，それに伴う脱水や急性合併症を予防する治療を優先する．
注2）高齢者糖尿病においても，合併症予防のための目標は7.0%未満である．ただし，適切な食事療法や運動療法だけで達成可能な場合，または薬物療法の副作用なく達成可能な場合の目標を6.0%未満，治療の強化が難しい場合の目標を8.0%未満とする．下限を設けない．カテゴリーIIIに該当する状態で，多剤併用による有害作用が懸念される場合や，重篤な併存疾患を有し，社会的サポートが乏しい場合などには，8.5%未満を目標とすることも許容される．
注3）糖尿病罹病期間も考慮し，合併症発症・進展阻止が優先される場合には，重症低血糖を予防する対策を講じつつ，個々の高齢者ごとに個別の目標や下限を設定してもよい．65歳未満からこれらの薬剤を用いて治療中であり，かつ血糖コントロール状態が表の目標や下限を下回る場合には，基本的に現状を維持するが，重症低血糖に十分注意する．グリニド薬は，種類・使用量・血糖値等を勘案し，重症低血糖が危惧されない薬剤に分類される場合もある．

【重要な注意事項】 糖尿病治療薬の使用にあたっては，日本老年医学会編「高齢者の安全な薬物療法ガイドライン」を参照すること．薬剤使用時には多剤併用を避け，副作用の出現に十分に注意する．

図10-2　高齢者糖尿病の血糖コントロール目標（HbA1c値）
［日本老年医学会・日本糖尿病学会（編・著）：高齢者糖尿病診療ガイドライン2017，P46，南江堂，2017より許諾を得て転載］

HbA1c 7.5%（下限値6.5%）でカテゴリーが進むにつれて0.5%増加する．

- 2型糖尿病の大部分はインスリン非依存状態であり，基本療法として運動療法と食事療法の導入が不可欠である．
- サルコペニアやロコモティブシンドロームなどの予防を目的とした運動療法は，筋量を増加させインスリン抵抗性が改善するだけでなく，ADLが安定化しフレイル（p. 35参照）の予防につながる．
- 適正な総エネルギー摂取量とバランスを図る食事療法は糖尿病治療を行っているすべての患者が対象であり，高血糖，脂質異常症，血圧，肥満の是正に有用である．
- 1日の適正な摂取エネルギー量の算出方法は，標準体重（$[\text{身長 (m)}]^2 \times 22$）を用いて，摂取エネルギー量（kcal）＝身体活動量（kcal/kg）×標準体重（kg）で求める．
- 身体活動量は，日常生活において身体を動かす程度によって決まるエネルギーを示し，軽労作（デスクワークが多い職業）では25～30 kcal/kg，普通労作（立ち仕事が多い職業）では30～35 kcal/kgである．

- 一般的指示エネルギー量の50～60%を炭水化物から摂取し，タンパク質は20%以下として残りを脂質とするが，25%を超える場合は飽和脂肪酸を減じる．
- 高齢者は，インスリンの初期分泌が減弱しているため砂糖や果実の過剰摂取により血糖を急上昇させ，食後高血糖を呈し血糖コントロールが悪化する．
- 体重減少と食事摂取量が低下している場合は低栄養を疑う．
- サルコペニアの予防のためは，重度の腎機能障害がなければ十分なタンパク質を摂取する．
- おやつ（間食）などによる食生活の偏りは，主食と副食の摂取量を不足させ栄養バランスを乱し低栄養につながる．
- 薬物療法は，インスリン分泌非促進系，インスリン分泌促進系，インスリン製剤の3種類に分けられ，糖尿病の病態（インスリン分泌能，インスリン抵抗性など）を考慮し，可能な限り正常血糖値に近づけることを目的に薬物が選択される．
- インスリン療法は1型糖尿病では絶対適応となり，2型糖尿病でも食事療法，運動療法，経口血糖降下薬によって血糖コントロールが困難な場合に開始される．
- 経口血糖降下薬には，インスリン分泌非促進系（ビグアナイド薬，チアゾリジン薬，α-グルコシダーゼ阻害薬，SGLT2阻害薬），インスリン分泌促進系（スルホニル尿素薬，速効型インスリン分泌促進薬，DPP-4阻害薬），の2種類に分けられ，種類とその作用を**表10-1**に示す．
- 高齢者での5剤以上の多剤併用は，低血糖や転倒の危険因子となる．
- インスリン製剤は，超速効型，速効型，中間型，混合型，配合溶解，持効型溶解に分類される．インスリン製剤の種類と作用時間を**図10-3**に示す．
- インスリン分泌促進作用をもつ経口血糖降下薬やインスリンの投与によって重篤な低血糖を生じやすく，他の薬剤によっても副作用を生じやすいので薬剤投与は少量から開始される．
- 高齢者は脱水になりやすいので，水分補給や夏の熱中症予防に注意する．
- 歯周病や誤嚥性肺炎などの予防を目的とした口腔内ケアや，足部の衛生を維持するためのフットケアなど感染予防が大切である．

memo

シックデイ対応の原則

発熱や下痢，嘔吐，食欲不振などで食事ができない状態では，血糖コントロールが著しく困難になり，急性合併症に陥ることがあるのでシックデイ対応の原則を指導する．

①安静と保温に努め，主治医や医療機関に連絡する．
②十分な水分補給を行い，脱水を防ぐ．
③日ごろから食べなれていて口あたりがよく消化のよい食べ物（お粥，ジュース，アイスクリームなど）を摂取する．
④インスリン治療は中断しない．
⑤血糖自己測定*（SMBG）は継続する．

***血糖自己測定**　患者自身が簡易血糖測定器で測定することをいう．
SMBG：self-monitoring of blood glucose

表 10-1　2 型糖尿病の血糖降下薬の特徴

機序		種類	主な作用	単独投与による低血糖のリスク	体重への影響	主な副作用	禁忌・適応外	使用上の注意	主なエビデンス
インスリン分泌非促進系		ビグアナイド薬	肝臓での糖産生抑制	低	なし	胃腸障害，乳酸アシドーシス，ビタミン B_{12} 低下	透析例，eGFR30 mL/ 分 /1.73 m^2 未満例，乳酸アシドーシス既往例，大量飲酒例，1 型糖尿病例，経口糖尿病薬に共通する禁忌例*	①eGFR ごとのメトホルミン最高容量の目安（30≦eGFR<45; 750 mg，45≦eGFR<60; 1,500 mg） ②eGFR30～60 の患者では，ヨード造影剤検査の前あるいは造影時にメトホルミンを中止する．ヨード造影剤投与後 48 時間はメトホルミンを再開せず，腎機能の悪化が懸念される場合には eGFR を測定し腎機能を評価した後に再開する．	肥満 2 型糖尿病患者に対する大血管症抑制効果がある．
インスリン分泌非促進系		チアゾリジン薬	骨格筋・肝臓でのインスリン抵抗性改善	低	増加	浮腫，心不全	心不全例，心不全既往例，膀胱癌治療中の例，1 型糖尿病例，経口糖尿病薬に共通する禁忌例*	①体液貯留作用と脂肪細胞の分化を促進する作用があり，体重増加や浮腫を認める． ②閉経後の女性では骨折のリスクが高まる．	HDL-C を上昇させ，TG を低下させる効果がある．
インスリン分泌非促進系		α-グルコシダーゼ阻害薬（α-GI）	腸管での炭水化物の吸収分解遅延による食後血糖上昇の抑制	低	なし	胃腸障害，放屁，肝障害	経口糖尿病薬に共通する禁忌例*	①低血糖時にはブドウ糖などの単糖類で対処する． ②1 型糖尿病患者において，インスリンとの併用可能	
インスリン分泌非促進系		SGLT2 阻害薬	肝臓でのブドウ糖再吸収阻害による尿中ブドウ糖排泄促進	低	減少	性器・尿路感染症，脱水，皮疹，ケトーシス	経口糖尿病薬に共通する禁忌例*	①1 型糖尿病患者において，一部の製剤はインスリンとの併用可能． ②eGFR30 未満の重度腎機能障害の患者では，血糖降下作用は期待できない．	①心・腎の保護効果がある． ②心不全の抑制効果がある．
インスリン分泌促進系	血糖依存症	DPP-4 阻害薬	GLP-1 と GIP の分解抑制による血糖依存性のインスリン分泌促進とグルカゴン分泌抑制	低	なし	SU薬との併用で低血糖増強，胃腸障害，皮膚障害，類天疱瘡	1 型糖尿病例，経口糖尿病薬に共通する禁忌例*	①SU薬やインスリンとの併用は，低血糖の発症頻度を増加させる可能性があるため，SU薬やインスリンの減少を考慮する．	
インスリン分泌促進系	血糖依存症	GLP-1 受容体作動薬	DPP-4 阻害薬による分解を受けずに GLP-1 作用増強により血糖依存性のインスリン分泌促進とグルカゴン分泌抑制	低	減少	胃腸障害，注射部位反応（発赤，皮疹など）	1 型糖尿病例，経口糖尿病薬に共通する禁忌例*	①SU薬やインスリンとの併用は，低血糖の発症頻度を増加させる可能性があるため，SU薬やインスリンの減少を考慮する．	心・腎保護効果がある．
インスリン分泌促進系	血糖非依存症	スルホニル尿素（SU）薬	インスリン分泌の促進	高	増加	肝障害	1 型糖尿病例，経口糖尿病薬に共通する禁忌例*	①高齢者では低血糖のリスクが高いため少量から投与開始する． ②腎機能や肝機能障害の進行した患者では低血糖の危険性が増大する．	
インスリン分泌促進系	血糖非依存症	速効型インスリン分泌促進薬（グリニド薬）	より速やかなインスリン分泌の促進・食後高血糖の改善	中	増加	肝障害	1 型糖尿病例，経口糖尿病薬に共通する禁忌例*	①SU薬とは併用しない．	
インスリン製剤		①基礎インスリン製剤（持効型溶解インスリン製剤，中間型インスリン製剤） ②追加インスリン製剤（超速効型インスリン製剤，速効型インスリン製剤） ③超速効型あるいは速効型と中間型を混合した混合型インスリン製剤 ④超速効型と持効型溶解の配合溶解インスリン製剤	超速効型や速効型インスリン製剤は，食後高血糖を改善し，持効型溶解や中間型インスリン製剤は空腹時高血糖を改善する．	高	増加	注射部位反応（発赤，皮疹，浮腫，皮下結節など）	当該薬剤に対する過敏症の既往例	①超速効型インスリン製剤は，食直前に投与． ②速効型インスリン製剤は，食前30分前に投与	

食事，運動などの生活習慣改善と 1 種類の薬剤の組み合わせで効果が得られない場合，2 種類以上の薬剤の併用を考慮する．
作用機序の異なる薬剤の組み合わせは有効と考えられるが，一部の薬剤では有効性および安全性が確立していない組み合わせもある．詳細は各薬剤の添付文書を参照のこと．

*経口糖尿病薬に共通する禁忌例
重症ケトーシス例，意識障害例，重症感染症例，手術前後の例，重篤な外傷例，重度な肝機能障害例，妊婦または妊娠している可能性のある例，当該薬剤に対する過敏症の既往例

［日本糖尿病学会（編・著）：糖尿病治療ガイド 2022-2023．P40-41，文光堂，2022 より引用］

種 類	主な投与時間	作用動態モデル（時間） 4 8 12 16 20 24 28	作用発現時間	最大作用時間	持続時間
超速効型	食直前		10分～20分	30分～3時間	3～5時間
速効型	食前30分		30分～1時間	1～3時間	5～8時間
中間型	食前30分		1～3時間	4～12時間	18～24時間
混合型（超速効型または速効型と中間型を混合した製剤）	食前30分		30分～1時間	2～12時間	18～24時間
	食直前		10分～20分	30分～6時間	
配合溶解	食直前		10分～20分	1～3時間	42時間
持効型溶解	就寝前もしくは1日1回		1～2時間	明らかなピークなし	24～42時間

図10-3 インスリンの種類と作用時間

C 理学療法の概要

高齢糖尿病患者に対する理学療法の目標は，血糖コントロールを改善するだけではなく，心身機能を高め転倒を予防し健康寿命を延伸させることにある．しかし，高齢患者では糖尿病三大合併症だけでなく運動器疾患や認知機能の低下をきたしている場合が多く，理学療法を安全かつ効果的に実施し継続するための工夫や配慮が求められる．

1 理学療法開始時

- 血液検査データや生理学的検査データ，食事療法，薬物療法を確認し，血糖コントロール状況，合併症，社会的背景などについて事前に把握する．
- 患者から糖尿病についてどのように捉えているかを聞き取り，理学療法を実施する目的について説明する．
- 有酸素運動は筋のインスリン抵抗性を改善することで糖の取り込みを向上させるだけではなく生命予後，ADLの維持，認知機能の抑制にも有効である．
- レジスタンス運動は，筋量を増やすことで糖の消費量を増加させ血糖を改善し，脂肪量を減らし除脂肪量と筋力を増加させる．これらの効果を患者に説明する．
- 運動を行ううえで支障になる心身の状態や運動習慣について問診する．
- 筋力，バランス機能，感覚障害，疼痛，関節可動域（とくに足関節，足趾），足底皮膚の観察，腱反射，歩行速度測定などの理学療法評価を行う．
- 初回は，自転車エルゴメータなどの機器を使った軽負荷の有酸素運動を行い，運動時の心拍数だけでなく自覚的運動強度（RPE）を聞き取りながら運動強度の指標とする（**表10-2**）．

RPE：rate of perceived exertion

▷**理学療法プログラムの立案**

- 有酸素運動とレジスタンス運動，必要に応じてバランス運動を組みあわせて実施する．
- 有酸素運動強度は，自転車エルゴメータやトレッドミルを使用して漸増負荷を

表 10-2　RPE による運動強度の指標

RPE 点数	強度の割合（% $\dot{V}O_2max$）	強度の感じ方	その他の感覚
19	100	最高にきつい	体全体が苦しい
18			
17	90	非常にきつい	無理，100% と差がないと感じる，若干言葉が出る，息がつまる
16			
15	80	きつい	続かない，やめたい，のどが渇く，がんばるのみ
14			
13	70	ややきつい	どこまで続くか不安，緊張，汗びっしょり，話し続けにくい
12			
11	60	楽である	いつまでも続く，充実感，汗が出る，話しながら続けられる
10			
9	50	かなり楽である	汗が出るか出ないか，フォームが気になる
8			
7	40	非常に楽である	楽しく気持ちがよいが物足りない
6			
5	30	最高に楽である	動いたほうが楽，まるでもの足りない
4			
3	20		

［体育科学センター資料，2004 を参考に作成］

行い，心拍数の変化を確認するとともにRPEを聞き取り，適切な運動負荷強度（「楽～ややきつい」と感じる）を決定する．

- 安全管理のため身体の痛みの有無の確認，運動前後に血圧測定を行う．
- 有酸素運動は，最適な運動強度を20分間としその前後に3分間のウォーミングアップとクーリングダウンを行う．
- レジスタンス運動は，スクワットなどの自重を用いた運動や錘を用いた運動によって筋力増強を図る．
- 運動療法は軽い運動から実施し，徐々に運動量，強度を増やすようにする．
- 食後1時間程度の時間帯に運動療法を行い，食後高血糖の是正を図る．
- 筋力低下やバランス機能，感覚障害などは運動時の転倒につながるため，安全面の配慮し転倒や下肢関節痛の予防につながる運動プログラムを立案する．
- 糖尿病三大合併症の進行に合わせて運動の適否を判断する（**表10-3**）．

2 理学療法実施から退院まで

- 運動習慣のない患者の運動療法の実施にあたっては，運動が辛く疲れる治療と認識されないよう，心地よい程度の運動から実施する．
- 血液検査データから血糖コントロール状態を把握し，運動療法と血糖値の関連性を説明する．
- サルコペニアやフレイルに配慮し，食事摂取量を把握するとともに定期的に筋量（筋力）の評価を行う．
- 定期的に身体機能評価を行い，筋力やバランス機能が変化していることを具体

表 10-3 糖尿病三大合併症と運動の適否

<table>
<tr><th colspan="5">1. 糖尿病網膜症</th></tr>
<tr><td>単純網膜症</td><td colspan="4">強度の運動処方は行わない</td></tr>
<tr><td>増殖前網膜症</td><td colspan="4">眼科的治療を受け安定した状態でのみ歩行程度の運動可</td></tr>
<tr><td>増殖網膜症</td><td colspan="4">日常生活動作（ADL）能力維持のための運動処方と安全管理が必要
（眼底出血直後の急性期には安静を保つ）</td></tr>
<tr><td colspan="5">いずれの病期もバルサルバ型運動（息をこらえて力む運動）は行わない</td></tr>
<tr><th colspan="5">2. 糖尿病性腎症</th></tr>
<tr><th colspan="4">CKD ステージ</th><th>運動強度</th></tr>
<tr><td rowspan="6">GFR 区分
（mL/ 分 /1.73m²）</td><td>G1</td><td>正常または高値</td><td>≧ 90</td><td rowspan="2">5 ～ 6METs 以下</td></tr>
<tr><td>G2</td><td>正常または軽度低下</td><td>60 ～ 89</td></tr>
<tr><td>G3a</td><td>軽度～中等度低下</td><td>45 ～ 59</td><td rowspan="2">4 ～ 5METs 以下</td></tr>
<tr><td>G3b</td><td>中等度～高度低下</td><td>30 ～ 44</td></tr>
<tr><td>G4</td><td>高度低下</td><td>15 ～ 29</td><td rowspan="2">3 ～ 4METs 以下</td></tr>
<tr><td>G5</td><td>末期腎不全（ESKD）</td><td>< 15</td></tr>
<tr><td colspan="5">運動は致死的なイベント（不整脈や虚血性心疾患，突然死）に関与する可能性があり，運動を指導する場合には十分な注意を要する．個々の患者の活動性，運動耐容能，循環器系のリスクなどを定期的に評価したうえで運動計画を立てることが望ましい．</td></tr>
<tr><th colspan="5">3. 糖尿病性神経障害</th></tr>
<tr><td>知覚障害</td><td colspan="2">触覚・痛覚・振動覚の低下</td><td colspan="2">足の壊疽に注意
水泳，自転車の運動がよい</td></tr>
<tr><td>自律神経障害</td><td colspan="2">起立性低血圧
心拍数の呼吸性変動の減少
または消失</td><td colspan="2">日常生活動作（ADL）能力維持のための運動処方と安全管理が必要</td></tr>
<tr><td>運動障害</td><td colspan="2">筋力低下
バランス障害
歩行障害</td><td colspan="2">転倒予防に関する指導，対応が必要</td></tr>
</table>

〔（表内「糖尿病性腎症」について）腎疾患重症化予防実践事業生活・食事指導マニュアル改訂委員会編，日本腎臓学会監修：慢性腎臓病生活・食事指導マニュアル～栄養指導実践編～，東京医学社，東京，p41-45，2015 を参考に作成〕
［日本糖尿病療養指導士認定機構（編・著）：糖尿病療養指導ガイドブック 2021，p.71，メディカルレビュー社，2021 より許諾を得て転載］

的に示すとともに，プログラムの修正を行う．

- 歩行運動は徐々に歩数を増やし1日8,000 ～ 10,000歩を目標とする．歩数計を装着することが活動量の管理と運動意欲の向上に有効である．
- 運動が習慣化されるよう実技指導を通じて，退院後にも継続できる運動方法を患者とともに考える．
- 退院後に手段的ADLでの活動量の増加，地域で行われている介護予防事業の参加やスポーツジムでの運動など，外出の機会を増やし仲間と活動できる環境について話し合う．
- 脱水防止のためこまめに水分補給することや，関節痛の予防などADLを行う際の配慮について説明する．

METs：metabolic equivalents

＊METs　代謝当量（metabolic equivalents）の略で活動強度の指標である．安静に座っている状態を 1METs（酸素摂取量 3.5mL/kg/ 分）として，さまざまな活動がその何倍のエネルギーを消費するか示している．

3 退院後

- 運動療法は，1回15 ～ 30分間，1日2回，週に3日以上または週に150分以上の運動を実施することを目標にする．

- 退院後に地域で行われている介護予防事業やスポーツジムでの運動など，外出の機会があるかを確認する．
- 外来通院時に主治医や看護師，管理栄養士などの協力によって，運動療法の継続支援が受けられるように院内でのチーム医療の構築を行う．

memo

安全のため運動療法を禁止または制限したほうがよい場合の判断基準を下記に示す．
①糖尿病の代謝コントロールが極端に悪い場合（空腹時血糖値が 250 mg/dL 以上または尿ケトン体*陽性）
②増殖性網膜症による眼底出血がある場合（主治医もしくは眼科医と相談）
③腎不全状態にある場合
④虚血性心疾患や心肺機能に障害がある場合（主治医または専門医に意見を求める）
⑤骨・関節疾患がある場合（主治医または専門医に意見を求める）
⑥急性感染症*
⑦糖尿病壊疽
⑧高度の糖尿病自律神経障害

***尿ケトン体**　糖質利用の低下によって脂肪酸代謝が亢進し産生され，尿中に排出される．

***急性感染症**　細菌やウィルスに感染した状態(発熱，炎症)．感染巣として尿路，呼吸器，皮膚，口腔内などが多い．

症例検討

1 患者プロフィール

76歳　男性　身長：170.0 cm　体重：56.2 kg　BMI：19.4

- 診断名：2型糖尿病，右大腿骨近位部骨折手術後
- 現病歴：約40年前に発症し，当院ならびにかかりつけ医において薬物療法，運動療法，食事療法を行っていた．4ヵ月前に転倒して右大腿骨近位部骨折を受傷し，A病院に緊急入院となり右大腿骨人工骨頭置換術が施行され，術後理学療法を行い日常生活が自立し退院となった．しかし，歩行がいまだ不安定であることや年末年始の過食と運動不足のために，血糖コントロールが悪化し当院入院となり，入院翌日から理学療法が開始となった．
- 既往歴：高血圧症（服薬にてコントロールされている）
  脂質異常症（服薬にてコントロールされている）
- 合併症：糖尿病腎症2期CKDステージG3a ⓐ，糖尿病神経障害 ⓑ，糖尿病単純網膜症
- 社会的背景：妻と長男夫婦，孫の6人暮らしで，食事は妻や嫁が作っている．町内会の役員など社会貢献活動を積極的に行っているため，外出の機会が多く会合などで外食することが多い．

2 理学療法経過

- 1日目は，昼食後1時間の時間帯に理学療法を開始した．最近の身体機能の変化や運動面の不都合を聞きながら理学療法評価を行った．評価後は，運動療法を実感してもらうために自転車エルゴメータを35 W（脈拍数110拍/分，自覚的運動強度は「楽に感じる」）にて16分間駆動（前後3分間25 Wのウォーミングアップとクーリングダウンを含む）運動を行う．

理学療法初回評価

①患者の意欲

- 「年末年始の食べ過ぎと運動不足で血糖値が高くなったが，生活習慣を改めて血糖コントロールを改善したい．安定して歩きグランドゴルフを再開するために脚の筋力を強くしたい」という希望があった．

②バイタルサイン

- 血圧：106/63 mmHg　体温：36.8℃　脈拍数：90拍/分

③血液検査データ

HbA1c ⓒ	8.6%	空腹時血糖値 ⓒ	74 mg/dL
総コレステロール	136.0 mg/dL	HDL コレステロール	54.0 mg/dL
中性脂肪	68 mg/dL	推算糸球体濾過量（e-GFR）	56 mL/分/1.73 m^2
クレアチニン	0.99 mg/dL		

④筋　力

	右	左
大腿四頭筋	27.1 kg（体重比 48.2%）	33.7 kg（体重比 59.6%）
握　力	41 kg	39 kg

⑤関節可動域

- 正　常

⑥歩行速度

- 通常歩行：5.5 km/時（6.5秒/10 m）
- 速歩：6.4 km/時（5.6秒/10 m）
- 右Duchenne歩行 ⓓ

⑦疼　痛

- な　し

⑧感覚検査

- 触覚・痛覚：正常
- 冷覚：足部が減弱（とくに右）
- 振動覚（128Hz音叉使用　右/左）：足関節内果　6秒/7秒
- 両側足底にしびれ感がある．

⑨腱反射（右/左）

- 膝蓋腱反射：－/＋，アキレス腱反射：－/－

⑩足背・後脛骨動脈の触知

- 両側ともに良好

⑪日常生活活動能力

- 自　立

⑫運動習慣

- 冬季以外はグランドゴルフを行っており活動的な運動習慣がある．

⑬神経伝達速度

- 感覚神経：腓腹神経　33.5 m/秒，他は正常
- 運動神経：正常

⑭自律神経機能検査 e

	血圧（mmHg）	HR（拍 / 分）	自覚症状
安静臥位時	106/63	80	
起立直後	80/49	92	ちょっとふらふらする
起立 1 分後	75/42	100	気分不快

⑮心電図

■明らかな異常なし．

⑯ABI（Ankle Brachial Pressure Index）

ABI＝（足首の収縮期血圧）÷（上腕の収縮期血圧）

■右：1.19　左：1.04（正常範囲：1.00≦ABI≦1.29）

⑰頸動脈エコー

■両側総頸動脈に高輝度プラークがあり，表面が不整で肥厚している．

⑱薬物療法 f

■経口血糖降下薬：メトホルミン（500 mg/日），シタグリプチンリン酸塩水和物（50 mg/日），グリメピリド（2 mg/日）

■インスリン注射：持効型溶解（朝1回，16単位）

■糖尿病薬以外の薬剤：フルスルチアミン（ビタミンB_1剤），トコフェロールニコチン酸（循環器官用薬），ベザフィブラート（高脂血症用薬），オルメサルタン（降圧薬），エパルレスタット（代謝性医薬），ベタネコール（自律神経薬）

⑲食事療法

■摂取エネルギー量：1,600 kcal/日，食塩：9 g/日，タンパク質：70 g/日

▷**理学療法プログラム**

1）血糖コントロールによる糖毒性の改善にあわせて専門チームがかかわり生活習慣の改善を促すための療養指導を行った．

2）自転車エルゴメータ16分間運動（25 W 3分→35 W 10分→25 W 3分）から開始し，以後運動時間と強度を漸増する．

3）筋力強化トレーニングとして片脚立ち中殿筋強化練習10秒を3回，スクワット運動を10回，踵上げ運動エクササイズ10回を1セット行う． g

4）起立動作などはゆっくりした動きを習得する（とくにグランドゴルフの球を拾う動作を想定して練習）．

5）歩行姿勢の指導（右中殿筋が収縮した状態での歩行練習）．

▷**開始後2日**

■13：30（昼食後）から理学療法プログラムを実施した．異常な自覚症状なし．

■17：00（夕食前）に低血糖自覚症状（冷汗）が出現し，SMBGが66 mmHgであったためブドウ糖10 g摂取し改善した．

■経口血糖降下薬のグルメピリド1 mg/日に減量された．

▷**開始後3日**

■13：30（昼食後）から運動療法を実施した．実施の際に「運動後数時間にわたって糖の消費量

が増えるため夜間にも低血糖が出現する可能性がある」ことを再度説明した.

▷**開始後5日**

■経口血糖降下薬のグルメピリド中止.

▷**開始後6日**

■9：00（朝食後）と13：30（昼食後）の1日2回の運動療法を実施とした.

■自転車エルゴメータをトレッドミル歩行運動に変更し，運動時間を20分間に延長した.

■歩行時は片手で軽く手すりにつかまり側方動揺を抑制することを意識させた.

■筋力強化トレーニングを3セットに増加した.

▷**開始後7日**

■持効型溶解インスリンが16単位から12単位に減量され，GLP1受容体作動薬0.3 mg/日が追加された.

▷**開始後8日**

■トレッドミル歩行時間を26分間に延長した.

■運動開始直後の3分間はゆっくり歩くウォーミングアップと終了直前の3分間をゆっくり歩くクーリングダウンについて再度説明し，安全な運動方法を習得するよう配慮した.

■手すりにつかまらずに側方動揺の抑制を意識して歩行練習を実施した.

退院時の状態（開始後11日）

①運動療法プログラムが習得され，朝食後と昼食後に自主的に約30分間の運動を実施している.

②歩行時の側方動揺が軽減され，グランドゴルフでの安全な動作方法などを習得した.

③入院で糖毒性が改善され経口糖尿病薬でのコントロールが可能になった.

	朝食前	昼食前	夕食前	22時
SMBG（mg/dL）	109	116	117	255

④過食と運動不足による血糖コントロールの乱れを経験して，治療の重要性を実感したようである.

⑤退院時の糖尿病薬

■経口血糖降下薬：メトホルミン（500 mg/日）

■インスリン注射：持効型溶解（朝1回，12単位）

■インスリン以外の注射薬：GLP1受容体作動薬0.3 mg/日

⑥退院時の食事療法

■摂取エネルギー量：1,600 kcal/日，食塩：9 g/日，タンパク質：70 g/日

▷**退院時指導（開始11日）** h

1）筋力強強化トレーニングとして片脚立ち中殿筋強化練習10秒を3回，スクワット運動を10回，踵上げ運動エクササイズ10回を3セット行う. g

2）グランドゴルフは週に3回，そのほかに地域の活動を行い外出の機会を維持する.

3）起立動作などはゆっくりした動きを継続する（とくにグランドゴルフの球を拾う動作）.

4）右中殿筋が収縮した状態での歩行を継続する.

5）歩行の安定化と姿勢の改善のためにポールウォーキングを紹介し実技指導を行う（**図10-4**）.

6）冬季間は外出の機会が減り運動量の減少するため，屋内での筋力強化トレーニングや家族の買い物に付き合うなど活動の機会を増やすよう配慮する．

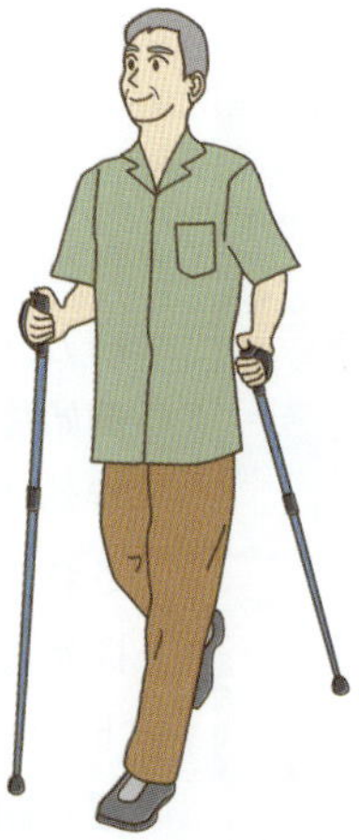

図 10-4 ポールウォーキング
ポールウォーキングは，2本のポール（ストック）を使って歩行運動を補助し，運動効果をより増強するとともに脚にかかる負担を軽減する歩行エクササイズの一種である．わが国では，踏み出した足の踵付近に反対側に手でもったポールを突いて歩行を補助するものを「ポールウォーキング」，ポールを突いて後方に向かって押し出して推進力にするものを「ノルディックウォーキング」と区別して呼ぶことが多い．

- 本症例は，疾患や自分自身の現状に関する認識が良好であり，骨折受傷前からグランドゴルフを定期的に行っていたため筋力が維持されており，順調な経過をたどった症例である．
- 高齢者は，外傷や環境変化により活動量が減少し急激に運動機能の低下が生じる場合があるので，地域の活動や介護保険サービスの利用など外出の機会を増やす配慮が必要である．

学習到達度自己評価問題

本章の「症例検討」において，対応するアルファベットの●を参照して下記の問いに答えなさい．

ⓐ糖尿病腎症がある場合に理学療法を実施するうえでの注意点について答えなさい．
ⓑ理学療法評価のなかで糖尿病神経障害を反映しているデータはどれか答えなさい．
ⓒHbA1cと空腹時血糖値から読み取れることは何か答えなさい．
ⓓDuchenne歩行を呈する際に歩行運動プログラムを立案するうえで留意すべき点を答えなさい．
ⓔ安静臥位時と起立直後の血圧の変動から読み取れることは何か答えなさい．
ⓕ経口血糖降下薬やインスリン注射を行っている場合に留意すべき点を答えなさい．
ⓖ高齢糖尿病患者にとって筋力強化トレーニングが必要な理由は何か答えなさい．
ⓗ退院後も運動療法を継続させるために留意すべき点を答えなさい．

11 高齢者の循環障害と理学療法 心疾患

一般目標

■高齢な心疾患患者の生活機能の改善のために，その障害像や病態，症状，治療法についての理解を深め，患者にとって最適な理学療法プログラムの立案・遂行能力を習得する.

行動目標

1. 心不全の障害像や症状など疾患の特徴について説明できる.
2. 高齢者の循環障害の機序について説明できる.
3. 心疾患患者の理学療法を安全に進めるためのバイタルサインの重要性について説明できる.
4. 心疾患患者に対して行う再発予防の自己管理方法を説明できる.
5. 高齢な心疾患患者に対する理学療法を実施するうえでの留意点について説明できる.

調べておこう

1. 心臓の解剖，生理を調べよう.
2. 虚血性心疾患，心不全について調べよう.
3. 危険な心電図を調べよう.
4. 心疾患を増悪させる要因と予防する方策を調べよう.
5. 以下の用語を調べよう.
   - ■左室駆出率（LVEF）
   - ■心胸郭比（CTR）
   - ■クレアチニンキナーゼ（CK）
   - ■脳性ナトリウム利尿ペプチド（BNP）
   - ■嫌気性代謝閾値（AT）
   - ■代謝当量（METs）

A 疾患の概要

LVEF：left ventricular ejection fraction
CTR：cardio thoracic ratio
CK：creatine kinase
BNP：brain natriuretic peptide
AT：anaerobic threshold
METs：metabolic equivalents

1 障害像

■高齢者では，加齢に伴って循環器系のさまざまな変化が現れてくることが知られている.

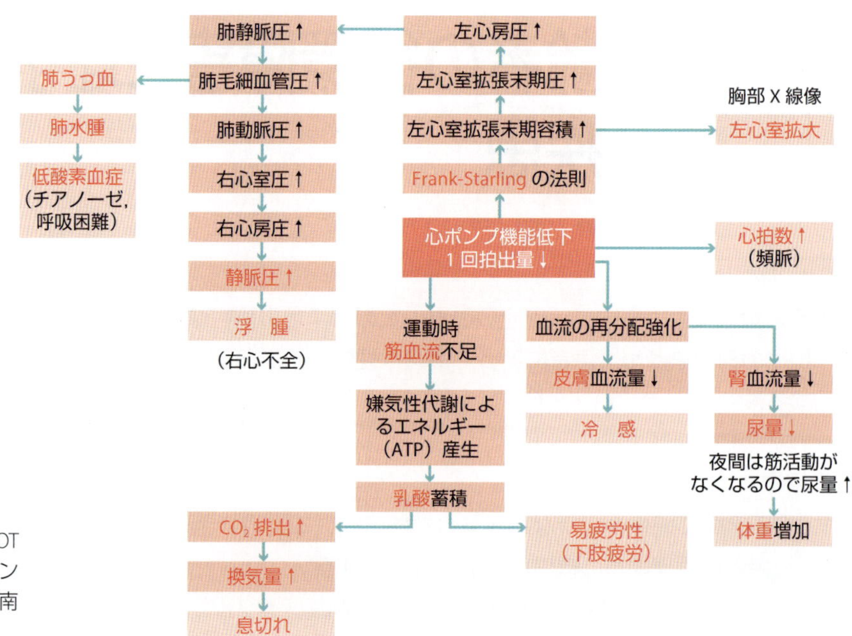

図11-1　心不全の病態
［ヒントレ研究所（編）：PT・OT基礎固めヒント式トレーニング，臨床医学編，第2版 p. 8，南江堂，2018より引用］

- 形態的には心臓の肥大化が起こり，機能的には自律神経系において交感神経の感受性が低下し，心臓を円滑に働かせる役割である刺激伝導系の変性などから期外収縮，洞不全，ブロックなどの不整脈が出現しやすくなる．
- 高齢者の心疾患患者の特徴は，低心機能で循環動態に影響を与える不整脈や高血圧などの難治例が多いこと，併存疾患（脳血管障害や骨関節疾患など）を重複してもち，病前からADLが低下している例が多いこと，もともとの運動耐容能が低いこと，加齢による臓器予備能の低下から多臓器不全に陥りやすいこと，安静臥床により脱調節deconditioningを起こしやすいこと，再発例が多いこと，などがあげられる．

ADL：activities of daily living

- とくに，高齢であるほど歩行障害が出現しやすく，80歳以上の心疾患患者の歩行障害の合併率は約30%である．

2 症　状

- 形態的・機能的変化から，高齢者では心拍数の増加が鈍くなり，心筋の収縮力が減少し，循環器系の調整機能がうまく働かず，動作時に呼吸困難感や息切れなどの症状が出現しやすい．
- 上記に加え，高血圧や心筋梗塞，心筋症，弁膜症などさまざまな原因で心臓のポンプ機能が低下し，全身が必要とする循環血液量が保てなくなり，身体のあらゆる臓器に水がたまる病態を心不全という（**図11-1**）．このとき，「息苦しさ」と「むくみ」といった症状が出現する．
- 高齢者の場合，軽度のうちは自覚症状が乏しいことも多いが，悪化すると急速に重症化することも特徴である．
- 心疾患の最終像である心不全は，医療技術の進歩による先進国の疾患であり，

表 11-1　NYHA 心機能分類

Class Ⅰ	心疾患を有するが，身体活動制限はない． 日常生活で著しい疲労・動悸・息切れ・狭心症は生じない．
Class Ⅱ	心疾患を有し，わずかに身体活動制限がある． 安静時には症状がないが，通常の身体活動で疲労・動悸・息切れ・狭心症を生じる．
Class Ⅲ	心疾患を有し，著しい身体活動制限がある． 安静時には症状がないが，通常の労作以下の身体活動で疲労・動悸・息切れ・狭心症を生じる．
Class Ⅳ	心疾患を有し，無症状では身体活動が行えない． 安静時にも心不全や狭心症の症状が起こり，どのような労作でも症状は増悪する．

狭心症	前胸部に絞扼感，圧迫感数分から 10 分以内の痛みが継続した後，安静により痛みは寛解する．	冠動脈が狭窄し，一過性の心筋虚血となる
心筋梗塞	激烈な疼痛が生じ，その痛みが 20 分以上継続する．安静により痛みは寛解しない．	血栓 冠動脈が閉塞し，心筋が壊死する

図 11-2　代表的な冠動脈疾患

50歳台で約1%の発症率が，80歳台では10%と急増し再入院率も高い．

- 日常生活の自覚症状から心機能を評価するものとして，主にNYHA心機能分類が用いられる（**表11-1**）．Class ⅠからⅣまでの4段階に分類され，軽症がClass Ⅰで，最も重症なのはClass Ⅳである．

NYHA：New York Heart Association

- NYHA心機能分類Class Ⅳの重症心不全では1年生存率が30～40%である．

memo

脱調節 deconditioning について

健常者でも長期臥床を強いられることにより，身体調節異常が生じることが明らかにされており，運動耐容能低下や心拍血圧調節機能異常，廃用性筋萎縮，骨粗鬆症など deconditioning の概念が確立されている．心疾患患者では，心筋の虚血や心機能低下に基づく循環障害に加え，安静臥床に伴う身体活動性の低下により，運動耐容能の低下（身体的 deconditioning）ならびにうつ，不安の増大（精神的 deconditioning）などを認める．

B　治療の概要

- 急性期の冠動脈疾患（**図11-2**）に対する代表的な治療は，経皮的冠動脈形成

PCI：percutaneous coronary intervention
CABG：coronary artery bypass grafting

術（PCI）や，冠動脈バイパス術（CABG）などの再灌流療法があり，いずれも冠動脈の血流を再開させるものである．

- 心臓の手術成績向上や低侵襲化により，80歳以上の高齢者も手術の適応となっており，術後の平均余命は一般高齢者とほぼ変わらず，若年者と同等の治療効果が得られるとされている．
- 侵襲的な治療の選択は，日常生活や社会生活や趣味活動などが円滑に行えている高齢者において，本人の希望もふまえて検討される．
- 高齢の虚血性心疾患患者で，侵襲を伴う治療自体に耐えられない場合，身体に大きな負担がかかる手術を選択せず，冠動脈の狭窄部位を残したまま，血圧や心拍数を調整する薬物療法で症状を抑えることもある．
- 心不全に対する治療は，薬物療法，食事療法，活動制限や運動療法，手術療法，和温療法などがあり，体外限外濾過法（ECUM）や持続性動静脈血液濾過，心臓ペースメーカー，大動脈内バルーンパンピング（IABP），経皮的心肺補助法（PCPS），左心補助装置（LVAS）などの機械的治療も行われる．

ECUM：extracorporeal ultrafiltration method
IABP：intraaortic balloon pumping
PCPS：percutaneous cardiopulmonary support
LVAS：left ventricular assist system

- 心不全の急性期では，過剰な循環血液量を補正する利尿薬治療，血管拡張薬治療と強心薬，および酸素療法などの補助治療が主体である．
- 急性期以降は，原因疾患や病態の特定が重要であり，管理上必要な知識を患者，家族およびその他の介護者にもたせることが，再発予防や生命予後の改善につながる．

memo

心疾患患者の再発予防のための自己管理

自己管理方法を獲得するためには，心不全症状を適切に解釈し，自身で確認でき，適切な療養行動が行えなければならない．具体的な自己管理方法としては，毎日決まった時間での血圧・脈拍・体重測定，服薬の確認，適度な運動である．退院後の経過で，バイタルサインの変化を認めた場合は，早めにかかりつけの医師に相談するように指導することも，医療スタッフの一員である理学療法士の重要な役割である．

C　理学療法の概要

医師の指示に基づいて段階的にADLの範囲を拡大する．理学療法を実施する前に診療記録から評価を行い（**表11-2**），患者自身にも前日からの体調変化や自覚症状の有無を聴取する（**表11-3**）．高齢者の場合，多くの併存疾患や入院前からの不活動により，いわゆる離床が過負荷になるケースも少なからず存在する．離床を進める際は，バイタルサインの変化を慎重に確認しながらADLの獲得を図っていく必要がある．ADLや歩行能力は，心肺機能よりもバランス機能や筋力などの運動機能によって規定されることが多く，なかでも歩行速度は心血管死や全死亡の予測因子であることが明らかとなっていることから，適切なリスク管理下での筋力強化や歩行を中心とした理学療法は重要である．

表 11-2 診療記録からの評価

検査方法（内容）	得られる情報	予測できる症状
■冠動脈造影検査 ■冠動脈 CT 検査 ■心臓 MRI 検査	冠動脈狭窄の有無，程度	胸 痛
■心エコー図検査（LVEF）	心臓のポンプ機能障害の程度	−
■ 12 誘導心電図検査 ■ホルター心電図検査 ■運動負荷心電図検査	不整脈の種類，頻度	動 悸 失 神
■血液・生化学検査（BNP）	心不全の重症度	−
■胸部 X 線検査（CTR）	心肥大や肺うっ血の有無	呼吸困難

表 11-3 体調変化や自覚症状の確認の質問例

質問例	心不全増悪時のサイン
■（昨日と比べて）血圧は変わりありませんか？	血圧上昇
■夜は眠れていますか？ ■息苦しさで目を覚ますことはありませんか？	起座呼吸，発作性夜間呼吸困難出現
■手足にむくみはありませんか？ ■おしっこは出ていますか？ ■体重は増えていませんか？	浮腫の増加，尿量低下，体重増加
■胸が痛いことはあますか？ ■ドキドキする感じはあますか？	狭心症状，動悸出現
■手足が冷たくはありませんか？	四肢冷感
■なんとなく身体がだるくはありませんか？	末梢骨格筋への血流低下

1 急性期

- 臥位の状態でバイタルサインを確認する．血圧測定の際には橈骨動脈を触知し，脈のリズム，拍動の強さを確認する．また，上下肢にふれ，四肢冷感や浮腫の有無も同時に評価する．
- 絶対安静の指示がなければ，加齢による発症前からの能力低下の影響を考慮したうえで，ベッド上での低強度の運動から開始する．
- ギャッチアップ座位から端座位へとすすめ，運動療法の中止基準（**表 11-4**）に従い，自覚症状を含めたバイタルサインをそのつど確認する．
- 自力座位が可能になれば，可能な限り履き慣れた靴を履き，起立させる．開始時は後方に倒れやすいことや起立性低血圧出現のリスクも存在するため，動作の見守りや自覚症状の確認を十分に行い，足踏みや踵（かかと）上げなどを併用して，その予防と下肢の支持性を確認する．
- 主治医の指示の範囲内で自覚症状を確認し，モニター心電図監視下で歩行させる．必要に応じて歩行補助具（杖，歩行器など）を使用する．歩行距離をあらかじめ患者に説明し，歩行速度は快適速度とする．
- 運動時の反応を医師に報告し，段階的に ADL の範囲を拡大する．

表 11-4　心疾患患者における理学療法中止基準

心電図モニター管理における基準
1. 安静時心拍数が 120/ 分，あるいは 40/ 分以上増加（運動処方があるときは処方に従う）
2. 運動時の心拍数低下
3. 危険な不整脈の新たな出現
（ア）3 連発以上の心室性期外収縮（VT）
（イ）2 連発以上の心室性期外収縮（Couplet）
（ウ）上室性頻脈（上室性頻拍や発作性心房細動）
（エ）徐脈性不整脈（洞不全症候群や 2 度以上の房室ブロック）
その他の基準
4. 胸痛，呼吸困難，動悸などの自覚症状の出現
5. 血中酸素飽和度（SpO_2）が 90% 以下，あるいは安静時より 5% 以上低下
6. 運動後明らかな血圧の低下

2 回復期

- バイタルサインの測定を行った後に，ウォーミングアップを行う．心不全患者は血管拡張能の低下があるため，ウォーミングアップ時間を長くとらせる．
- 有酸素運動は自転車エルゴメータや歩行運動を5 ～ 10分程度から開始し，運動中は自覚症状とともにバイタルサインを確認する．高齢者の場合は長時間の歩行が過負荷になることもあるため，軽負荷で長時間の運動が可能な運動様式（低負荷インターバルトレーニングなど）の検討は必須である．調子がよいという理由だけで運動強度や運動時間をすぐに増やさず，低強度，短時間から開始し，運動強度をしっかりと覚えてもらえるようにする．

RPE：rate of perceived exertion

- レジスタンストレーニングは，自覚的運動強度（RPE，**表10-2**参照）で「ややきつい」を上限とし，高齢者では10 ～ 15回から開始し，2 ～ 4セット程度まで漸増する．上肢の運動効率は下肢よりも低く，同じ運動強度でも心負荷が強くなることがあるため，注意が必要である．
- 運動中にも運動療法の効果を十分に説明し，運動の必要性や危険性についての理解を促す．
- 自宅復帰後に想定される趣味活動動作，仕事動作，家事動作練習を行い，動作中は自覚症状とともにバイタルサインを確認する．過負荷の場合は禁止を告げるのではく，他の動作方法の助言などをすすめる．

memo

バイタルサインとは

バイタルサインは，ヒトの生命に関する最も基礎的な情報となるものである．代表的なものとしては，体温，脈拍，血圧，呼吸数，意識レベルがある．心疾患患者において，体温は末梢循環不全の有無を，脈拍・血圧では全身の循環動態を，呼吸は呼吸困難感とガス交換の異常を反映することがあるため，正確なバイタルサインを測定することが重要である．

症例検討

1 患者プロフィール

74歳 男性 身長：170.8 cm 体重：69.8 kg

- 診断名：急性心筋梗塞
- 現病歴：朝方に胸部に不快感が出現するも，自宅にて様子をみていた，同日夕方になっても症状に変化がみられなかったため，他院を受診した．12誘導心電図にてST上昇を認めたため，当院に救急搬送され，急性心筋梗塞と診断される．同日PCIを施行し，冠動脈主幹動脈の100％閉塞が0％に改善した．翌日より急性心筋梗塞後プロトコールに従って離床を進めるように主治医より指示あり．理学療法開始となった．
- 併存疾患：高血圧，糖尿病，大動脈弁狭窄症
- 社会背景：独居
- 入院前運動習慣：ウォーキング，畑仕事

2 理学療法経過

- 診療記録評価 a （理学療法開始前）
- 血液生化学検査 Max CK：8,125 IU*/L，BNP：464 pg/mL

IU（International unit） 酵素活性の単位．「至適条件下で，試料1L中に，温度30℃で1分間に1 μmolの基質を変化させることができる酵素量を1単位とする」と定義されている（日本臨床検査医学会より引用）．

- 胸部X線写真 CTR*：58％

心胸郭比（Cardio Thoracic Ratio：CTR） 胸部X線写真で，胸郭で最も幅の広い部分の長さと，心臓の最も幅のある部分の長さの比のことである．心臓の大きさを簡便に知ることができる検査であり，CTR ≧ 50％で心拡大ありと判定される．

- 心エコー図検査 LVEF：20％
- PCI施行翌日より病室にてベッド上練習から開始した．臥位でのバイタルサインを確認し，脈のリズムに不整はなく，四肢冷感がないことも確認した．
- 同日に起居動作，端坐位，起立までの離床を実施した．高齢で高血圧，大動脈弁狭窄症を合併しており，自覚症状はなくバイタルサインの変動が起こる可能性が高かったため，心電図モニター監視下で正確なバイタルサインを確認し運動療法を実施した．
- 高齢ではあったが，入院前から活動的であり，臥床期間も短かったため，離床に際して起立性低血圧 b や運動療法の中止基準にあてはまるような状況は認めなかった．
- 運動時の反応を主治医に報告し，PCI施行4日目より車いす駆動介助下にて運動療法室での理学療法実施の許可あり．評価結果は以下のとおり．

理学療法初回評価

①患者のモチベーション

- 運動に対する意欲は高く，頑張りすぎてしまう傾向あり．

②バイタルサイン

- 体温：36.3℃ 血圧：101/72 mmHg 脈拍：81 bpm（洞調律） SpO_2：98％ 呼吸数：16回，

意識清明

③筋　力

- 握力：40 kg/37 kg（利き手：右）
- 膝伸展筋力（hand held dynamometer［HHD］にて測定）：341 N/290 N
- 足関節底屈筋力（MMT）：5/5

④バランス能力

- 片脚立位保持：3.1秒/2.4秒

⑤歩行能力

- 独歩自立レベル
- 10 m歩行速度：0.97 m/秒（快適），1.37 m/秒（努力）
- 連続歩行距離：291 m（＊一過性にHR 140まで上昇したため4分で終了）

⑥NYHA心機能分類 C

- Class Ⅲ

- 評価結果を基に，運動療法室ではウォーミングアップから開始し，有酸素運動（自転車エルゴメータ駆動），バランス練習，歩行練習を実施した．自覚症状はないものの，運動時の心拍数の増加は著しい状態であったため，運動強度は低強度，短時間の低負荷インターバルトレーニングから開始し，運動強度と心拍数応答の状態について覚えてもらうように促しながら実施した．

▷ **PCI施行7日目**

- 階段昇降練習を開始した．1階分の昇降（3.5～4 METs）であればバイタルサインに問題がないことを確認した．

▷ **PCI施行8日目**

- 理学療法再評価を実施した．結果は以下のとおり．

理学療法再評価

①バイタルサイン

- 体温：36.5℃　血圧：103/69 mmHg　脈拍：80 bpm（洞調律）　SpO_2：97%　呼吸数：15回
  意識清明

②筋　力

- 握力：42 kg/38 kg（利き手：右）
- 膝伸展筋力（hand held dynamometer［HHD］にて測定）：416 N/394 N
- 足関節底屈筋力（MMT）：5/5

③バランス能力

- 片脚立位保持：28秒/10.5秒

④歩行能力

- 10 m歩行速度：1.12 m/秒（快適），1.39 m/秒（努力）
- 6分間歩行試験：240 m　peakHR 112　自覚症状（Borgスケール）：11（楽である）

⑤NYHA心機能分類

- Class Ⅱ

▷ **PCI施行10日目**

■ 心肺運動負荷試験ⓓ実施（AT処方心拍数：110～120 bpm）

▷ **PCI施行11日目**

■ 自宅退院後に想定される動作を処方心拍数内で行えるかどうかを確認した．ウォーキング（2.0～4.3 METs）は，歩行速度を下げる必要があること，畑仕事（4.8～7.8 METs）は現段階では過負荷になることが明らかとなった．

▷ **PCI施行14日目**

■ 自宅退院となった．ADL動作自体は可能となったが，入院前に行っていたウォーキングや畑仕事は，その動作自体が心臓に対して過負荷になることが評価結果から明らかとなった．安全に入院前の生活に戻りたいとの希望もあり，さらなる運動耐容能向上を目的に外来での理学療法を継続することとなった（2回/週）．また，退院直後は，運動療法時に覚えた通常のペースよりも遅いペースで，休憩を入れながら動作を行うよう指導した．

■ 本症例は，発症前より活動的な方であり，離床自体はスムーズに実施でき，ADLは順調に自立した．しかし，運動自体が心疾患再発のリスクⓔとなり得るケースであり，入院前の生活に戻るためには動作指導や理学療法の継続が必要であったケースといえる．

■ 本症例とは異なるが，より高齢者の場合，入院前よりADLに介助を要す例を多く経験する．ADL要介助例は，歩行を獲得する前でも運動療法室での理学療法に移行し，いわゆる有酸素運動（自転車エルゴメータ駆動など）を行うことに固執せず，バイタルサインを確認しながらADL練習を中心に行うことが望ましい．また，運動療法の中止基準に当てはまる不整脈を安静時から認めることもあり，そのような症例の場合は主治医と相談し，病態に応じた個別の中止基準を定めて実施しなければならない．

学習到達度自己評価問題

本章の「症例検討」において，対応するアルファベットの●を参照して下記の問いに答えなさい．

ⓐ理学療法開始前の診療記録評価の検査データから読み取れることは何か答えなさい．

ⓑ起立性低血圧とは何か答えなさい．また，いつから起こる可能性があるかを答えなさい．

ⓒNYHA心機能分類で運動療法の適応はどこからか答えなさい．

ⓓ心肺運動負荷試験とは何か答えなさい．

ⓔ心疾患再発のリスクとなるものを答えなさい．

12 高齢者の呼吸器障害と理学療法 呼吸器疾患

一般目標

- 高齢な呼吸器疾患患者の生活機能の改善のために，その障害像や病態，症状，治療法についての理解を深め，患者にとって最適な理学療法プログラムの立案・遂行能力を習得する．

行動目標

1. 高齢者に多い呼吸器疾患について説明できる．
2. 慢性閉塞性肺疾患や肺炎の障害像や症状，予後など疾患の特徴について説明できる．
3. 呼吸器疾患患者に対する理学療法の手技の特徴を説明できる．
4. 高齢な呼吸器疾患患者に対する理学療法を実施するうえでの留意点について説明できる．

調べておこう

1. 呼吸の全容と気道・肺胞のしくみ，呼吸筋と胸郭などの呼吸の解剖・生理について調べよう．
2. 呼吸機能検査とその意義を調べよう．
3. ガス交換と酸塩基平衡について調べよう．
4. 胸部X線像の見方について調べよう．
5. 以下の用語を調べよう．
   - Flow Volume Curve
   - 肺胞気動脈血酸素分圧較差（A-aDO_2）
   - 換気障害の分類
   - パルスオキシメーター（SpO_2）
   - Jacobson's progressive relaxation

A　疾患の概要

A-1. 慢性閉塞性肺疾患

1 障害像

COPD：chronic obstructive pulmonary diseases

- 慢性閉塞性肺疾患（COPD）は，タバコの煙を主とする有害物質を，長期に吸

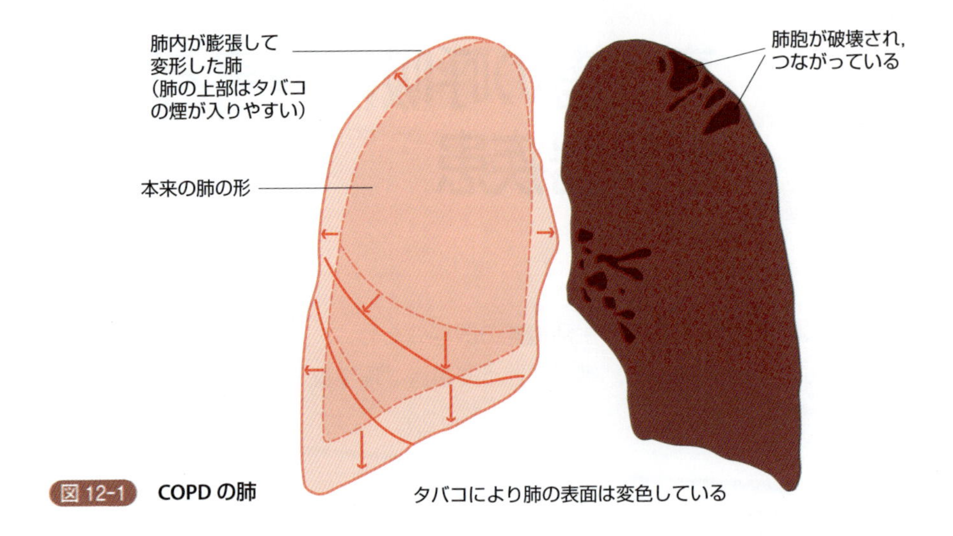

図 12-1 **COPD の肺**

入曝露することで生じた肺の炎症疾患である．呼吸機能検査で正常に復すことのない気流閉塞を示す．気流閉塞は，末梢気道病変と気腫性病変（肺胞領域の破壊）がさまざまな割合で複合的に作用することにより起こり，進行性である．臨床的には徐々に生じる体動時の呼吸困難や慢性の咳，痰を特徴とする（**図12-1**）．

- 肺気腫，慢性気管支炎，およびその合併による閉塞性換気障害を呈する疾患とされていたが，現在は肺気腫や慢性気管支炎を区別せずCOPDと総称するようになっている．
- 呼吸機能検査では1秒量（FEV_1）を努力肺活量（FVC）で割った1秒率（FEV_1/FVC）が70%未満のときに閉塞性換気障害を示す．フローボリューム曲線が下に凸の形を示す．肺気量分画の特徴として残気量の増大を認める．
- 呼吸不全の分類としては，$PaCO_2 \leqq 45$Torr，A-aDO_2開大（Ⅰ型）ではなく，$PaCO_2 > 45$Torr，A-aDO_2が開大しない（Ⅱ型）になることが特徴的である．
- 重症度分類（**表12-1**）は標準に対する予測1秒量（%FEV1）を用いる．

2 症 状

- 息切れ，咳嗽，痰などの気道症状が多く，外見上の特徴としてビール樽状胸郭

memo

ヒュー・ジョーンズ Hugh-Jones 分類

慢性呼吸不全，呼吸困難の指標としてヒュー・ジョーンズ分類が用いられる（**表**）．

表 **ヒュー・ジョーンズ分類**

Ⅰ度	同年齢の健常者と同様の労作ができ，歩行，階段の昇降も健常者なみにできる．
Ⅱ度	同年齢の健常者と同様に歩行できるが，坂，階段の昇降は健常者なみにできない．
Ⅲ度	平地でさえ健常者なみに歩けないが，自分のペースでなら 1 km 以上歩ける．
Ⅳ度	休みながらでなければ 50 m 以上歩けない．
Ⅴ度	会話，衣服の着脱にも息切れがする．息切れのため外出できない．

表 12-1 COPD 病期分類

病期		定義
Ⅰ期	軽度の気流閉塞	$\%FEV_1 \geqq 80\%$
Ⅱ期	中等度の気流閉塞	$50\% \leqq \%FEV_1 < 80\%$
Ⅲ期	高度の気流閉塞	$30\% \leqq \%FEV_1 < 50\%$
Ⅳ期	きわめて高度の気流閉塞	$\%FEV_1 < 30\%$

気管支拡張薬吸入後の FEV_1/FVC 70% 未満が必須条件.
[日本呼吸器学会編集:COPD（慢性閉塞性肺疾患）診断と治療のためのガイドライン, 第5版, p. 50, 日本呼吸器学会, 2018 より許諾を得て転載]

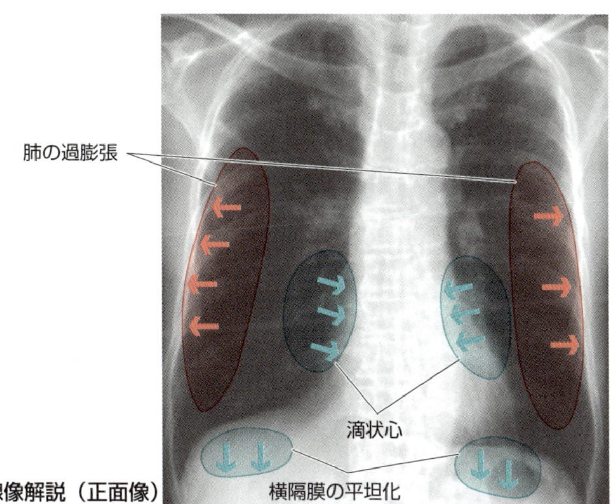

図 12-2 COPD の胸部 X 線像解説（正面像）

や奇異呼吸（胸郭が吸気時に収縮し, 呼気時に拡張するもの. シーソー呼吸ともいう), フーバー Hoover 徴候*がみられる.

- 胸部X線像（図12-2）では肺の著明な過膨張・透過性亢進, 肺血管影の減少, 横隔膜の平坦化, 胸骨後腔の開大がみられる.

*フーバー徴候　呼気時に下部胸郭が正中側に牽引されて内側に陥没するもの.

A-2. 肺　炎

1 障害像

- 肺炎pneumoniaは, 肺実質の急性かつ感染性の炎症である.
- 原因となる微生物により, 肺炎球菌, インフルエンザ, ブドウ球菌などの細菌性肺炎とマイコプラズマ, レジオネラなどの非定型肺炎に分類される.
- 疫学的には死因において悪性新生物, 心疾患, 老衰, 脳血管疾患につぐ第5位であり, 高齢になるに従い増加し, 90歳以上の男性では第4位となっている(2019年人口動態統計).
- 嚥下性肺炎（誤嚥性肺炎）は脳血管障害患者や高齢者に多い.

2 症　状

- 全身症状として発熱, 悪寒, 倦怠感, 呼吸症状として咳嗽, 喀痰（膿性痰),

胸痛，呼吸困難がある．聴診では，断続性ラ音coarse cracklesが認められる．あるいは呼吸音が減弱，消失する．

- 炎症性の刺激や細胞の破壊が生じるため，白血球が増加しC反応性タンパク質（CRP）*が上昇する．
- 呼吸数・脈拍の増加，血圧・SpO_2の低下，チアノーゼの出現が観察される．
- 胸部X線像では気管支透亮像を伴う浸潤影か，すりガラス陰影がみられる．

＊C反応性タンパク質
炎症反応の指標で，基準値は0.3 mg/dL以下である．
CRP：C-reactive protein

memo

呼吸理学療法の位置づけ

呼吸器疾患，呼吸器障害への理学療法には「呼吸理学療法」「呼吸リハビリテーション」「肺理学療法」「胸部理学療法」とさまざまな呼び方があり，概念自体が曖昧に理解されているとの指摘がある．呼吸リハビリテーションは，「呼吸器の病気によって生じた障害がある患者に対して，可能な限り機能を回復，あるいは維持させることにより，患者自身が自立できるように継続的に支援していくための医療」である．直接的な治療だけではなく，精神的な支えや栄養指導，患者教育にいたるまで多職種が協働して行っていくものである．呼吸理学療法はこれらの多岐にわたるアプローチのうちの1つである．肺や胸部という局部的なアプローチではなく呼吸全体にかかわることから従来，「肺理学療法」「胸部理学療法」と呼ばれていたものが，近年「呼吸理学療法」といういい方になってきている．

B　治療の概要

呼吸器障害の治療は，呼吸不全の病態を把握することから始まる．慢性呼吸不全の定義は，呼吸不全状態が少なくとも1ヵ月間は持続した状態としている．治療は原因疾患によって異なるものはもちろんであるが，原則は呼吸不全の病態に応じて**表12-2**のように分類される．とくに肺胞換気量が低下するII型呼吸不全の場合はCO_2ナルコーシスに注意し，換気補助（非侵襲的陽圧換気）を念頭に置かなければならない．高齢者の低酸素血症は合併症として多臓器機能不全を引き起こしやすい．なかでも肺性心*はリスク因子として最も重要なもので，その予防と管理は経過を大きく左右する．その他，低酸素症により電解質・代謝異常，腎機能不全，肝機能不全，胃・十二指腸潰瘍がみられる．これらを踏まえ，呼吸器障害によって損なわれた日常生活活動能力の遂行を容易にしたり，適宜評価を行いながら自立に向けた基本的起居動作能力の獲得を支援したりすることが重要である．

＊肺性心　肺小動脈の血管抵抗増大による右室肥大．

B-1．慢性閉塞性肺疾患

- 慢性閉塞性肺疾患の治療において最優先されることは「禁煙」である．つぎに薬物療法がある．
- 喀痰調整薬と気管支拡張薬の吸入，抗コリン薬（長期間作用型）の吸入が主体となり，さらに相乗効果を狙ってβ_2刺激薬の吸入（短時間作用型）が併用さ

表 12-2 呼吸不全の病態からみた分類と選択される呼吸療法

病 態	PaO_2	$PaCO_2$	呼吸管理法の原則
肺胞低換気	低 下	上昇：> 45 mmHg	換気補助ないし強制換気
肺胞レベルのガス交換障害（Ⅰ型）	低 下	正常か低下	酸素投与±換気補助
肺胞低換気＋ 肺胞レベルのガス交換障害（Ⅱ型）	低 下	上昇：> 45 mmHg	酸素投与±換気補助

れる．β_2刺激薬は，貼付薬があるので高齢者で吸入がうまくできない場合は有用である．

- 急性増悪の原因となる感染症の予防は，きわめて重要であり，インフルエンザワクチン接種で重症COPDの肺炎発症率が有意に低下することが明らかになっている．
- 重度になれば酸素療法が行われ，在宅酸素療法（HOT）は長期予後において改善が証明されている．

HOT：home oxygen therapy

B-2. 肺 炎

- 肺炎の治療は，速やかに最も有効な抗微生物薬を使うことが原則となる．しかし，現実的には培養，同定に時間を要するので，初期治療には肺炎球菌などを想定してペニシリン系薬物が用いられることが多い．
- 呼吸管理においては低酸素血症に応じて酸素療法が行われる．
- 合併症のない肺炎ではⅠ型呼吸不全が主体であるが，COPDや慢性呼吸不全の状態でのⅡ型呼吸不全では急激に悪化する場合が少なくない．
- 重症肺炎では，非侵襲的陽圧換気や気管挿管下人工呼吸管理がある．しかし，気道分泌液が多く，排出困難な場合はリスクを伴う．

C 理学療法の概要

呼吸理学療法は，呼吸障害の予防と治療のために適応される理学療法の手段と定義される．その手段は手技によって多少の違いはあるものの，息苦しさの軽減や，動作時の息苦しさを改善するためのリラクセーション，分泌物を移動して排出する排痰法，換気効率や息苦しさ，動作能力の改善するための呼吸練習，胸郭の柔軟性を改善するための胸郭ストレッチング，血中乳酸濃度の低下や換気亢進の抑制など運動耐用能の改善を目的とした運動療法などがある．そのほかに禁煙指導，服用薬の種類や方法の正しい理解，うがい，手洗い，入浴時など日常生活の注意点，栄養，口腔ケアについても指導する．

高齢者は，他疾患を有する場合も多く，身体を動かすことが少ない．さらに呼吸困難に伴う運動量の低下がさらなる障害を形成していく．無理なく運動が実施できる状態を担保し，重要性を理解して継続してもらうことがADLの維持につながる．また，認知症などの精神面での問題を抱える場合もある．呼吸困難感からうつ状態に陥りやすく，理学療法に対し積極的な姿勢がみられないことも多い

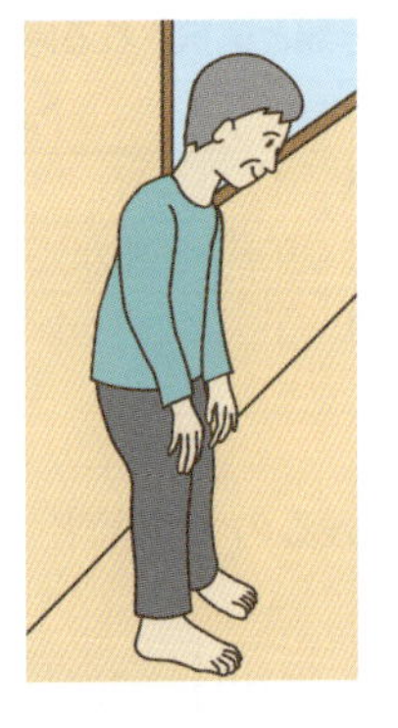
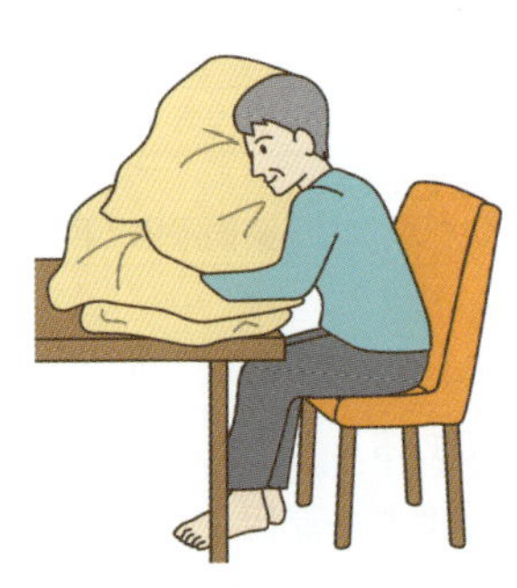

図 12-3　リラクセーションの得られやすい姿勢

ので慎重に動機づけを図る必要がある.

C-1. 慢性閉塞性肺疾患

ADL：activities of daily living

- 慢性閉塞性肺疾患の呼吸理学療法は，呼吸困難を引き起こさないことが原則であり，リラクセーション，気道クリーニング，呼吸練習，運動療法，ADLの指導がある.

1 リラクセーション

- 呼吸困難からくる呼吸補助筋の緊張を抑制し，悪循環となる酸素の余分な消費を減らす.
- 酸素消費量と残気量の減少を目的に，具体的には肩甲帯を動かさない状態での呼吸が可能な安楽体位（ポジショニング）（**図12-3**）を探り，それを指導する.
- 具体的な手技としては，Jacobson's progressive relaxation，呼吸補助筋群のストレッチングやマッサージなどが行われる.
- 横隔膜を働きやすくし，頸部周辺の呼吸補助筋が弛緩しやすいポジションは，呼吸困難によるパニック時にも有効で呼吸練習の基本となる．安楽体位と呼吸コントロール法を身につける.

2 気道クリーニング

- COPDのなかでも痰の過分泌で，排出能力の低い慢性気管支炎，びまん性汎細気管支炎に最も有効である.
- 痰の貯留は喀出努力や気道閉塞を増強し，線毛の破壊や気道感染の誘因となる.
- 薬物療法と併用し，痰の粘性を下げた状態で，重力を利用した体位排痰法を行う.
- 排痰体位で軽打法percussion，振動法vibration，スクイージングsqueezingなどの徒手的排痰手技を加える.
- 近年，軽打法や振動法の有効性が疑問視されてきており，スクイージングが最も喀痰量が多く侵襲が少ないとされている．しかし，強制的に呼気を絞り出すことから肺胞虚脱をきたし，換気機能を低下させる危険性があるので注意が必

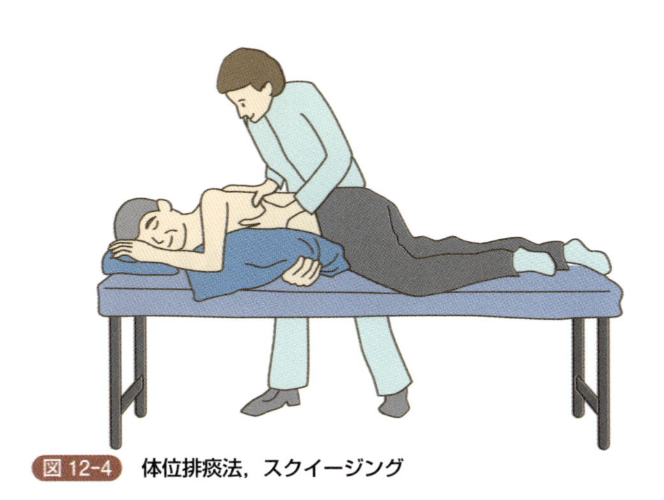
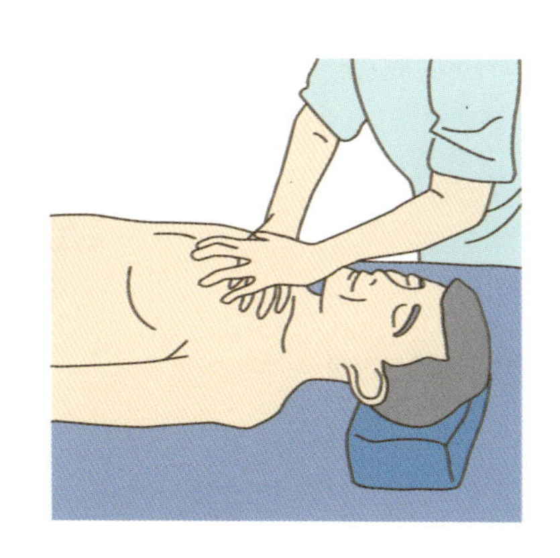

図 12-4 体位排痰法，スクイージング

要である（図12-4）.

3 呼吸練習

- 口すぼめ呼吸と横隔膜呼吸が主となる.
- 口すぼめ呼吸は，呼気に際して口をすぼめ，ゆっくり息を吐き出す呼吸法である．横隔膜呼吸と同時に行い，呼気は吸気の2～3倍の時間をかけるようにする.
- 気道内圧を上昇させることから，呼吸数の減少，分時換気量の減少，1回換気量の増加，酸素当量の減少，血液ガスの改善などが期待できる.
- 鼻から吸うことで，外気が適温適湿になり，ほこりなどが浄化されるので，刺激のない安全な吸気となる.
- 呼気に際して口をすぼめ，口腔内に抵抗を作ることで，これが気道内圧に影響し，気管支内外の圧の差が減少し，気道の虚脱を起こしにくくなる.
- 横隔膜呼吸は，呼吸補助筋の活動を抑制し，深くてゆっくりとした呼吸を促す方法である．1回換気量が増加し，呼吸数と分時換気量が減少することで，呼吸仕事率と PaO_2 の上昇が期待できる.
- 吸気時に軽い持続的な圧迫を加えたり，上腹部に砂嚢をのせるなどして横隔膜の動きを促通する呼吸練習も有効とされている（図12-5）.

4 呼吸筋トレーニング

a. 腹部重錘負荷法

- 腹部に重錘をのせた状態で横隔膜呼吸を行う方法で，重錘の重みに抗して腹部の拡張運動を行うことで横隔膜の筋力強化を試みる．この方法はエビデンスとして確立しているわけではないが，わが国では歴史的に行われてきたものであり，呼吸筋の運動練習として理解されている.

b. 胸郭可動域練習

- 肺容量の拡大や胸郭の柔軟性改善を目的に行われる手技であり，胸郭に対して徒手的に伸張を加える方法のほか，棒を使った呼吸に合わせて行う体操を実施

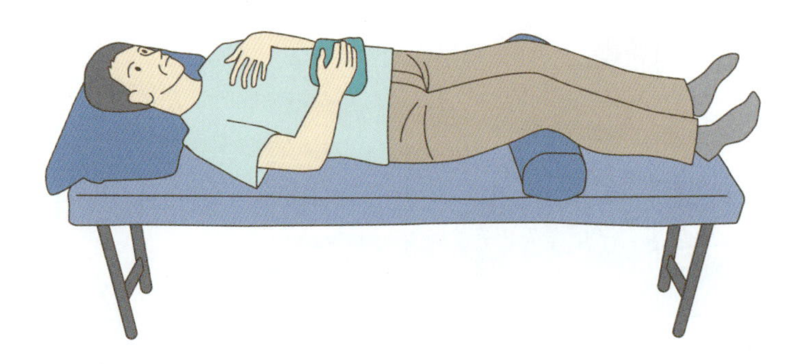

図 12-5　横隔膜呼吸

する．

c．呼気介助法

■徒手的に胸郭運動を他動的に介助する．患者の胸郭に手掌面を当て，呼気に合わせて胸郭を生理的な運動方向へ圧迫し，吸気時には圧迫を解放することを繰り返す．

5 ストレッチング

■骨関節筋を良好な状態にする目的で，骨格筋を伸張させる運動である．骨格筋の柔軟性を高め，関節の可動域を拡大することを目的に行われる．

■呼吸困難感の軽減を目的として収縮している呼吸筋をストレッチングすることも大切である．

6 運動療法

■息切れの軽減，運動耐用能の改善をはかる．また，胸郭の柔軟性しいては肺の弾性を高める目的をもつ．

■呼吸循環系の機能を高める自転車エルゴメータやトレッドミルなどのほかに，体幹・上下肢の運動を用いた呼吸体操があげられる．

■呼吸体操は，胸郭周囲筋の伸張性や胸郭の可動性を改善し，換気運動に要する負担を軽減し，呼吸困難感を和らげる効果をもつ（**図12-6**）．

■歩行練習は，連続歩行距離や歩行時間を測定し，主観的運動強度をNew Borg Scale（**表12-3**）で確認しながら進める．

■実際に身体を動かしてみることで，「運動すると呼吸困難を起こすのでは」といった恐怖心や不安感を軽減する効果もある．

7 日常生活活動の指導

■日常生活活動の指導は，息切れの現れる動作を確認し，運動耐用レベルを把握する．

■着替えや入浴など具体的に体位ドレナージと合わせて息切れの現れる活動を確認し，呼吸に合わせた方法を指導する．

■単純にゆっくりとした呼吸パターンではなく，歩行時や階段昇降時に呼吸パターンと歩調を協調させる方法paced breathingを支援する．

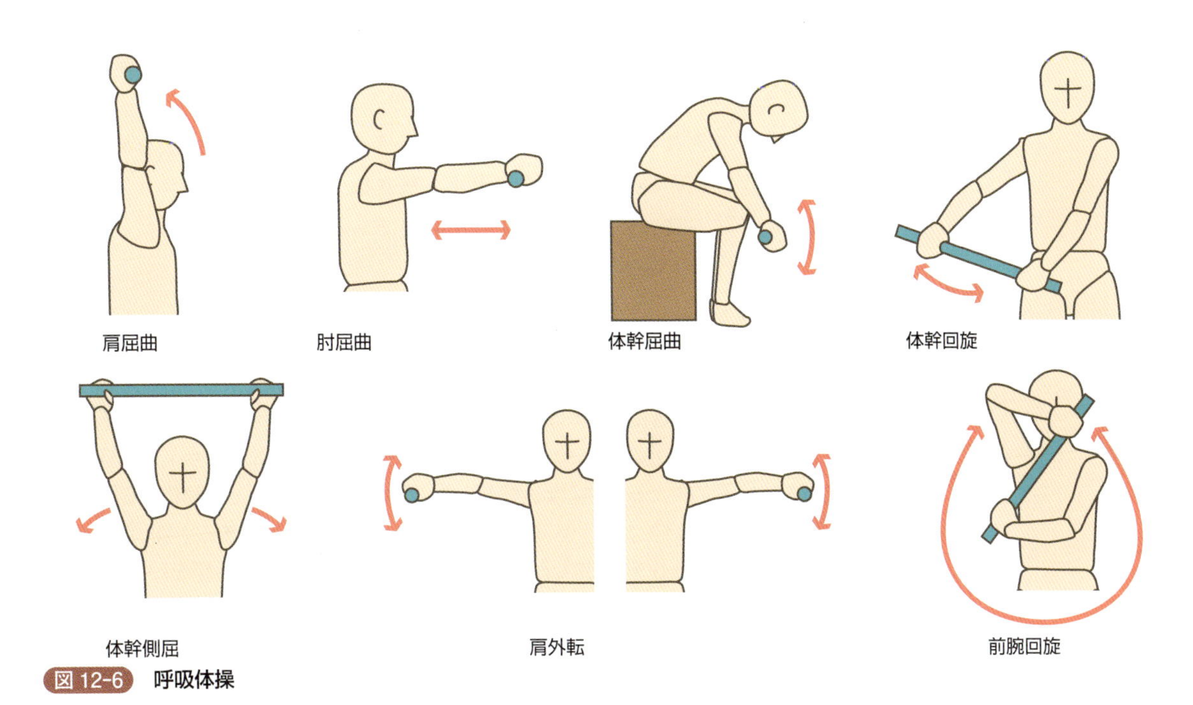

図 12-6 呼吸体操

表 12-3 New Borg Scale

0	なんともない
0.5	きわめて弱い（やっとわかる程度）
1	かなり弱い
2	弱　い
3	中程度
4	いくらか強い
5	強　い
6	
7	かなり強い
8	
9	きわめて強い（ほぼ最大）
10	最　大

- 最初の段階では，吸気時は動かず，呼気時に合わせて動作を行うようにすることから始め，段階的に進めていくことが大切である．
- 活動中は口すぼめ呼吸，横隔膜呼吸を行い，できる活動とできない活動を見極める必要がある．
- できない活動については，家族などへ援助方法の指導も必要である．
- 家屋状況を把握し，姿勢を工夫したり，生活環境を改善することも必要である．

C-2. 肺　炎

- 肺炎の呼吸理学療法は，短期間で重症化することがあるので，バイタルサインの変化に注意する．呼吸の深さ，リズム，チアノーゼの有無に加え，痰量，性状を観察する．

- 自分で排痰ができない場合には，吸痰やネブライザー，体位排痰法を施行する．誤嚥のリスクが高い場合は，口腔清潔化，摂食嚥下リハビリテーション，胃食道逆流症の予防，食事形態の工夫などが必要である．

呼吸器障害者に対する運動の処方について

通常，運動を処方する際に，種類，強度，頻度，時間を明確にすることが大切である．とくに呼吸器障害者に対しては，下肢の持久力トレーニングが主体となり，その前後にはストレッチングなどのウォーミングアップ・クーリングダウンエクササイズを組み合わせる方法が一般的であるが，酸素消費量とのバランスを図らないと運動による恩恵にあずかることができない．また，基本的な考え方として，運動に対する不安感，恐怖感を解消させる，個別性を重視する点を十分に考慮し，具体的な目標を設定し達成感を得るなどの工夫を加えることで，運動習慣を身につけることが肝要である．高齢者や呼吸不全例，高度の肺性心合併例では低強度負荷が適している．

症例検討

1 患者プロフィール

70歳　男性　身長：159.0 cm　体重：40.0 kg　BMI：15.8

- 診断名：COPD
- 障害名：慢性呼吸不全
- 現病歴：20歳ごろより喫煙しており，現在も1日10本喫煙中である．50歳ごろより慢性的に咳と痰を自覚しており，7年ほど前から階段の昇り降りの際に息切れを感じるようになった．「歳のせい」と考え，外出を控える生活を送っていたが，風邪を引いた際，1ヵ月以上咳や痰がひどくなり，家族に勧められて近医を受診したところCOPDと診断される．呼吸状態が安定してきたので，呼吸リハビリテーションを目的に教育入院となる．
- 既往歴：31歳時肺炎にて罹患し，抗生物質にて軽快する．
  60歳ごろ，高血圧を指摘され服薬にてコントロールされている．
  3年前より反復性うつ病．
- 主　訴：息切れ，早朝時の頭痛．
- ニーズ：歩行能力の向上
- 社会背景：妻と2人暮し，地方公務員退職後，年金で生活している．
- 家屋構造：自宅は2階建て．自室は1階でトイレまでの動線は短く，寝具はベッドである．

2 理学療法経過

- 理学療法開始初日のオリエンテーションにおいてつぎの説明を行い，同意を得た．

①呼吸リハビリテーションにおける運動療法の導入や遂行を円滑にできるようにするために，運動への準備や呼吸困難のコントロールといったコンディショニングを整える．

②教育プログラムとして，症状への対応を身につけることができるように支援する．

理学療法初回評価

①全体像 ⓐ

- 病棟から歩行にて理学療法室に来室．休みながら時間をかけてきたとのこと．
- 痩せている．理学療法に対しては積極的ではない様子であった．

②視　診

- 頸動脈の怒張（－），呼吸補助筋（斜角筋，胸鎖乳突筋）の活動性↑，奇異呼吸（－），Hoover's sign（－），上部胸式呼吸パターン（＋），胸郭のビア樽変形（＋），肋間の拡大（＋）

③触　診 ⓐ

- 筋緊張の亢進：左右の胸鎖乳突筋，斜角筋，僧帽筋（上部線維）

④聴　診

- 肺胞呼吸音減弱

⑤バイタルサイン ⓑ

- 体温：37.0℃　血圧：138/82 mmHg　脈拍：86 bpm　呼吸数：23 回 / 分　経皮的酸素飽和度：92%（安静時）

⑥症　状

- 慢性的な咳，痰量の増加（30 ～ 40 mL/ 日），労作時呼吸困難，喘鳴（ぜいめい），体重減少

⑦COPD ステージ

- Ⅱ期

⑧胸部単純 X 線（図 12-7）

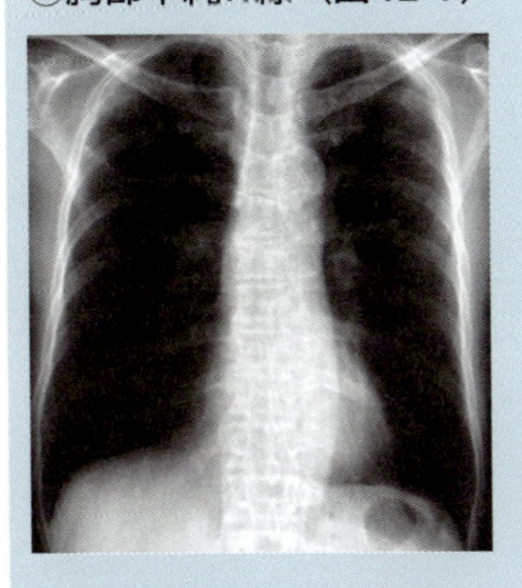

図 12-7　画像所見
肺の過膨張，肺野透過性の亢進，横隔膜の平坦化がみてとれる．

⑨血液ガスデータ ⓒ

酸塩基平衡（pH）	7.378
動脈血中酸素分圧（PaO_2）	62.0%
動脈血中二酸化炭素分圧（$PaCO_2$）	45.4%

⑩呼吸機能検査 ⓒ

肺活量	1.9 L
% 肺活量（%VC）	77.9%
1 秒量（FEV_1）	1.1
1 秒率（$FEV_{1.0\%}$）	57.9%

⑪息切れ
- 安静時：なし
- 労作時：息切れあり
- ヒュー・ジョーンズHugh-Jones分類 Ⅳ度

⑫胸郭拡張差
- 腋窩レベル2.0 cm，剣状突起レベル2.8 cm，第10肋骨レベル1.8 cm

⑬6分間歩行テスト
- 距離180 m 呼吸数（開始時23回/分，終了直後29回/分） New Borg Scale（開始時4，終了時6）

⑭ADL
- FIMでは80（運動項目50，認知項目30）/126点

- 理学療法開始2日目から14日目までは以下のプログラムを実施した．

▷**リラクセーション** d
- 呼吸困難時のパニック対策として，労作時の息切れの軽減の方法を指導した．
- 自身の肘や前腕部を自分の膝や机の上に置いて体幹を支える前傾座位姿勢のポジショニングが有効であり，これは，肺機能を改善させるとともに呼吸困難を軽減し，呼吸仕事量の低下をもたらす．
- また，残気量を軽減し，呼吸補助筋群の筋活動減少，吸気筋（主に横隔膜）機能の向上，胸・腹壁運動の協調性改善といった効果も期待できる．
- 同様の理由で，前傾姿勢もまた有効であったため，歩行器を使用しての歩行練習から開始した．

▷**呼吸練習**
- 口すぼめ呼吸と横隔膜呼吸を身に付けることを目標とした．
- 1回換気量の増加と呼吸数の減少を意識するよう指導した． e
- 具体的には腹部においた自身の手を持ち上げるように吸気を行わせ，うまくいくようになったら，座位，立位，歩行時，階段昇降時と段階的に進めていった．
- 高齢のため集中力が続かないので，呼吸練習の機会を1日に複数回もたせた．
- また，十分な理解を促すために息切れの状態から安静時の安定呼吸に戻るまでの時間が短くなるなど実際の場面での指導を積極的に実施した．

▷**気道クリーニング**
- 気道分泌物が貯留した末梢肺領域が高い位置に，中枢気道が低い位置となるように体位を利用し，重力の作用によって貯留分泌物の誘導排出を図る．本症例の場合は下肺野部分に痰の貯留がみられたので，四つ這い位で頭を下げる姿勢での気道クリーニングを指導した． f

▷**運動療法**
- 呼吸循環系機能の向上をねらいとした自転車エルゴメータのほかに歩行練習を中心としたプログラムとした． g 運動耐用能とエネルギー効率のバランスを図った呼吸に合わせた速さと適度な休憩を探索し，自己管理できるように教育プログラムを立てた． h また，ストレッチングや呼吸筋トレーニングを目的とした棒体操を指導した．

- 理学療法開始14日目，プログラムを患者個人で行えるようになり，モチベーションも高いた

め退院となった．

退院時評価

①視　診

- 呼吸補助筋（斜角筋，胸鎖乳突筋）の活動性やや減少，胸・腹式呼吸パターン（＋）

②触　診

- 筋緊張：左右の胸鎖乳突筋，斜角筋，僧帽筋（上部線維）のやや低下

③バイタルサイン

- 体温：36.6℃　血圧：134/88 mmHg　脈拍：84 bpm　呼吸数：19回/分

④患者のモチベーション

- 禁煙も継続しており，学んだことを実践し身に付けている．

⑤症　状

- 痰量減少（30 mL/日）
- 労作時の呼吸困難時間の短縮
- 喘鳴（－）

⑥血液ガスデータ

酸塩基平衡（pH）	7.306
動脈血中酸素分圧（PaO_2）	68.0%
動脈血中二酸化炭素分圧（$PaCO_2$）	43.5%

⑦呼吸機能検査

肺活量	2.0 L
%肺活量（%VC）	77%
1秒量（FEV_1）	1.2
1秒率（$FEV_{1.0\%}$）	60.%
残気率（RV/TLC）	45.4%

⑧息切れ

- 安静時：なし
- 労作時：息切れあり
- ヒュー・ジョーンズ分類　Ⅳ度

⑨胸郭拡張差

- 腋窩レベル2.0 cm，剣状突起レベル2.8 cm，第10肋骨レベル1.8 cm

⑩6分間歩行テスト

- 距離230 m　呼吸数（開始時20回/分，終了直後26回/分）　New Borg Scale（開始時4，終了時5）

⑪ADL

- FIMでは85（運動項目55，認知項目30）/126点

- 退院にあたっては，禁煙や入院時に身につけたプログラムを継続するように指導した．
- 具体的なプログラム継続に向けて，外来時に生活リズムの確認を実施する，自身の体調を確認して記載する，プログラム項目別に施行状況をチェックするなどが習慣づくようポートフォリ

オを作成した．また，呼吸器系の急性増悪につながる感冒やインフルエンザの予防に関する理解を深めてもらい，正しい知識や予防法を身につけてもらった．

- 高齢者への対応として，反復による教育学習とアイテムなどを使った動機づけ，客観的な数字に可視化が大切であり，それらが行動変容を後押しする．

- 本症例は不可逆性な疾患のため，器質的な変化はなかったが，患者のコンプライアンスがよくプログラムが順調に進行し，運動耐用能が向上したことでADLの改善につながった症例である．

memo

外科術後の呼吸理学療法

外科術後は，術中体位や残存気管支の屈曲変位，疼痛，分泌物の増加などの理由で無気肺が発生しやすい．外科手術後の呼吸理学療法は，この無気肺の改善と予防を中心に発展してきた（ここでの外科手術とは主に肺手術，上腹部開腹手術，食道手術をさす）．

あらかじめ術前に喫煙歴，呼吸機能，胸郭拡張差，呼吸パターン，呼吸筋力などを評価しておく．そして，術後には，術式から予想される低換気部分の換気改善と排痰の促進を目的に理学療法を実施する．低換気部分は胸部CT，X線，聴診，打診などで確認する．また，疼痛を誘発させないよう円滑な早期離床を目指す．

呼気時に胸郭を介助し，吸気量を効果的に増大させる呼吸介助手技を用いる．kneading，shakingなどがあり，気道分泌物の移動や胸郭の柔軟性の改善による換気量の増大が期待できる．有利な点として，対象者の協力度に関係なく人工呼吸器装着下でも実施できることがあげられる．排痰の促進のためにハッフィング（**図12-8**）を行ったりもする．

具体的に術後の呼吸理学療法は，肺に発生するがん（原発性肺がん）をはじめ，多臓器に発生したがんの肺への転移（転移性肺がん）によるもの，さらに罹患率の高い消化器系のがんを対象としている．肺の手術は病巣（部分，区域，葉切除，片肺全摘）に加えリンパ節の郭清と高侵襲であり，無気肺などの合併症予防を目的に周術期管理がなされる．また，消化器系のがんでは食道手術，上腹部開腹手術などが対象となり，呼吸に大きく関与する呼吸補助筋や横隔膜の動きが制限されないよう呼吸理学療法が積極的に行われる．

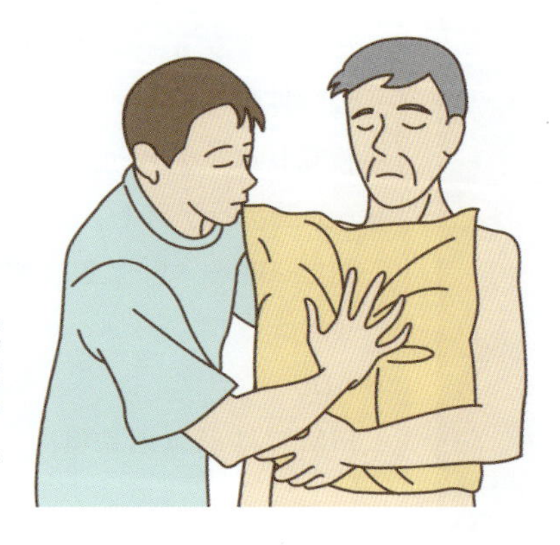

図12-8　ハッフィング
疼痛を伴わない効率的な喀痰方法として術後早期より行われる．気道内分泌物の移動を目的として，声門を開いたまま強制的に呼出を行う．ガラスの窓を呼気で曇らせるようにと指示するとわかりやすい．創部をクッションなどで覆い固定すると痛みをコントロールしやすい．

学習到達度自己評価問題

本章の「症例検討」において，対応するアルファベットの●を参照して下記の問いに答えなさい．

ⓐ視診，触診の情報から導かれる理学療法を答えなさい．
ⓑバイタルサインから読みとれることは何か答えなさい．
ⓒ血液ガスデータ，呼吸機能検査から読みとれることは何か答えなさい．
ⓓリラクセーションは具体的にどのような環境でどう指導するかを考えなさい．
ⓔ呼気，吸気の長さと呼吸数の指導方法について答えなさい．
ⓕ適切な徒手的排痰手技を選択し，その理由を述べなさい．
ⓖ呼吸困難パニック時を想定し，理学療法士が支援することを答えなさい．
ⓗ自己管理を目標とした教育プログラムの構築に向けて意見を述べなさい．

13 高齢者の悪性腫瘍(がん)と理学療法

一般目標

■高齢な悪性腫瘍（がん）患者の生活機能改善やQOLの維持・向上のために，その障害像や病態，症状，治療法についての理解を含め，患者にとって最適な理学療法プログラムの立案・遂行能力を習得する．

行動目標

1. がんの障害像や症状，特徴について説明できる．
2. がんの治療について説明できる．
3. がん患者に対する理学療法について説明できる．
4. がん患者に対する理学療法の禁忌事項について説明できる．
5. 高齢がん患者に対する評価と治療を説明できる．

調べておこう

1. がんの特徴について調べよう．
2. がんの診断基準について調べよう．
3. がんの治療について調べよう．
4. がんのリハビリテーションの特徴について調べよう．
   - ■骨転移に対するリハビリテーション
   - ■悪液質に対するリハビリテーション
5. 高齢がん患者の特徴について調べよう．

A　疾患の概要

1 がんの障害象

■がんは，細胞の遺伝子の個人差や異常よって起きる**内的要因**と，化学的要因（禁煙など），物理的因子（放射線・紫外線など），生物学的因子（ウイルス感染など）の**外的要因**により発生する．正常の細胞（組織）に，上記の要因で遺伝子に傷がつき，がんが発生・進行するまでの仕組みを**図13-1**に示す．

■がん細胞は，健常者でも1日数百～数千生まれるといわれているが，がん抑制遺伝子や免疫細胞の役割によって，生体には傷ついた遺伝子からがん化するのを抑制する働きがあり，臨床的な「がん」が生じにくくなる仕組みも備わって

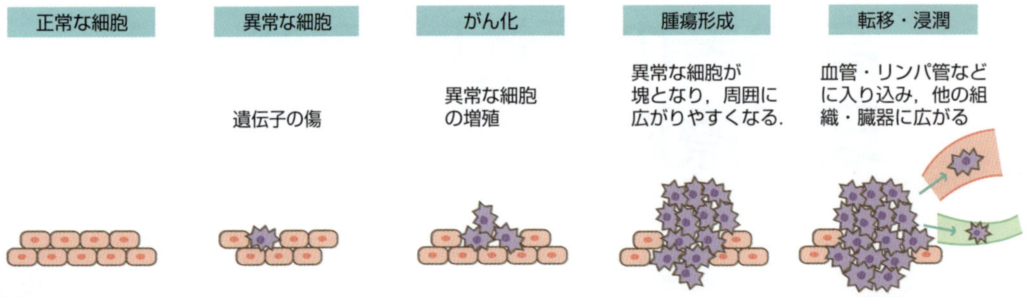

正常な細胞 異常な細胞 がん化 腫瘍形成 転移・浸潤

遺伝子の傷

異常な細胞の増殖

異常な細胞が塊となり，周囲に広がりやすくなる．

血管・リンパ管などに入り込み，他の組織・臓器に広がる

図 13-1 がん発生と進行の仕組み

表 13-1 がんの分類

固形がん	癌腫	上皮細胞から発生（上皮細胞由来） 肺がん，乳がん，胃がん，大腸がん，子宮がん，卵巣がん，頭頸部のがんなど
	肉腫	上皮細胞以外から発生（非上皮細胞由来） 骨肉腫，軟骨肉腫，横紋筋肉腫，平滑筋肉腫，線維肉腫，脂肪肉腫，血管肉腫など
血液がん		造血器から発生（造血器由来） 白血病，悪性リンパ腫，骨髄腫など

いる．しかし高齢になると，遺伝子や細胞の働きの変化が生じやすくなり，臨床的な「がん」が生じやすくなる．

memo

「がん」（cancer）と「癌」（carcinoma）

ひらがなと漢字には意味の違いがあり，「がん」は悪性腫瘍全体を示すときに用いられる．一方，「癌」はとくに上皮細胞由来のがんに限って表現される．

■がんの名称は，発生した臓器や組織から大きく3つに分類される（**表13-1**）．

①**上皮細胞由来**：癌腫と呼ばれ，がんの約80％を占めている．

②**非上皮細胞由来**：肉腫と呼ばれ，骨・筋肉などの上皮細胞以外から発生するがんである．

③**造血器由来**：いわゆる「血液のがん」といわれている．

■固形がんでは65歳以上，急性白血病では60歳以上を高齢者と定義されている．

2 がんの進行と病期・ステージ

■がんには「TNM分類」と「病期（ステージ）分類」の2つがある．

a. TNM分類

TNM分類は，胃，大腸，肝，肺，乳腺の主要5部位のがんについて，地域がん診療連携拠点病院の標準登録項目に用いられる主要な分類である．

UICC：Union International Contra Cancrum

■国際対がん連合（UICC）によって制定された病期分類として，固形がんにおいては，その進行度を示す1つの指標として用いられる．

■疾患ごとにT（tumor）：腫瘍の大きさによりT0～4に，N（nodes）：所属リンパ節転移の進行によりN0～3に，M（metastasis）：遠隔転移の有無のよってM0または1に分類される．

b. 病期（ステージ）分類

■TNM分類の結果により，がんの病期（ステージ）が決定される．病期にはⅠ～Ⅳ期の4段階（がんによっては5段階）があり，Ⅰ期は「早期がん」，Ⅳ期は「進行がん」である．病期分類により，治療方針が決められる．

B　治療の概要

1 がんの治療

- がんの治療は，**手術療法**，**化学療法**，**放射線療法**が3大治療法であり，治療の柱となる．さらに近年では**免疫療法**が第4の柱といわれるようになってきている．
- これらの治療は，治療可能な全身状態であれば，非高齢者と同様の治療を受けることができ，さらには同等の治療効果が期待できる．ただし高齢者においては，合併症のリスクが増加するといわれている．

①**手術治療**：がんや，がんのある臓器を切除する治療である．一般的に非高齢者と効果に差がない．

②**化学療法**：薬剤を用いて，がん細胞を死滅させたり，がん細胞の増殖を抑える治療である．代表的な薬剤には，抗がん薬，分子標的薬，ホルモン製剤などがある．高齢者は生理的にすべての臓器において機能が低下しており，筋量の減少，薬物代謝などは非高齢者と異なるため，薬剤量を減少する保存的な対応も報告されている．

③**放射線療法**：電子線，陽子線，重粒子線，α（アルファ）・β（ベータ）・γ（ガンマ）線などの高エネルギーの電磁波（放射線）を照射し，がん細胞の死滅，増殖を抑える治療法である．また骨転移などによる痛みなどの症状の緩和にも用いることができる．一般的に非高齢者と効果に差がない．

④**免疫療法**：生体の免疫力を強めることにより，がん細胞を排除する治療法と期待されて，研究開発が進められている段階である．

- 上記の治療ができなくなった場合であっても，緩和ケアの概念で治療は継続される．
- 緩和ケアとは，「病気に伴う心と体の痛みを和らげること」とされ，重い病を抱える患者や家族の身体や心などのさまざまなつらさを緩和し，より豊かな人生を過ごすことができるように支えていくケアとされている．

2 高齢がん患者の特徴と評価

- がんの治療を考えることは当然であるが，高齢者の特徴を理解しておく必要がある（☞p. 32，3章B2）．
- 高齢者の機能評価（がんの有無を問わず）には，①身体機能，②転倒，③依存症，④うつ，⑤認知機能，⑥栄養の評価を推奨しており（米国臨床腫瘍学会（ASCO）ガイドライン），これらの特徴を評価の念頭に置く．

ASCO：American Society of Clinical Oncology

- **高齢者総合的機能評価**（CGA）（**表13-2**）は多職種協働で包括的な医療を提供するため病態把握に加えて，患者がもつ身体的，精神的，社会的な機能を多

CGA：comprehensive geriatric assessment

表 13-2　CGA の評価項目

ドメイン	代表的な GA ツール
身体機能	Activities of daily living（ADL） Instrumental activities of daily living（IADL） ECOG performance status（ECOG PS）
依存症	Charlson Comorbidity index（CCI） Cumulative Illness Rating Scale（CIRS）
薬　剤	Medication Appropriateness Index（MAI）
栄　養	Body-mass index（BMI） Mini Nutritional Assessment（MNA）
認知機能	Mini-Mental State Examination（MMSE）Clock-drawing test
気　分	Geriatric Depression Scale（GDS） Center for Epidemiologic Studies Depression Scale
社会支援	MOS Social Support Survey
老年症候群	Confusion Assessment Method（せん妄）

［Japan Clinical Oncology Group：高齢者研究 .2016 をもとに作成］

表 13-3　がん患者リハビリテーション料の対象患者要件（2020 年度）

1．該当入院中にがんの治療のため手術，骨髄抑制を来しうる化学療法，放射線療法又は増血幹細胞移植が行われる予定の患者又は行われた患者．
2．緩和ケアを目的とした治療を行っている進行がん又は末期がんの患者であって，症状の増悪により入院している間に在宅復帰を目的としたリハビリテーションが必要なもの．

［厚生労働省 HP を参考に作成］

角的にチェックする手法である．

- CGA の利点として，①未確認の問題およびリスクの発見，②有害転帰の予測，③余命予測および悪性腫瘍による死亡予測の補助などがあり，近年では高齢がん患者への有効性が報告されるようになっている．

C　理学療法の概要

- 2010 年よりがん患者リハビリテーション料が算定できるようになった. 2020 年度の対象患者要件を**表 13-3** に示す．外来や退院後の算定はできないが，年齢（高齢者，非高齢者）の対象制限はない．
- がんのリハビリテーションは，病期別に「**予防的**」「**回復的**」「**維持的**」「**緩和的**」の 4 段階に分類され（**ディーツ Dietz の分類**，1969 年），病期ごとの役割の重要性と特徴を示す（**図 13-2**）．
- 患者の状態によっては，リハビリテーション初回時に既に緩和的リハビリテーションの対象となる場合もあり，必ずしもこの矢印の順序でリハビリテーションが提供されるわけではなく，臨機応変な対応が期待される．
- リハビリテーションの対象となる障害は，がんそのものによる障害と，その治療過程において生じた障害とに大別される（**表 13-4**）．

がん診断	治療開始	再発・転移	終末期のがん
予防的	回復的	維持的	緩和的
がんと診断された後，早期に開始されるもので，手術，放射線，化学療法の前から施行される．まだ機能障害はないが，その予防を目的とする．	治療後に，機能障害，能力低下を生じた患者に対して，最大限の機能回復を図ることを目的とする．	がんが増大し，機能障害，能力低下が進行しつつある患者に対して，効果的な手段により，セルフケアの能力や移動能力を維持する．また関節拘縮，筋筋力低下，褥瘡などの廃用予防も目的とする．	終末期のがん患者に対して，ニーズを尊重しながら，身体的・精神的・社会的にもQOL の高い生活が送れることを目的とする．

図 13-2 リハビリテーションの病期別分類（Dietz の分類）

表 13-4 リハビリテーションの対象となる障害

1. がんそのものによる障害

1）がんの直接的影響
　骨転移・脳腫瘍（脳転移）にともなう片麻痺，失語症など
　脊髄・脊椎腫瘍（脊髄・脊椎転移）にともなう四肢麻痺，対麻痺など
　腫瘍の直接浸潤による神経障害（腕神経叢麻痺，腰仙部神経叢麻痺，神経根症）
　疼痛
2）がんの間接的影響（遠隔効果）
　癌性末梢神経炎（運動性・感覚性多発性末梢神経炎）悪性腫瘍随伴症候群（小脳性運動失調，筋炎にともなう筋力低下など）

2. おもに治療の過程において起こりうる障害

1）全身性の機能低下，廃用症候群
　化学・放射線療法，造血幹細胞移植後
2）手術
　骨・軟部腫瘍術後（患肢温存術後，四肢切断術後）
　乳癌術後の肩関節拘縮
　乳癌・子宮癌手術（腋窩・骨盤内リンパ節郭清）後のリンパ浮腫
　頭頸部癌術後の嚥下・構音障害，発声障害
　頭頸部リンパ節郭清後の肩甲周囲の運動障害
　開胸・開腹術後の呼吸器合併症
3）化学療法 末梢神経障害など
4）放射線療法 横断性脊随炎，腕神経叢麻痺，嚥下障害など

[辻　哲也:オーバービューがん治療におけるリハビリテーションの必要性. 臨床リハ **12**（10）:856-862, 2003]

- がん患者がリハビリテーションを安全に実施できる目安を**表 13-5**に示す．がん患者の場合，この中止基準をすべて満たすのは困難な場合が多い．
- 理学療法を行う場合は，全身状態や疼痛管理，がんの進行度，治療の内容を把握する必要があり，問題が生じた場合はすぐに医師に確認する．また，日々，変化する病態についてはカンファレンスで，リスク管理を含め患者の状態を常に詳細に確認する．
- 一般的なADL評価として，BIやFIMを行うことが多いが，がん患者の場合はPS（**表 13-6**）やKPSでの評価が共通のツールとなることがほとんどである*．がん患者を対象とした多職種連携には重要な評価項目である．

BI：Barthel index
FIM：functional independence measure
PS：performance status
KPS：Karnofsky performance status

＊国内では，PS を用いることが圧倒的に多い．

表 13-5　がん患者におけるリハビリテーションの中止基準

1. 血液所見：ヘモグロビン 7.5g/dL 以下，血小板 50,000/μL 以下，白血球 3,000/μL 以下
2. 骨皮質の 50% 以上の浸潤，骨中心部に向かう骨びらん，大腿骨の 3cm 以上の病変などを有する長管骨の転移所見
3. 有腔内臓，血管，脊髄の圧迫
4. 疼痛，呼吸困難，運動制限を伴う胸膜，心嚢，腹膜，後腹膜への浸出液貯留
5. 中枢神経系の機能低下，意識障害，頭蓋内圧亢進
6. 低・高カリウム血症，低ナトリウム血症，低・高カルシウム血症
7. 起立性低血圧，160/100mmHg 以上の高血圧
8. 110/ 分以上の頻脈，心室性不整脈

［Gerbr LH, Valgo M: Rehabilitation for patients with cancer diagnoses. Rehabilitation Medicine: Principles and Practice(ed by DeLisa JA. Gance), 3rd ed. Lippincott-raven Publishers, pp.1293-1317, 1998 を参考に作成］

表 13-6　Performance Status（PS）

Score	定義
0	まったく問題なく活動できる． 発症前と同じ日常生活が制限なく行える．
1	肉体的に激しい活動は制限されるが，歩行可能で，軽作業や座っての作業は行うことができる． 例：軽い家事，事務作業
2	歩行可能で，自分の身のまわりのことはすべて可能だが，作業はできない． 日中の 50%以上はベッド外で過ごす．
3	限られた自分の身のまわりのことしかできない． 日中の 50%以上をベッドかいすで過ごす．
4	まったく動けない．自分の身のまわりのことはまったくできない． 完全にベッドかいすで過ごす．

■がん患者に対するリハビリテーションは，一般的なリハビリテーションと同様，対象疾患に起因する機能障害や能力障害に対する評価と治療が基本となる．

■ただし，以下の2点においては十分に配慮する必要がある．

a. がんに特異的なリスク管理が必要となること（がんの特徴があること）

■リスク管理で注意する点

①抗がん薬，放射線治療の影響

②骨髄抑制

③転移（骨，脳）

④神経障害（脊髄転移，末梢神経障害など）

⑤血栓・塞栓症，播種性血管内凝固症候群（DIC）

特に，がん関連血栓症（CAT）は通常よりも発症率が高い特徴が報告されている．

DIC：desseminated intravascular coagulation
CAT：cancer-associated thrombosis

⑥胸水，腹水

⑦悪液質

⑧がん性疼痛

一般の疼痛とは異なり，一般的にはがん患者の70％以上が経験するといわれている．

⑨精神心理的問題

■上記に対する配慮も念頭においた評価と治療が大切である．

表 13-7 高齢者の身体機能の特徴

身体機能	身体的特徴
呼吸器	（運動時）の息切れ，呼吸器感染症のリスク増大，痰の増加，喀出困難
循環器	運動負荷への耐性低下，不整脈の評価，収縮期血圧の上昇
神経	反応行動の遅延，動作緩慢，重心動揺が安定しない
腎・泌尿器	残尿・頻尿・尿失禁，排尿困難，排尿時間の延長，尿路感染症のリスク増大，薬物の排泄機能低下，薬物による有害事象の出現
運動器	骨粗鬆症のリスク増大，動作時痛，転倒リスク増大，運動量の低下
消化器	誤嚥リスク増大，胃食道逆流症のリスク増大，便秘・下痢
内分泌	筋力・運動能力低下，倦怠感や疲労感，更年期障害，骨粗鬆量のリスク増大，睡眠障害，性機能障害・抑うつ状態
感覚器	難聴，ドライスキン，感覚鈍麻・感受性の低下，体温調節機能の低下

［八島妙子（編）：老年看護ぜんぶガイド．プチナース 2020 年 5 月臨時増刊号，**29**（6）：2020 を参考に作成］

b. 高齢に特異的なリスク管理が必要となること

- 生体は，加齢に伴い，①防御力（外界からの刺激に打ち勝つ力），②予備力（ゆとりをもって外界からの刺激に対処する力），③適応力（外界からの刺激に順応する力），④回復力（外界からの刺激によるダメージを修復する力）が低下する．高齢者ではこれら4つの力が低下することを踏まえ，理学療法評価および治療を行うことが重要である（**表 13-7**）．
- 高齢であることは，もともと運動習慣が少ないことや転倒恐怖，パートナーがいないことや経済面での不安，倦怠感などから運動療法の継続性を低下させる因子となる．継続性を高めるため，とくに繰り返し理学療法の必要性を説明する，可能であれば電話などでカウンセリングを行うことが勧められる．
- 非高齢者のがんサバイバーと同様にFITTを検討する．

①一般的に，運動頻度は週3～5回，運動強度は1最大反復回数（RM）の60～70%の中強度～強度に設定する．

②各トレーニング8～12回を1～2セット行い，12回以上トレーニングを施行できるようになったら運動強度を10%ずつ漸増していく．

③筋力低下が廃用性筋萎縮や低栄養，悪液質によるタンパク異化亢進を主体として全身性に生じることから，運動の種類は，大きい筋群を中心に全身の筋力トレーニングが推奨される．

④運動強度は運動後の筋疲労を自覚する程度が，Borg Scale 11～13程度が目安となる．

- 理学療法は，単に障害部位に対する治療を提供するだけではなく，チームの一員として患者とその家族，周囲の環境などを含めて専門的な視点で包括的に評価し，治療を行う臨機応変な対応が期待されている．

FITT の原則 Frequency（頻度），Intensity（運動の強度），Time（実施する時間），Type（運動の種類）のトレーニング原則のこと．がん患者以外でも用いられることが多い．

RM：repetition maximum

症例検討

1 患者プロフィール

79歳　女性　身長：156 cm　体重：41 kg　BMI：16.8

- 診断名：左乳がん
- 手術：左乳房全切除術＋リンパ節郭清
- 病理：stage Ⅲ
- 現病歴：約1年前から左胸のしこりを自覚し気になっていたが，とくに病院を受診せず経過観察していたが，徐々に硬さが大きくなり3ヵ月前に当院を受診した．上記のように診断され，手術を目的に入院となった．2ヵ月前より術前化学療法を実施している．
- 既往歴：75歳の時に転倒し，右大腿骨頸部骨折をきたし，右人工股関節置換術（THA：total hip arthroplasty）を施行している．
- 合併症：術前化学療法により，吐き気と倦怠感が強く，食事は食べられない日が多かった．
- 主訴：だるさの他にも不安が強い，あまり頑張ることができなかったのでこれからどうなるか不安．
- ニーズ：自宅に帰ってゆっくり過ごしたい．
- 社会的背景：夫と2人暮らし，収入は年金のみ．
- 家屋構造：自宅は2階建て．右大腿頸部骨折受傷前までは寝室は2階であったが，現在の生活は1階が中心．

2 理学療法経過

理学療法初回評価（手術前）

①診察記録評価

- 血液化学検査　WBC：6,700　Hb：11.0　Alb：3.1（低栄養）
- その他，特徴的な異常なし．
- 術前オリエンテーションでは，手術と今後に対する不安が強く，十分に話を聞いてもらえず，そのため傾聴をていねいに行い，不安の解消に務める．
- 理学療法に対しては前向きな発言が聞かれた．

②バイタルサイン

血圧，脈拍，SpO_2は正常，呼吸数も正常であるが，腹式呼吸は苦手（胸式呼吸が優位）であった．

③ROM

左上肢を中心に計測し，著明な制限なし．

④筋力

握力（右/左）：25/22kg（利き手は右）

⑤ADL

BI（100点）　PS（1）　歩行は杖を用いて院内自立（終日）しているが，少しフラフラするとのことで歩行速度はゆっくりである．

- 術後翌日から離床を含めた運動療法，疼痛が生じた場合の対応などについて説明した．

▷**術前理学療法の特徴（予防的リハビリテーション）**

- 術前の身体機能とADLを評価し，がん治療の合併症や後遺症によるものかを確認する．
- 患者の精神心的不安の軽減を目指し，術後スムーズな理学療法が提供できるよう準備する（信頼関係を築く）．

理学療法再評価（術後翌日から介入）

①疼痛

VAS（visual analogue scale）[a]を用い，安静時は13 mm，離床時は起き上がりの際に75 mmまで増強した．安静時痛がほとんどなかったことから，医師や看護師に質問された際は「痛みはほとんどない」と伝えていた．痛みの少ない起き上がり方法を指導し，さらに痛みが継続するようであれば痛み止めを検討するよう伝えた．

②ROM

- 胸部，腋窩部のドレーン挿入中は肩関節屈曲・外転とも90°までとした，関節可動域は保たれるが防御性収縮が強く脱力が困難であった．
- 手術後5日目にはドレーンが抜去され，ROMの制限なし．疼痛の影響で，肩関節屈曲・外転ともに150°程度までで左肩甲帯の肩甲帯の挙上と，頸部の左側屈が目立つ．
- トイレ，理学療法実施時間以外は臥床時間が長く，モチベーションが低く食事を摂取しない日も多かった．
- 術後10日目に左下葉の肺炎が認められた．そのため，理学療法は左上肢の機能回復に加えて離床時間の延長を含めた呼吸理学療法も実施した．加えて座位でのADLの拡大をチームとして取り組む方針となった．

退院時

- 術後4週で退院となった．

①体重

退院時の体重は37 kgまで低下した．

②ROM

肩関節の機能は屈曲外転170～175°まで改善し，動作・運動時痛なし．

③筋力

握力（右/左）：24/20kg（利き手は右） 著明な低下は認めず．

▷**術後理学療法の特徴（回復的リハビリテーション）**

- 入院前と同等レベルまでの生活を目的とする．
- がんの治療により発生する合併症や後遺症を極力減らすことを目的とする．
- 高齢により，一時的な臥床であっても機能低下は著しい場合がある（本症例は肺炎）．
- がん患者リハビリテーション科は入院中しか算定できず，外来でのフォローが難しい．
- 入院中に機能が十分に回復しない場合も多いため，しっかりとした在宅指導が必要である．

再入院

- 退院3週間後の医師の診察で，今後は抗がん薬での治療方針となった．

■退院後は気分もすぐれず，運動することはほとんどなく，臥床傾向であった．

■右胸部にポートを埋め込む手術をし，化学療法（抗がん薬治療）が開始となったが，治療3日目から嘔吐と倦怠感が出現，10日目には食事もさらに摂取困難となり，WBC 3,800，Hb 9.5，Alb 2.8まで低下した．

■一般的な化学療法の経過に伴う副作用を**図13-3**に示す．

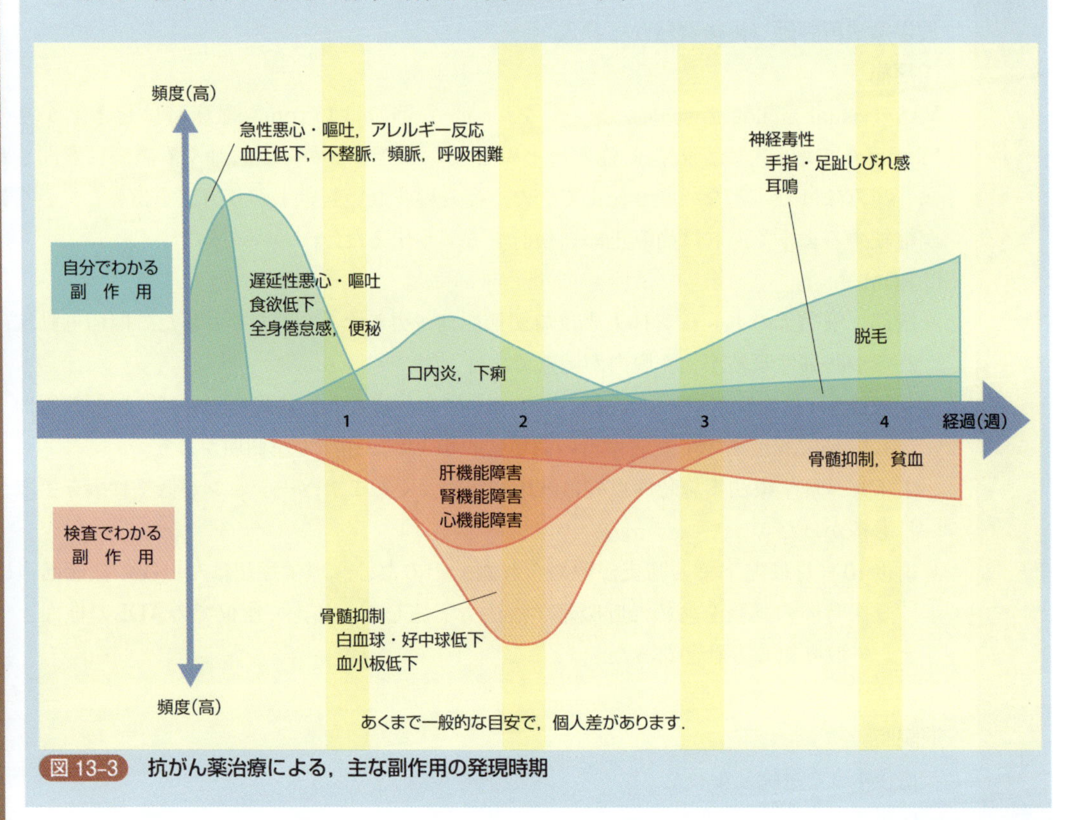

図13-3　抗がん薬治療による，主な副作用の発現時期

■体調不良の訴えが強く臥床傾向となり，14日目に発熱と呼吸苦を自覚した．X線画像とCTで右下葉の肺炎を認め，理学療法はベッドからの離床を目的としたエクササイズを中心に実施した．また，酸素投与しながら包括的な呼吸理学療法が追加された．

▷理学療法の特徴（回復的・維持的リハビリテーション）

■理学療法の効果が得られにくいと考える必要はまったくない．この時期の理学療法の介入がない場合，とくに高齢者においては廃用症候群の進行が著明となることが多い．安全な離床や運動療法の提供が重要となる．

経過（抗がん薬治療のために入退院を繰り返す）

■入院ごとに処方されるリハビリテーションは，担当者が同じであることから信頼関係は問題なかった．

■今回の3回目の抗がん薬治療から10日目の足関節底背屈運動時に下腿後面に疼痛の訴えがあった．

■医師に連絡し，血液検査を実施したところ，Dダイマーが7.4であり緊急エコー検査を実施し，深部静脈血栓症の診断となった ⓑ .

- 直接経口凝固薬（DOAC：direct oral anticoagulant）の投薬により理学療法の制限とはならなかった.
- しかし，その後も抗がん薬の副作用が強く出現し，治療開始15日の段階で骨髄抑制が増悪し，WBC 1,300，Hb 7.4，Plt 3.0まで低下した．また，CTCAE v5.0 ⓒ でグレード3の副作用が確認されたことから抗がん薬投与量の減少となった.
- その後の検査でがんの再発，骨転移がみつかり，今後の治療が難しくなることとなり，本人，家族と相談し緩和ケア中心の理学療法の展開となった.
- 退院は叶わなかったが，外出・外泊の希望が強く，夫も高齢であり十分な介護が期待できないと判断し，別居している娘に対し介助指導を看護師とともに実施した.
- その後，3度の外出・外泊を繰り返したが，抗がん薬中止後4ヵ月後に永眠 ⓓ された.
- 理学療法は本人と家族の希望により永眠される2日前まで実施できた.

▷理学療法の特徴（緩和的リハビリテーション）

- 積極的な治療効果は得られずとも本人や家族のニーズやデマンドを確認し，可能な限りQOLの維持・向上を目指す.
- 理学療法の専門的な視点で携わることができる機会が多いと考えられるが，まだ十分なエビデンスが構築されていない分野である.

学習到達度自己評価問題

本章の「症例検討」において，対応するアルファベットの ● を参照して下記の問に答えなさい.

ⓐ疼痛の評価方法はいくつかあるが，VAS以外の評価方法を答えなさい.
ⓑ深部静脈血栓症とはなにか答えなさい．また，中でもがん関連血栓症の特徴を答えなさい.
ⓒCTCAE v5.0とは何か答えなさい.
ⓓ症例が永眠された時のPSを答えなさい.

14 地域在住高齢者と理学療法士

一般目標

1. 介護保険サービスにて提供されるリハビリテーションにおいて，居宅サービスおよび施設サービスにおける理学療法士の役割と多職種連携にて行われるリハビリテーションマネジメントの重要性を理解する.
2. 介護保険３施設（介護老人福祉施設，介護老人保健施設，介護療養型医療施設）で行われる入所リハビリテーションの違いを理解する.
3. 入所リハビリテーションにおける理学療法士の役割と効果を理解する.
4. 通所リハビリテーションの役割について理解する.
5. 通所リハビリテーションにおける理学療法士の役割について理解する.
6. 訪問リハビリテーションの概要を理解する.
7. 訪問リハビリテーションに必要な知識と技術を理解する.

行動目標

1. 介護保険サービスで提供されるリハビリテーションの種類と役割を説明できる.
2. 適切なサービス提供の観点からリハビリテーションにおけるEPDCAサイクルを説明できる.
3. 地域在住高齢者に対するハンズオフアプローチの重要性を説明できる.
4. 介護老人保健施設における理学療法士の業務内容や役割を説明できる.
5. 介護老人保健施設での入所リハビリテーションサービスの流れが説明できる.
6. 通所リハビリテーションの業務内容や，役割を説明できる.
7. 通所リハビリテーションにかかわる多職種との連携について説明できる.
8. 訪問リハビリテーションの対象と目標について説明できる.
9. 訪問リハビリテーションで運動療法を提供する際のリスク管理や具体策を説明できる.

調べておこう

1. 以下の用語を調べよう.
   - ■在宅介護限界点の引き上げとは？
   - ■医療介護連携とは？
   - ■地域ケア会議・サービス担当者会議
2. 介護保険３施設それぞれの特徴を調べよう.
3. 地域包括ケアシステムの構築に際して新たに求められる介護老人保健施設の役割を調べよう.
4. 自分が住んでいる市町村の通所リハビリテーション施設の分布について調べよう.

5. 通所リハビリテーションにかかわる多職種から実際の理学療法士との連携について聞いてみよう.
6. 訪問リハビリテーションを提供できる保険制度について調べよう.
7. フィジカルアセスメントについて調べよう.

A　リハビリテーションマネジメントの概念

1 基本的な考え方

- リハビリテーションマネジメント（以下，リハマネジメント）とは，高齢者の尊厳ある自己実現を目指すという観点に立ち，利用者の生活機能向上を実現するため，介護保険サービスを担う専門職やその家族等が協働して，**継続的な「サービスの質の管理」**を通じて，適切なリハビリテーションを提供し，もって利用者の要介護状態又は要支援状態の改善や悪化の防止に資するものである（平成18年3月27日老老発第0327001号）.
- 介護保険サービスによるリハビリテーションは介護老人保健施設などによる入所サービスと通所リハビリテーション（デイケア）や通所介護（デイサービス），訪問リハビリテーションを含む居宅サービスに分類される．リハマネジメントは介護予防を含む通所および訪問サービスを中心として考えられる場合が多いが，基本的な考え方は入所サービス利用者に関しても同様である.
- 理学療法の目標設定やプログラム立案には，十分なインフォームドコンセントのうえ，利用者の生活機能向上，QOL向上，生きがいづくり，活動と社会参加に向け具体化されていなければならない．またこれらに関しては他の医療・介護サービスと同様に利用者本人による選択を原則とする.
- 具体化された目標の達成にはリハビリテーション専門職が提供するハンズオンスキル（手技療法）*だけでなく，ホームヘルパーなど他の介護サービス提供者，利用者の家族などとの協働作業が十分になされるようにマネジメントを行う**ハンズオフスキル**との両輪が重要である．とくに日常生活上の生活行為への働きかけである介護サービスは，リハビリテーションの視点から提供されるべきものである（**図14-1**）.
- 理学療法プログラムが漫然としたものとならないように，適切な機能的予後予測に基づいた改善目標を設定し，必要な時期に必要な期間を定めてリハビリテーションの提供を行うことが必要である．このために最も重要なことは理学療法士の**アセスメント能力**であり，このアセスメントには身体機能のみならず利用者の生活環境要因，社会的背景，利用可能なソーシャルサポートなども含まれる.

***ハンズオンスキル（手技療法）**　筋力増強や伸張運動など理学療法士が患者に対して直接実施する徒手的な治療技術.

ハンズオンアプローチ

・徒手的筋力増強
・ストレッチング
・直接的な基本動作練習
・直接的な ADL トレーニングなど

＋

ハンズオフアプローチ

・介護支援専門員への情報提供
・家族への指導（直接的な動作練習，ADL トレーニングなど）
・介護サービスにおけるリハビリテーションの視点を導入
・行動変容を促す仕掛けづくり（活動量計，近親者からの声かけなど）

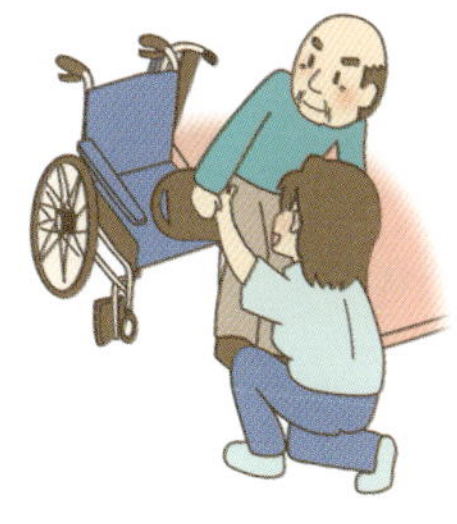

図 14-1　ハンズオンアプローチとハンズオフアプローチの両立

2 リハマネジメントのSPDCAサイクルと理学療法におけるEPDCAサイクル

■ 2015年度の介護報酬改定以降，上記の考え方はさらに重要視されるようになり，利用者の日常生活における活動の質の向上を図るため，通所・訪問系サービスについてはS（Survey調査），P（Plan計画），D（Do実施），C（Check評価），A（Act見直し）のサイクル構築と，リハビリテーションの継続的な管理に対してリハマネジメント加算が算定可能となった（**図14-2**）．またマネジメントやリハビリテーション実施に際しての医師の指示内容についてもより明確化となってきている（リハビリテーション実施上の注意点，中止基準など）．公益社団法人理学療法士協会においてはSPDCAサイクルのS（Survey調査）をE（Evaluation評価）とした**EPDCAサイクル**という考え方を推奨している（**図14-3**）．

■ リハマネジメントを実施する際にはサービス終了後の着地点についても十分に考慮しておく必要がある．厚生労働省では2025年を目途に，高齢者の尊厳の保持と自立生活の支援の目的のもとで，「可能な限り住み慣れた地域で，自分らしい暮らしを人生の最期まで続けることができる」よう，地域の包括的な支援・サービス提供体制（地域包括ケアシステム）の構築を推進している．

■ 地域包括ケアシステムでは地域における「自助：セルフマネジメント」「互助：助け合い」の仕組みづくりを強調しており，なかでも地域のサロンなど「住民主体の通いの場」の拡大を推進している．またこれらは小規模かつ徒歩圏内に存在し，従来型の元気高齢者のみの集まりではなく，元気高齢者から要介護高齢者まで**多様な状態の方々が集える場**であることを理想としている（**図14-4**）．

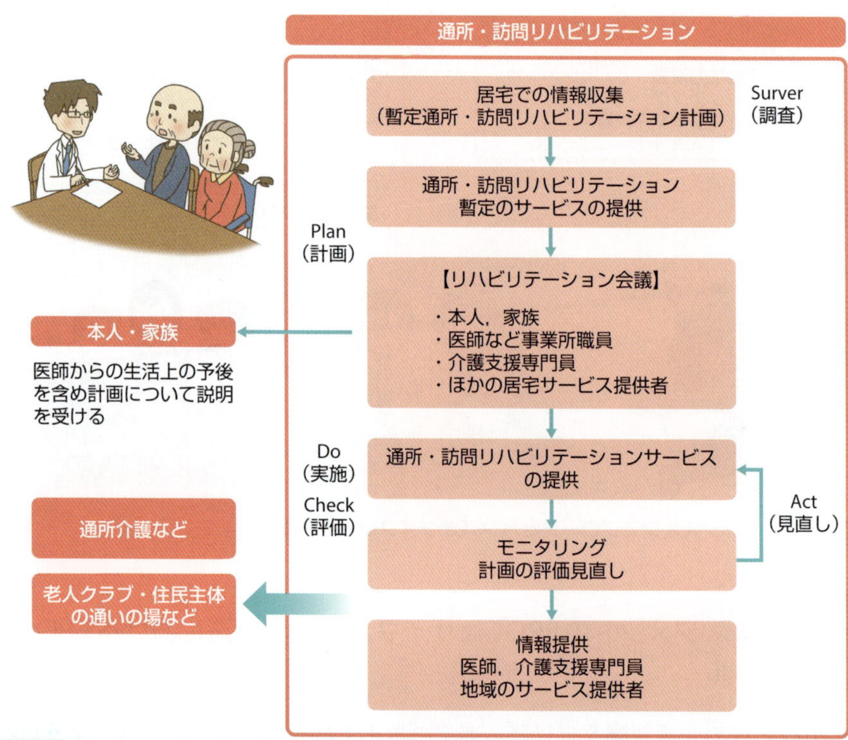

図 14-2　リハビリテーションマネジメントにおける SPDCA サイクル

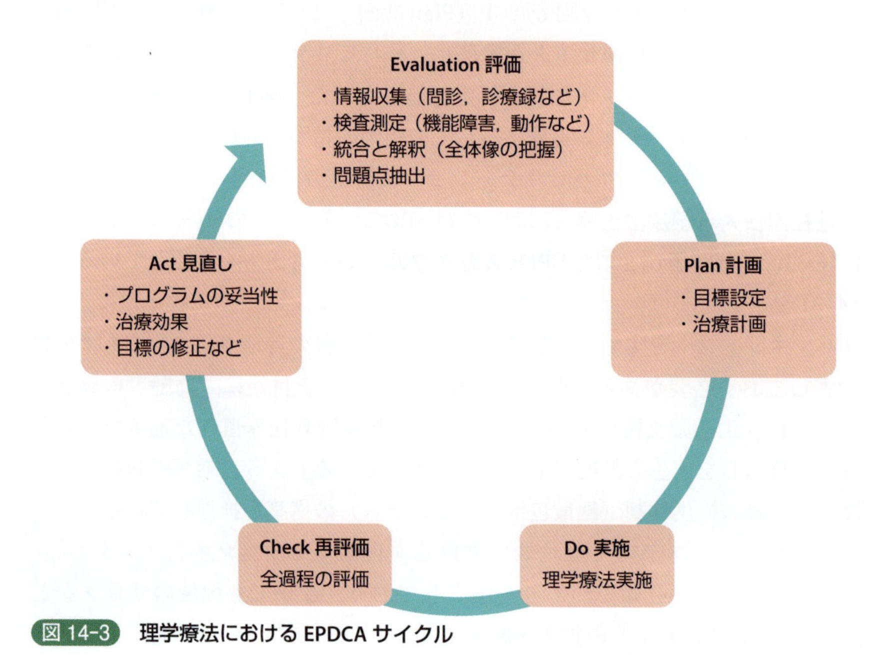

図 14-3　理学療法における EPDCA サイクル

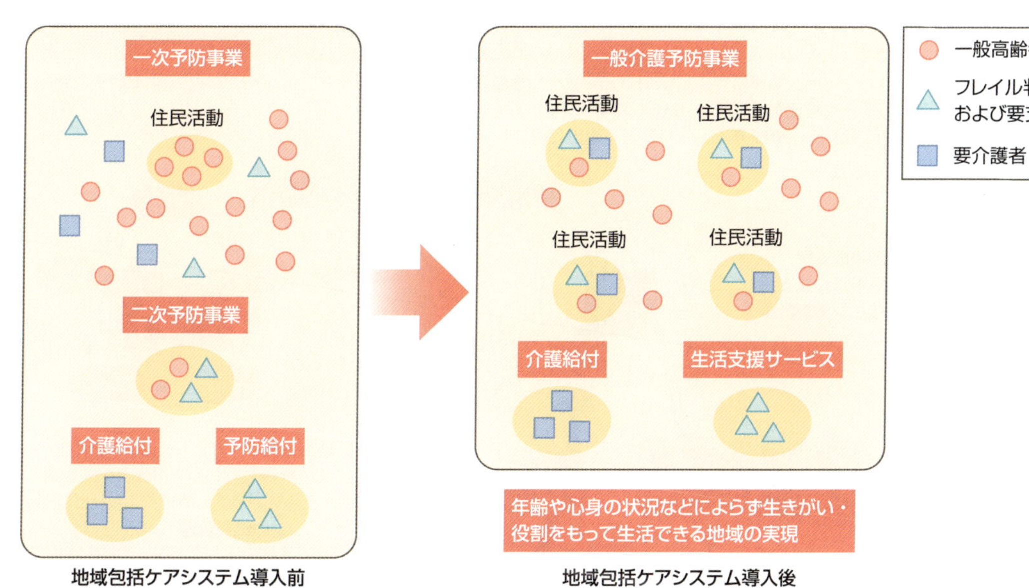

図 14-4　**介護予防・重症化予防からみた通いの場のあり方**

3 地域特性の把握

- 利用者のサービス終了後の身体機能維持，活動と社会参加を考えるうえでは，利用者の**居住地域の特性**を把握しておくことも重要である．当然のことながら地域には各地域特性があり，活用できる社会資源や活動性を維持するための生活環境も大きく異なる．具体的には比較的住民主体のサロンなどが充実している住宅地域と過疎化が進む山間地域では環境要因が全くといってよいほど異なっている．また住宅地であっても勾配の多い地区と平坦な地区では外出のしやすさや屋外歩行に必要な身体機能レベルも異なる．
- **地域課題**については，近年，地域ケア会議への理学療法士の参画が増えてきており，個別事例の検討だけでなく，当該地域特有の地域課題の把握とこれらを考慮したリハマネジメントが多職種協働で実施されるようになってきている．
- 各地域の特性によらず，比較的共通して地域在住高齢者の課題とされる事項としては，移動手段の確立，買い物支援，気軽に軽運動などが行える通いの場や交流の場が少ない事などがあげられる．移動手段の確立に関してはコミュニティーバスの運用やタクシー料金の補助などが行われている自治体もあるが，今後はさらに住民ボランティアによる移動サービスについても検討がなされてきている．

4 施設サービスにおけるリハマネジメント

- 施設サービスにおいて実施される理学療法の対象は，基本的に障害が固定されている維持期の利用者となるため，重症化予防や再発予防，すなわち**三次予防**としての視点が重要である．また機能障害レベルの改善は，利用者の在宅復帰に必要な要素であることや施設退所後の居宅における生活に資するものである必要がある．
- 近年，施設サービスにおいても在宅復帰率が重要視されるようになってきてい

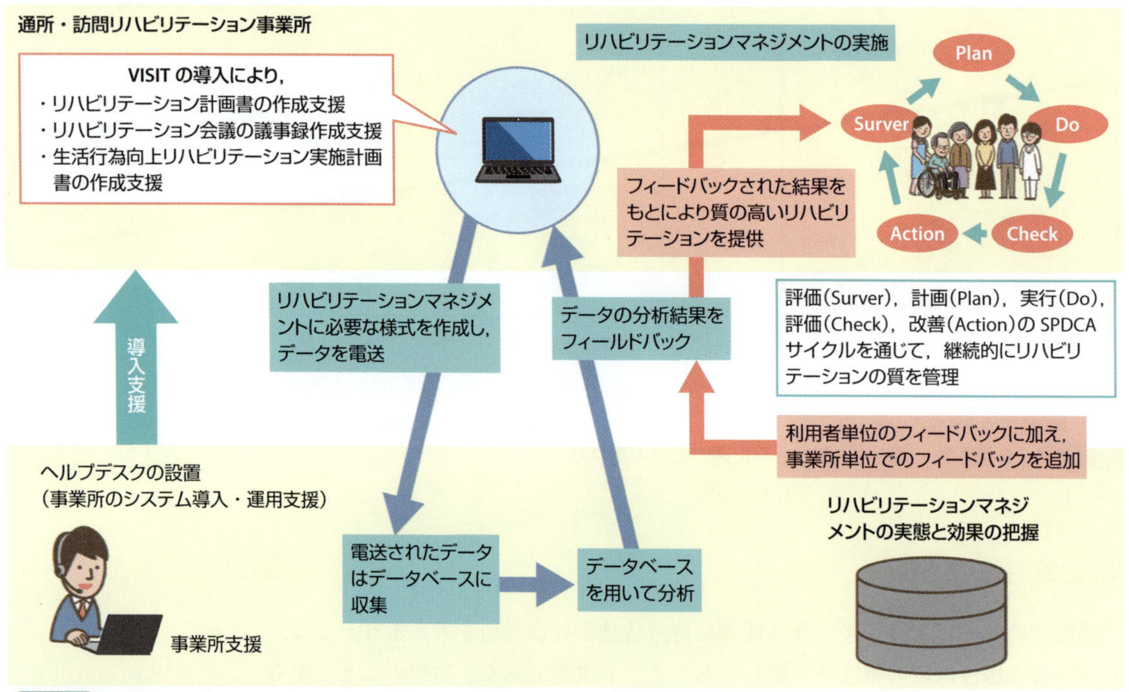

図 14-5　**通所・訪問リハビリテーションのデータ収集システム（VISIT）**
［厚生労働省資料を参考に作成］

る背景から，とくに老人保健施設において提供される理学療法は機能維持目的の漫然としたものではなく，常に在宅復帰を想定してリハビリテーションを提供し，基本的には医療機関と居宅との中間的位置づけであるという本来の役割を忘れてはならない.

■多くの利用者は施設退所後も居宅サービス（通所・訪問リハビリテーション）にて理学療法の継続が必要な場合が多く，これまでの経過や機能的予後予測，治療方針，理学療法プログラムなどを訪問介護サービスなどの居宅サービス事業所の担当者に対する情報提供などを行い，多職種連携にて**切れ目のないサービス**に引き継ぐ事が重要である.

5 エビデンスに基づくリハマネジメントに向けた取り組み

■2016年よりエビデンスに基づく「科学的介護」を展開するための基盤のひとつとして，居宅サービスの質の向上を目的としてリハマネジメントにかかるリハビリテーション計画書などの情報を収集し，分析した結果を利用者および事業所へフィードバックする「通所・訪問リハビリテーションのデータ収集システム（VISIT)」が構築され，全国からデータが蓄積されてきている（**図 14-5**）.

■VISITでは事業所が作成したリハビリテーション実施に必要な書式をインターネットにて，データシステムに蓄積することができ，利用者単位・事業所単位でのフィードバックが受けられるようになった．またVISITへの情報提供がより高い保険点数の加算を取るための要件として設定されている（加算を算定しない場合でも，VISITに参加しデータを提出することでフィードバックを受けることが可能）．

- VISITにより今後はリハマネジメントを行ううえで，事業者および担当リハビリテーション専門職は蓄積されたデータベースからの情報を参考に，より**客観的かつ質の高いリハビリテーション**が提供可能となることが期待されている．

B　理学療法士がかかわる入所リハビリテーションサービス

- 医療機関などに入院する高齢者が自宅退院困難となった場合や，自宅に暮らしている高齢者の介護困難，あるいは介護者がいない，高齢者が安全に生活する場を維持できないなどの場合に選択されるのが介護保険施設への入所である．
- 現行介護保険制度の施設サービスには，介護老人保健施設，介護老人福祉施設（特別養護老人ホーム），介護医療院（旧 介護療養型医療施設）があり，これらを「介護保険3施設」と呼ぶ．
- 介護保険の基本理念のひとつである「自立支援」に照らせば，本来，施設サービスは自宅復帰を目指すことを前提に計画されるべきである．
- しかし近年では，介護老人福祉施設や介護療養型医療施設の退所者に占める死亡退所者の割合が増加傾向にあるなど，介護保険施設の「終の棲家」としての機能も無視できない現状にある．
- 一方，介護老人保健施設はリハビリテーション施設および在宅復帰施設として位置づけられ，リハビリテーション専門職（理学療法士，作業療法士または言語聴覚士）の配置が義務づけられ（入所者100人に対し常勤1人以上），自宅復帰に向けた役割が期待される．

1 入所リハビリテーションサービスの概要

a．介護老人保健施設

- 介護老人保健施設の特徴は，入所者の在宅復帰が目標であるという点で，可能な限り自立した日常生活を送ることができるよう介護サービスが提供される．
- 在宅復帰施設としての機能強化を目的に，在宅復帰率や病床回転率などを指標とする在宅復帰・在宅療養支援機能の評価に基づき「超強化型」「在宅強化型」「加算型」「基本型」「その他」に区分されている．
- 2019年現在，「超強化型」「在宅強化型」「加算型」が介護老人保健施設全体の6割以上を占め，これらの施設には在宅復帰・在宅療養支援加算が算定される．
- 介護老人保健施設で提供される介護サービスは，「施設サービス計画（ケアプラン）」に基づき，医師，看護師，介護福祉士，介護支援専門員（ケアマネジャー），管理栄養士，そして理学療法士などのリハビリテーション専門職などの多職種が連携・協働して行われる．

- 2018年10月時点で全国の介護老人保健施設4,335施設（病床数37万3593人）にはおよそ1万人の理学療法士が従事しており（他に作業療法士約6,400人，言語聴覚士約1,500人），1施設当たりの理学療法士の数は平均2.5人で，理学療法士1人当たりの入所者数は34.8人にのぼる．
- 介護老人保健施設では週2回以上の機能訓練（集団・個別リハビリテーション）実施が定められている他に，短期集中リハビリテーション（入所日から3月以内，おおむね週3日以上，1回20分以上の個別訓練），認知症短期集中リハビリテーション（入所日から3月以内，週3回以上，1回20分以上の個別訓練）を加算として実施できる．

b. 介護老人福祉施設（特別養護老人ホーム）

- 介護老人福祉施設（特別養護老人ホーム）では，重度の心身機能の障害のために常時介護が必要な入所者に生活の場を提供し，加えて入浴や排泄，食事などの介護，機能訓練，健康管理などのサービスが提供される．
- 介護老人福祉施設では機能訓練指導員の配置が定められているが，機能訓練指導員の多くは生活指導員や介護職員が兼務しており，専従・常勤の理学療法士などのリハビリテーション専門職が個別機能訓練計画に基づいて個別機能訓練を実施する施設はおよそ半数程度にとどまっている（平成26年4月算定分個別機能訓練加算算定率49.4％）．

c. 介護医療院（旧介護療養型医療施設）

- 介護医療院は，要介護高齢者の医療機能（日常的な医学管理，看取りやターミナルケア）と，生活施設としての機能を併せ持つ入所施設として平成30年4月に新設され，これにより，旧介護療養型医療施設は令和6年3月末までに廃止された．
- 介護医療院では，リハビリテーションサービスの時間・回数やリハビリテーション専門職の配置数に明確な規定はないものの，長期にわたり療養が必要な入所者に対し，医学的管理の下でのリハビリテーションサービスを提供する．

2 入所リハビリテーションサービスの対象と理学療法士の役割

- 施設サービスの対象は要介護認定区分（以下，要介護）1～5に該当する者である（介護老人福祉施設は要介護3以上の認定を受けた者）．
- 介護老人保健施設入所者のおよそ7割は要介護3以上に該当する．平均在所日数は介護老人保健施設全体で約300日，在宅強化型施設（現行区分の「超強化型」「在宅強化型」施設）に限っても200日を上回ることから，入所者の多くは「生活期」に該当する．
- 要介護3の障害像は，①身の回りのこと（身だしなみ，居室の清掃など）ができない，②立ち上がりや片足での立位保持などの複雑な動作ができない，③歩行や両足での立位保持などの移動動作が一人ではできない，④排泄が一人ではできない，などの日常生活動作障害がみられ，認知機能では，①「毎日の日課」「生年月日」「直前に何をしていたか」「自分の名前」などの記憶があいまい，②物忘れ，周りのことに関心がない，などの記憶障害に加え，③昼夜逆転，暴言・暴行，大声を出す，助言や介護に抵抗，といった行動・心理症状（BPSD）がみられることも少なくない．

BPSD：behavioral and psychological symptoms of dementia

- このような障害像をもつ入所者に対して集団・個別リハビリテーションを実施し，他職種との緊密な情報交換と協働により利用者の生活を医療・介護の両面から支え，在宅復帰のための支援を行うことがリハビリテーション専門職の役割である．
- 入所リハビリテーションでは医師や看護，介護，ケアマネジャーなどといった他職種と連携してリハビリテーションマネジメントを行う．
- リハビリテーションマネジメントでは定められた頻度でカンファレンスを開催し「リハビリテーション実施計画」を策定し，医師が対象者（利用者）と家族にこれを説明し同意を得る（**図14-6**）．
- 理学療法士はリハビリテーション専門職としてこのリハビリテーション実施計画に基づきリハビリテーション（集団・個別リハビリテーション，短期集中リハビリテーション，認知症短期集中リハビリテーション）を実施する．あわせて，居住環境整備（家具の配置調整，移動手段の決定と移動補助具の選定，福祉用具の選定，それらの使用法の指導），家族や介護者への介助方法の指導，在宅復帰に向けた家屋改修指導などにおいて中心的役割を担う．
- リハビリテーション専門職は，これら施設内の役割に加えて地域連携の場での情報交換や地域ケア会議への出席といった役割も期待される．
- 2014年に示された「高齢者の地域における新たなリハビリテーションの在り方検討会報告書」（厚生労働省）では，高齢者リハビリテーションが身体機能の維持改善と基本的日常生活動作の獲得に偏り，活動・参加を促すアプローチや，高齢者自身の気概や意欲を引き出す取り組みに欠ける点が指摘された（**図14-7**）．この報告書は主に居宅介護サービスを利用する高齢者の課題をまとめたものではあるが，施設入所高齢者においても課題は類似する．
- これを踏まえ，入所リハビリテーションサービスにおける理学療法士の役割は，集団・個別リハビリテーションの実施による心身機能や移動能力，日常生活動作能力の向上に留まらず，多職種協働の包括的支援の一翼を担うことにより，活動・参加を中心とした高齢者の生活機能とQOLを最大限に高めることに重きが置かれるべきである．

3 入所リハビリテーションサービスの実際

- 回復期病院などからの入所が決定すると，急性期・回復期病院などからの情報提供書や申し送り，共用地域医療連携パスなどから入所者の情報を収集する．
- 入所から2週目までに，収集した情報と初期のアセスメント（評価）に基づき暫定プランが作成される．とくにこの時期のアセスメントで理学療法士は，移動・移乗能力や起居動作，セルフケアの能力と実施状況の評価に加え，この時期に発生しやすい転倒・転落リスクの把握や環境整備の実施が求められる．
- 入所直後は新たな生活環境に適応する時期に当たるため，とくに移動・移乗能力については，使用する移動補助具の選定や家具の配置なども考慮しながら新

(別紙様式21)

リハビリテーション実施計画書

患者氏名	性別（男・女）	年齢（　　歳）	計画評価実施日（　年　月　日）
算定病名	治療内容 □ 理学療法 □ 作業療法 □ 言語療法		発症日・手術日（　年　月　日） リハ開始日（　年　月　日）
併存疾患・合併症	安静度・リスク		禁忌・特記事項

心身機能・構造 ※関連する項目のみ記載

- □ 意識障害（JCS・GCS　　）
- □ 呼吸機能障害
  - − □ 酸素療法（　　）L/min □ 気切 □ 人工呼吸器
- □ 循環障害
  - − □ EF（　　）% □ 不整脈（有・無）
- □ 危険因子
  - □ 高血圧症 □ 脂質異常症 □ 糖尿病 □ 喫煙
  - □ 肥満 □ 高尿酸血症 □ 慢性腎臓病 □ 家族歴
  - □ 狭心症 □ 陳旧性心筋梗塞 □ その他
- □ 摂食嚥下障害（　　）
- □ 栄養障害（　　）
- □ 排泄機能障害（　　）
- □ 褥瘡（　　）
- □ 疼痛（　　）
- □ その他（　　）
- □ 関節可動域制限（　　）
- □ 拘縮・変形（　　）
- □ 筋力低下（　　）
- □ 運動機能障害
  - （□ 麻痺 □ 不随意運動 □ 運動失調 □ パーキンソニズム）
- □ 筋緊張異常（　　）
- □ 感覚機能障害（□ 聴覚 □ 視覚 □ 表在覚 □ 深部覚）
- □ 音声・発話障害
  - （□ 構音 □ 失語 □ 吃音 □ その他（　　））
- □ 高次脳機能障害（□ 記憶 □ 注意 □ 失行 □ 失認 □ 遂行）
- □ 精神行動障害（　　）
- □ 見当識障害（　　）
- □ 記憶障害（　　）
- □ 発達障害
  - （□ 自閉スペクトラム症 □ 学習障害 □ 注意欠陥多動性障害）

基本動作

- □ 寝返り（□ 自立 □ 一部介助 □ 介助 □ 非実施）
- □ 起き上がり（□ 自立 □ 一部介助 □ 介助 □ 非実施）
- □ 立ち上がり（□ 自立 □ 一部介助 □ 介助 □ 非実施）
- □ 座位保持（□ 自立 □ 一部介助 □ 介助 □ 非実施）
- □ 立位保持（□ 自立 □ 一部介助 □ 介助 □ 非実施）
- □ その他（　　）

日常生活活動（動作）(実行状況) ※BIまたはFIMのいずれかを必ず記載

項目			得点 開始時→現在 FIM	BI	使用用具及び介助内容等
運動	セルフケア	食事	→	10・5・0 → 10・5・0	
		整容	→	5・0 → 5・0	
		清拭・入浴	→	5・0 → 5・0	
		更衣（上半身）	→	10・5・0 → 10・5・0	
		更衣（下半身）	→		
		トイレ	→	10・5・0 → 10・5・0	
	排泄	排尿コントロール	→	10・5・0 → 10・5・0	
		排便コントロール	→	10・5・0 → 10・5・0	
	移乗	ベッド、椅子、車椅子	→	15・10・5・0 → 15・10・5・0	
		トイレ	→		
		浴槽・シャワー	→		
	移動	歩行（杖・装具：　）	→	15・10・5・0 → 15・10・5・0	
		車椅子	→		
		階段	→	10・5・0 → 10・5・0	
	小計（FIM 13–91、BI 0–100）		→	→	
認知	コミュニケーション	理解	→		
		表出	→		
	社会認識	社会的交流	→		
		問題解決	→		
		記憶	→		
	小計（FIM 5–35）		→		
合計（FIM 18–126）			→		

社会保障サービスの申請状況 ※該当あるもののみ

□ 要介護状態区分等	□ 身体障害者手帳	□ 精神障害者保健福祉手帳	□ 療育手帳・愛護手帳	□ その他（難病等）
□ 申請中 □ 要支援状態区分（□ 1 □ 2） □ 要介護状態区分（□ 1 □ 2 □ 3 □ 4 □ 5）	種　級	級	障害程度	

目標（1ヶ月）	目標（終了時） □ 予定入院期間（　　） □ 退院先（　　） □ 長期的・継続的にケアが必要
治療方針（リハビリテーション実施方針）	治療内容（リハビリテーション実施内容）
リハ担当医＿＿ 主治医＿＿ 理学療法士＿＿ 作業療法士＿＿ 言語聴覚士＿＿ 看護師＿＿ 管理栄養士＿＿ 社会福祉士＿＿ 説明者署名	説明を受けた人：本人、家族（　） 説明日：　年　月　日 署名

図14-6 **リハビリテーション実施計画書**

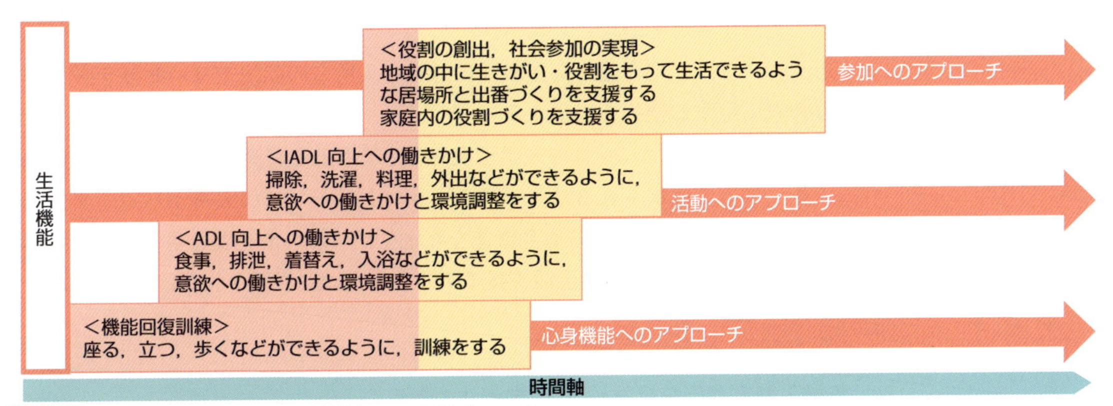

図 14-7　リハビリテーションの展開と 3 つのアプローチ
介護保険においては，心身機能へのアプローチのみならず，活動，参加へのアプローチにも焦点を当て，これらのアプローチを通して，利用者の生活機能を総合的に向上，発展させていくリハビリテーションを推進している．

たな居住環境（居室・ユニット内など）への適応状況を評価し，速やかに当面の移動手段を決定する必要がある．

- この時期までにカンファレンスを実施し他職種との方針・目標を統合し，そのうえでリハビリテーション実施計画書を作成して入所者・家族に説明をする．
- 機能訓練は週2回以上実施することが定められており，うち1回はリハビリテーション実施計画書に則った個別リハビリテーションを行うことも定められている．それに加え，短期集中リハビリテーション，認知症短期集中リハビリテーション，集団リハビリテーションなどさまざまな形態を組み合わせてリハビリテーションサービスを提供する．
- 集団リハビリテーションでは，理学療法士などが指導する運動療法（体操療法や筋力増強運動など）のほか，理学療法士などの指導の下で介護職らによるグループ活動，趣味活動，音楽療法などを組み合わせて実施することが多い．
- 施設入所高齢者に対する個別リハビリテーションは，移動能力や日常生活動作能力向上に対する有効性が示されており，一方，集団リハビリテーションでは，バランス，筋力を始めとする下肢機能，関節可動性などの心身機能の改善や転倒恐怖感の低減，転倒による外傷頻度の低減といった効果が期待できる(memo参照)．
- 生活期に行う理学療法は，活動・参加を中心とした生活機能向上とQOL向上が主な目標となるため，個別リハビリテーションによる日常生活動作能力の獲得に加えて，集団リハビリテーションで十分な心身機能の維持向上と，グループ活動によるグループダイナミクスの効果を促進していくことが望まれる．
- リハビリテーションマネジメントでは利用開始から6ヵ月間は1ヵ月ごと，それ以降は3ヵ月ごとのリハビリテーション実施計画の見直しが行われ，その都度，カンファレンスを実施し，在宅復帰の可能性を探りながら必要に応じて訪問指導などを実施する．
- 理学療法士などが行う訪問指導では在宅生活で発生することが予想される問題点を把握し，在宅生活への移行を想定したリハビリテーションプログラムを計画し実施することが求められる．

- 退所時には，在宅介護の関連職種に対して入所者の状況やリハビリテーションの経過に関する情報を提供する．
- 介護老人保健施設入所者の大半は発症後1年以上を経過した「生活期」に相当する．よって提供されるリハビリテーションサービスは入所から退所までの全期間を通じ，現状保有する心身機能を在宅生活において必要な生活機能に適応させていくことを目指す「生活支援モデル」を念頭に展開されなければならない．

memo

施設入所高齢者を対象とした理学療法の効果

2011年にまとめられた『理学療法診療ガイドライン』（日本理学療法士協会，2011）では下記のような施設入所者への理学療法のエビデンスが紹介されている．

- 心身機能の改善には集団運動療法が有効（推奨グレードA）．
- 移動能力や日常生活動作能力そのものの維持，向上には個別理学療法が有効（推奨グレードB）．
- 転倒に対する理学療法では，集団運動が転倒恐怖感を改善し転倒による外傷発生頻度を低減し，包括的転倒対策が転倒発生率を減少させる（推奨グレードA）．
- 認知症を有する施設入所高齢者の日常生活動作障害に対する理学療法の効果は一定の見解を得ない（推奨グレードC）．

しかし，これらは心身機能や移動能力，日常生活動作能力に対する効果にとどまっている点に注意が必要である．

2015年の介護保険法改正以降の地域在住高齢者に対する理学療法では「生活行為」「活動・参加」をキーワードとした新たな理学療法のエビデンスの蓄積が求められる．

C　理学療法士がかかわる通所リハビリテーションサービス

1 通所リハビリテーションサービスの概要

- 通所サービスには，通所リハビリテーション（デイケア）と通所介護（デイサービス）がある．
- 公益社団法人日本理学療法士協会の会員（2021年3月末現在129,875名）のなかで，通所リハビリテーションサービスが含まれる介護分野に従事する理学療法士は約1万名と10％未満であり，充足しているとはいえない．

a．通所リハビリテーション（デイケア）

- 通所リハビリテーションの対象者は，高齢者が中心であり，障害の種類や重症度はさまざまで，介護度についても，軽度から重度まで幅広い．
- わが国におけるそのサービス受給者数は，1ヵ月平均約44万人（2018年4月現在）であり，通所介護サービスの受給者数約113万人と比べると3分の1にあたる．
- 通所リハビリテーションでは，介護老人保健施設や病院・診療所などの医療機

表14-1　通所リハビリテーションの人員および設備に関する基準（厚生労働省）

(1) 人員に関する基準

[病院の場合]

職　種	資格要件	配置基準
医　師	医　師	■専任の常勤1名以上
理学療法士，作業療法士，言語聴覚士 看護職員 介護職員	理学療法士，作業療法士，言語聴覚士 看護師，准看護師 (なし)	■通所リハビリテーションの単位ごとに，その提供を行う時間帯を通じて専ら当該通所リハビリテーションの提供にあたる者が，利用者が10人までは1人，利用者が10人を超える場合は利用者の数を10で除した数以上
■上記に掲げる人員のうち専ら当該指定通所リハビリテーションの提供にあたる理学療法士，作業療法士または言語聴覚士が，サービス提供日ごとに，利用者が100人またはその端数を増すごとに1以上確保されていること． ■従業員1人が1日に行うことのできる指定通所リハビリテーションは2単位までとする．ただし，1時間から2時間までの通所リハビリテーションについては0.5単位として扱う．		

[診療所の場合]

職　種	資格要件	配置基準
医　師	医　師	利用者が10人を超える場合 ■専任の常勤1名以上 利用者が10人以下の場合 ■専任の者1名以上，利用者の数が医師1名に対し，1日48人以内
理学療法士，作業療法士，言語聴覚士 看護職員 介護職員	理学療法士，作業療法士，言語聴覚士 看護師，准看護師	■通所リハビリテーションの単位ごとに，その提供を行う時間帯を通じて専ら当該通所リハビリテーションの提供にあたる者が，利用者が10人までは1人，利用者が10人を超える場合は利用者の数を10で除した数以上
■上記に掲げる人員のうち専ら当該指定通所リハビリテーションの提供にあたる理学療法士，作業療法士または言語聴覚士が，サービス提供日ごとに，利用者が100人またはその端数を増すごとに1以上確保されていること． ■利用者の数は，専従する従業者に対し，1単位10名以内とし，1日2単位を限度とすること．ただし，1時間から2時間までの通所リハビリテーションについては0.5単位として扱う．		

(2) 設備に関する基準

設　備	内　容
実施場所	■病院または診療所であった「通所リハビリテーション·介護予防通所リハビリテーション」の設置が可能なもの．
専用の部屋	[病院，診療所の場合] ■3平方メートルに利用定員を乗じた面積（内法，有効面積）以上 [介護老人保健施設の場合] ■専用の部屋などとリハビリテーションに共用される食堂を加えて面積（内法，有効面積）が3平方メートルに利用定員を乗じた面積以上
機械および器具	■指定通所リハビリテーション·介護予防通所リハビリテーションを行うために必要な専用の器械および器具，消火設備，その他の非常災害に際して必要な設備．

関において心身の機能の維持と回復を図り，利用者の自立を促すことを目的とした理学療法などのリハビリテーションが行われる．

■通所リハビリテーションでは，QOLの向上もひとつの目標となる．

■通所リハビリテーションには，予防を目的とした「介護予防通所リハビリテーション」と以前より行われていたリハビリテーションを目的とした「通所リハビリテーション」の2つがある．

■運営する際の施設基準（人員配置と設備に関するもの）は，**表14-1**のとおりに定められている．

■その設置の人員要件に「専従の理学療法士，作業療法士，言語聴覚士はリハビ

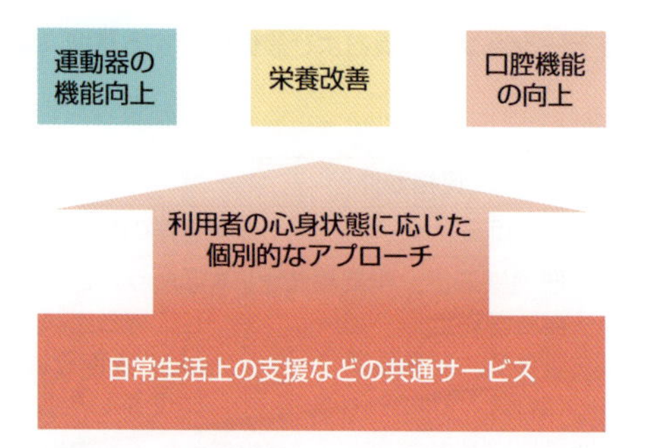

図 14-8　通所リハビリテーションの目的

リテーションが必要な時間帯において配置していること」とする一方で，通所介護では理学療法士などの配置は絶対的ではない.

b. 通所介護（デイサービス）

- 通所介護では，利用者が自宅で可能な限り自立した日常生活を送れるように，施設において孤立感の解消や心身機能の維持などを目的としたサービスが行われる.
- また，入浴，排泄，食事などの介護サービスのほか，日常生活上のケア，生活機能上のケア，生活機能向上のための機能訓練や口腔機能向上サービスなどが行われる.
- 生活機能向上を目的としたグループ活動などのサービス利用者同士の交流もある.

2 通所リハビリテーションサービスの対象と理学療法士の役割

a. 通所リハビリテーション（デイケア）

①介護予防通所リハビリテーション

- 対象者は，要介護認定区分の要支援1と要支援2に該当する者である.
- 介護予防通所リハビリテーションでは，生活機能向上のための「共通的サービス」に加えて，①運動器の機能向上，②栄養改善，③口腔機能の向上に関するサービスを組み合わせて行う（**図14-8**）.
- この3つのなかで，理学療法士は主に，運動器の機能向上プログラムを中心に関与する.

②通所リハビリテーション

- 対象者は，要介護認定区分の要介護1～5に該当する者である.
- 理学療法士は，通所リハビリテーション実施のための自宅訪問や個別リハビリテーションの業務を中心にかかわりながら，日常生活動作，サービス担当者会議（ケア・カンファレンス）をはじめ，通所リハビリテーション業務全体にわたって包括的に関与する.

b. 通所介護（デイサービス）

- 対象者は，要介護認定区分の要介護1～5に該当する者である.
- 理学療法士などの配置義務は無いが，担当者は，1人ひとりの対象者を総合的

表 14-2　リハビリテーション・マネジメント加算

■1ヵ月に8回以上通所している場合に，1ヵ月に1回算定するものとすること．
■医師，理学療法士，作業療法士，言語聴覚士その他の職種の者が共同して，利用者ごとのリハビリテーション実施計画を作成していること．
■利用者ごとのリハビリテーション実施計画に従い医師または医師の指示を受けた理学療法士，作業療法士または言語聴覚士が指定通所リハビリテーションを行っているとともに，利用者の状態を定期的に記録していること．
■利用者ごとのリハビリテーション実施計画の進捗状況を定期的に評価し，必要に応じて当該計画を見直していること．
■指定通所リハビリテーション事業所の従業者が，指定居宅介護支援事業者を通じて，指定訪問介護の事業その他の指定居宅サービス事業にかかわる従業者に対し，リハビリテーションの観点から，日常生活上の留意点，介護の工夫などの情報を伝達していること．

[第83回社会保障審議会-介護給付費分科会　資料2より]

memo

介護保険制度改正に伴う理学療法士への期待

2015年の介護保険制度改正では，「活動や参加」に重点をおいた改正が行われた．つまり，理学療法士には，これまで以上に「活動や参加」に対する効果的な理学療法の提供が求められるようになった．

「活動や参加」を促す具体的な方法として，

①活動と参加に焦点を当てた新たな評価体系の導入（生活行為向上リハビリテーション実施加算）

②認知症短期集中リハビリテーション*の実施（認知症短期集中リハビリテーション実施加算）

③社会参加を維持できるサービスなどへ移行する体制の評価（社会参加支援加算）

④リハビリテーションマネジメントの強化（リハビリテーション・マネジメント加算）（**表14-2**）

の4つの加算が設定されている．（①と②は通所リハビリテーションにおいて，③と④は通所リハビリテーションと訪問リハビリテーションに共通）

リハビリテーションマネジメントの概念が導入されたことによって，リハビリテーション総合実施計画書は，国際生活機能分類（ICF）の構成要素を基軸にしながら作成されるようになった．

＊認知症短期集中リハビリテーション　MMSE（ミニメンタルステート検査）またはHDS-R（改訂長谷川式簡易知能評価スケール）の点数がおおむね5～25点に相当する者が対象となる．
MMSE：mini-mental state examination
HDS-R：Hasegawa dementia scale for revised
ICF：international classification of functioning, disability and health

に評価する．

■そのうえで，要介護度が重度化しないように，対象者の日常生活活動能力の維持・向上に努める．

■さらに，対象者の家族を含めた介護者が，より快適な介護方法を習得できるように支援する．

3 通所リハビリテーションサービスの実際

■通所リハビリテーションサービスは，いずれも日帰りで行われる．

■リスク管理としては，バイタルサインのチェックを欠かさず行い，問題があれば，医師や看護師と連携を取り，リハビリテーションを中止し安静状態にする場合もある.

- とくに，顔色や発熱，血圧，脈拍，呼吸の変化には注意深い観察が必要である.

a. 通所リハビリテーション

①介護予防通所リハビリテーション

- 介護予防通所リハビリテーションでは，地域包括支援センターが作成した介護予防ケアプラン（正式名称：介護予防サービス計画）に基づき，利用者一人ひとりに合った介護予防に役立つサービスが実施される.
- 介護予防通所リハビリテーションの利用者が，可能な限り自宅において，自立した日常生活を営むことができるように，必要かつ適切なリハビリテーションを行う.
- リハビリテーションサービス内容として，転倒予防のための歩行練習や筋力強化，バランス練習が主に行われる.
- 要支援者が要介護状態にならないように，日常生活を含めて活動的な毎日を暮らせるようになるためのリハビリテーションアプローチを通して，趣味などへの取り組みも積極的に促す.

②通所リハビリテーション（デイケア）

- 介護支援専門員（ケアマネジャー）などが作成したケアプランに基づいて，ケアプランが立案され，リハビリテーションの理念に基づいた日常生活のケアサービスと個別リハビリテーション，あるいは集団リハビリテーションが実施される.
- 急性期後の生活期（維持期）を迎えて全身状態が安定してから，「通い」「日常生活のケア」「グループ活動」「個別リハビリテーション」の4つの機能でアプローチを行う.
- 医療機関からの退院直後，または介護老人保健施設などの入所施設から退所した直後に，短期集中個別リハビリテーションが実施され，介護報酬において加算がある.

b. 通所介護（デイサービス）

- 介護支援専門員（ケアマネジャー）などが作成したケアプランに基づいて，サービスが提供実施される.
- ケアプランは日常生活上の不便さや介護量，さらには自宅の環境を含めて総合

memo

「短期集中個別リハビリテーション実施加算」の算定用件

- 利用者の状態に応じて，基本的動作能力および応用的動作能力を向上させ身体機能を回復するための集中的リハビリテーションを個別に実施するものであること.
- 退院（所）日または認定日から起算して3ヵ月以内の期間に，1週につきおおむね2日以上，1日あたり40分以上実施するものでなければならない.
- 本加算の算定にあたっては，リハビリテーションマネジメント加算の要件を算定していることが条件となる.

[令和3年度介護報酬改定においてリハビリテーションマネジメント加算（I）～（IV）は，(A)イと(A)ロ，(B)イと(B)ロに改定とされ(I)と(IV)は廃止となる]

表 14-3　各種訪問サービス

サービス種別	保険種別		担当職種
	医　療	介　護	
訪問診療	○		医　師
訪問看護	○	○	看護師
訪問リハビリテーション	○	○	理学療法士・作業療法士・言語聴覚士
訪問介護・訪問入浴介護		○	介護福祉士・訪問介護員　など
訪問マッサージ	○		あん摩マッサージ指圧師
居宅療養管理指導		○	医師・歯科医師・歯科衛生士・薬剤師・管理栄養士

的に評価し，作成される．

- 要介護状態が，今以上に悪化しないように関節可動域（ROM）の維持を図ることや離床時間を増やし，廃用症候群の予防に努める．

ROM：range of motion

- 担当者は，看護職員または機能訓練指導員と連携をとりながら，利用者一人ひとりの健康チェックと，事故防止に心がけなければならない．

D　理学療法士がかかわる訪問リハビリテーションサービス

1 訪問リハビリテーションサービスの概要

a. 訪問リハビリテーションの種別

- 保険制度を利用した訪問サービスには**表 14-3**のようなものがある．
- このうち，訪問リハビリテーションは，利用者の実際の生活の場において，日常生活の自立と社会参加に向けた生活機能の向上を目指すサービスである．
- 在宅にリハビリテーション専門職（理学療法士，作業療法士，言語聴覚士）が訪問できる制度には，主に医療保険と介護保険の2つがある．
- 医療保険で訪問リハビリテーションサービスを提供できる施設は，病院，もしくは訪問看護ステーションである．
- 介護保険で訪問リハビリテーションサービスを提供できる施設は，病院，老人保健施設などに併設された訪問リハビリテーション事業所，もしくは訪問看護ステーションである．
- 訪問看護ステーションから提供される訪問リハビリテーションは，制度上訪問看護の一部として算定される．

b. 訪問リハビリテーションに従事する理学療法士数

- 日本理学療法士協会によると，2021年3月時点で訪問リハビリテーション事業所または訪問看護ステーションに所属する会員数は約2,000名とされている．これは常勤職員数であり，訪問リハビリテーションサービスに専従している理学療法士の数と言い換えられる．
- 非常勤職員や施設との兼任職員も含め，訪問リハビリテーションサービスに何らかのかかわりがある理学療法士の数はさらに多い.

c. 訪問リハビリテーションの対象者数

- 介護保険で訪問リハビリテーションを提供する場合の対象は要介護認定を受けた要支援・要介護者であり，その数がわが国の訪問リハビリテーションの対象者数である．2019年度の介護給付費実態調査によると，介護予防サービスとして訪問看護または訪問リハビリテーションを受給した要支援者数は月に約2万人であり，介護サービスとしてそれらを受給した要介護者数は月に約10万人であったとされている.
- 2013年に厚生労働省の助成を受けて行われた介護保険を利用した訪問リハビリテーションサービスに関するアンケート調査によると，訪問看護ステーションの利用者のうち，「理学療法士などによる訪問看護」を利用する1事業所あたりの平均実利用者数は58.2名（①）であり，理学療法士などが配置されている指定訪問看護ステーションは2,782事業所（②）とされている．また，訪問リハビリテーション事業所は2,410事業所（③）であり，1事業所あたりの平均実利用者数は35.3名（④）とされている.

d. 訪問リハビリテーションの充足率

- 単純計算で約25万人*の利用者が存在することになり，訪問リハビリテーションサービスにかかわる理学療法士数が仮に2,500名だと仮定すると，理学療法士1名あたり約100名の利用者を担当することになる.
- 訪問リハビリテーションの充足率は依然として低く，地方自治体による実態調査では，「訪問リハビリテーションサービスを提供する事業所の数は依然として不足しておりさらに必要である」とする居宅介護支援事業所の数は，実に65%にものぼる.

*前述の①×②＋③×④より算出.

2 訪問リハビリテーションサービスの対象と理学療法士の役割

- 1人の訪問リハビリテーションサービス利用者に対して複数の医療専門職がかかわるという点では，入院患者に提供される一般的なリハビリテーションと在宅高齢者に提供される訪問リハビリテーションに大きな相違はない．したがって，訪問リハビリテーションを提供する「チーム」の一員として理学療法士に求められる役割とは，入院患者に提供される一般的なリハビリテーションと同様に，理学療法士の専門性そのものである.

a. 訪問リハビリテーションの対象者の特徴

- 医師による訪問診療をはじめとした医療または介護保険で提供されるさまざまな訪問サービスは，「通院が困難な者に対して」提供されることが算定要件として定められている.
- だが実際には，外来受診や通所サービスの利用が可能な場合でも，身体機能の維持や向上を目的として訪問リハビリテーションが指示されることも多い.
- また，介護予防を目的として，要支援者や要介護度の低い者であっても，その状態を維持・改善するための手段として訪問リハビリテーションが利用されている.

b. 訪問リハビリテーションにおける理学療法の目的

- 医療の目的は，患者の治療，および保健，健康増進（疾病の予防を含む）とされる．また，介護保険制度は，要介護度の維持・改善を目的としたサービスである．訪問リハビリテーションの目的も基本的にここから外れることはない．
- 閉じこもりがちな利用者に訪問リハビリテーションを提供する目的は，外出するための移動能力の向上，もしくは外出を容易にするような手段の確保である．これは入所または通所サービスとは異なる訪問サービス特有の目的となる．
- すでに外出が可能な場合や予防のために訪問リハビリテーションが提供される場合の目的は，対象者の活動や社会参加の機会を増加させることである．これはより機能の低い対象に対する目的に通じる部分も多く，さらには他サービス，とくに通所サービスとも重複する目的である．
- 疾患の種別や病期（医療・介護の別），傷害の重症度，要介護度（介護保険の支給限度額）などにより，対象者個人が受給するサービスの選択枝は無数に存在する．そのため，訪問サービスと通所サービスなどの他サービスが目的を同じとすることも珍しいことではない．

c. 訪問リハビリテーションの理学療法プログラム

- 「対象者の活動や社会参加の機会を増加させる」という目的のもとに行われる理学療法は，運動器（柔軟性，筋力など）や中枢神経系（協調性，運動学習など），呼吸循環系（総合的な体力）といった身体諸機能の維持・向上を目指した基本的ものである．
- しかし，これまでに述べてきたとおり，訪問リハビリテーションの対象者は多種多様であり，対象者の活動や社会参加の機会を実質的に増加させるためには，対象者個人の状況に即した応用的な介入（住宅改修，介助法を中心とした介助者への介護指導，福祉用具などに関するアドバイスなど）を行う必要がある．これらは実際の生活場面を確認することができる訪問リハビリテーションでこそ担うべき役割といえる．

3 訪問リハビリテーションサービスの実際

a. サービス提供時間

- 介護保険で提供される訪問リハビリテーションのサービス提供時間は，入院でのリハビリテーションと同様に，20分が基本の単位として定められている．
- 医療保険はこれと異なり，30分が基本の単位となる（30分未満，30分以上1時間未満，1時間以上1時間半未満）．
- 訪問頻度や理学療法士1人あたりの受け持ち利用者数との兼ね合いから，保険種別を問わず40～60分を1回のサービス提供時間として定めている事業所が多い．

b. リスクの抽出と管理

- 利用者にかかわる他の専門職が付近に存在せず，利用者とマンツーマンで接することが多いのは，訪問リハビリテーションの特色の1つである．
- 利用者にかかわる専門職が必ずしも同じ組織に属さないことも訪問リハビリテ

ーションにおいて留意すべき点である．他の専門職から得られる情報は決して十分ではなく，とくに介護サービスの提供において顕著である．

■したがって，居宅環境では，たとえリハビリテーションスタッフであっても，一般臨床医学に関する十分な知識を有し，利用者に潜在するリスクをスクリーニングする能力が求められる．

memo

フィジカルアセスメントは，測定機器を使用せずに視診，問診，体温，血圧，脈拍，聴診，触診などにより病状を判断する技術であり，訪問リハビリテーションを行う理学療法士においても重要である．

■スクリーニングでは，普段との違い（常とは異なる＝異常）を見逃さないことが重要である．普段の状態をよく把握しておく必要がある．

■スクリーニング結果の判定は，単一の結果だけではなく，複数の結果を総合的に解釈することが重要である．

■あくまでもスクリーニングであり，安易に結論を下さないこともまた重要である．異常の可能性があると考えられる場合には，早期に医師や他の専門職に照会することで，より詳細な検査へとつながり，潜伏リスクによる急変を未然に防ぐことが可能となる．医学的な評価を理学療法士のみで完結しようとせず，他の専門職と積極的に連携を図ることが訪問リハビリテーションにおける全身状態評価の最も重要なポイントである．

c. 運動療法の指導

■訪問リハビリテーションの介入頻度は，制度上，多くても週に2，3回が上限であり，病棟と比較すると圧倒的に少ない．介護サービスの場合には，他のサービスと併用されることも多く，限度額の関係上，週に1回というのが一般的である．この少ない頻度を有効に活用するためには，理学療法士が訪問している時間を，利用者が運動するためだけの時間にしないことが重要である．

■医療サービスとして訪問リハビリテーションを提供した際の診療報酬の算定要件には「理学療法士・作業療法士・言語聴覚士が基本的動作能力，応用的動作

memo

ほぼ24時間第三者の監視下にある入院患者とは異なり，在宅高齢者には少なからずまったくの1人で過ごす時間が存在する．閉じこもりがちな独居高齢者であれば訪問サービス以外のほぼすべての時間を1人きりで過ごすことだろう．こうした状況では，訪問リハビリテーションに従事する理学療法士が大きな事故に遭遇する可能性も決して低くはない．「予定していた時間に訪ねても応答がなかったことに違和感を覚え，住宅の管理者とともに入室すると，室内で利用者が死亡していた」という事例も実際に存在する．死亡とまではいかなくとも，脳卒中を起こしていたり，転倒後に復帰できずにいたりという事例は数多く存在する．訪問リハビリテーションに従事するのであれば，医療者として最低限の救急対応技術を身につけておく必要がある．また，大きな事故に遭遇した際の行動について，事業所内で十分な話し合いやシミュレーションの機会をもつことはもちろん，可能であれば緊急時の対応マニュアルなども整備しておきたい．

能力，または社会的適応能力の回復するようなトレーニングに必要な“指導”を行うと算定できる」とある．トレーニングそのものよりも，それを指導することに重きが置かれているのである．

- これを十分に理解し，訪問している時間は指導のための時間であることを常に意識する必要がある．
- 運動それ自体については，その内容もさることながら，まずは高頻度に運動を継続すること（運動習慣の獲得）が重要である．
- 介助法の指導や福祉用具の提案といった介護者への介入もおおいに有効である．しかし，介護者としては「サービスを提供されるべきはあくまでも利用者本人である」と感じており，「自分もリハビリテーションを提供される対象である」という意識に乏しいことが少なくない．介護者もリハビリテーションチームの一員であることを意識してもらうためには，サービス開始初期から十分に対話の機会をもつ必要があるだろう．
- 介助法の指導では，基本動作（起居・起立・歩行）と移乗に対する指導がよく行われる．
- 対象者を起き上がらせる際には，相手を肩から抱えることや，相手の上半身を引き上げるのと同時にベッドから脚をおろす反動（てこの原理）を利用することなどがポイントとなる．
- 対象者を立ち上がらせる際には，上に持ち上げることよりも手前に引き寄せることを意識して行うことが重要である．
- いずれの場合にも，中腰で腕の力を使って行うことは腰を痛めやすいため好ましくない．腰を落としながら体重移動を意識させ，むしろ脚の力を使って行うよう指導する必要がある．

d. 住宅環境整備の提案

- 日常生活動作が自立しない原因は利用者側だけの問題ではない．環境を調整し利用者に合わせるという視点も重要である．
- 住宅改造などと大げさに考える必要はない．たとえば，宅内での転倒が多い独居の利用者がいて，1人では片づけが行えず家中が散らかっているとすれば，部屋や生活動線を整頓するだけで転倒の頻度を減らすことができるかもしれない．
- 敷物を滑りにくい素材のものに変更することや，玄関や階段などの段差のある場所への照明の設置なども導入しやすい住宅環境整備である．
- 介護保険で補助が受けられる住宅環境整備にかかわるサービスのうち，手すりの設置は最もよく利用されるサービスだろう．
- 手すりの設置箇所としては，階段，トイレ，浴室，玄関が多い．自室とそれらをつなぐ生活動線上への設置も重要である．
- 手すりが設置できない場所には据え置きタイプの手すりや，天井と床を支持して設置するタイプの手すりなどが有用である（**図14-9**）．
- 福祉用具の選定も環境調整と同様に重要である．福祉用具の開発は日進月歩であり，利用者ごとに異なる生活環境により適した福祉用具を推薦できるよう，常に新しい情報に目を向けておくべきである．

a.

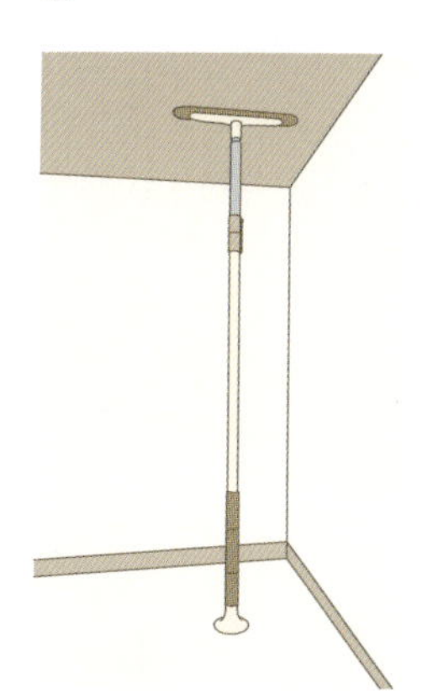

b.

図 14-9
据え置きタイプの手すり

学習到達度自己評価問題

1. 地域在住高齢者に対するリハビリテーションマネジメントとは何か答えなさい.
2. ハンズオンアプローチとハンズオフアプローチの違いを説明しなさい.
3. リハビリテーションにおけるEPDCAサイクルとは何か答えなさい.
4. 介護保険サービスでのリハビリテーションにおける多職種連携の重要性について考えなさい.
5. 介護老人保健施設で提供されるリハビリテーションサービスの目標は何か説明しなさい.
6. 入所リハビリテーションサービスにおける理学療法士の役割を説明しなさい.
7. 入所リハビリテーションサービスの流れを，介護老人保健施設の入所前，入所2週間まで，入所後3ヵ月，退所時の各時期に分けて説明しなさい.
8. 施設入所高齢者に対する個別リハビリテーションの効果を説明せよ.
9. 通所リハビリテーションの目的を説明しなさい.
10. 通所リハビリテーションでの理学療法士の強みを説明しなさい.
11. 介護予防通所リハビリテーションと通常の通所リハビリテーションの違いを説明しなさい.
12. 通所リハビリテーションにおける多職種連携の利点を説明しなさい.
13. 次の文章の正誤を判断し，誤っている場合には訂正しなさい.
「介護保険だけでなく，医療保険を利用しても訪問リハビリテーションを受けられる」
14. 次の文章の正誤を判断し，誤っている場合には訂正しなさい.
「訪問リハビリテーションの対象者は約5万人であり，これに対する理学療法士の数は十分足りている」
15. 次の文章の正誤を判断し，誤っている場合には訂正しなさい.
「訪問リハビリテーションの対象者の特徴を一言で表すと『引きこもり』である」
16. 訪問リハビリテーションにおいて重要性が高いのはつぎの2つのうちのどちらか.
トレーニングそのものorトレーニングについての指導.
17. 次の文章の正誤を判断し，誤っている場合には訂正しなさい.
「訪問リハビリテーションのリスク管理において重要なことは，フィジカルアセスメントなどから得られる複数の情報を総合的に判断することと，そこから推察される医学的な状態を理学療法士個人が迅速に結論づけることである」

15 高齢者の健康寿命の延伸

一般目標

1. わが国の高齢化の実態を理解する.
2. わが国の世帯構成の特徴を理解する.
3. 地域完結型の医療の概要を理解する.
4. 自助，互助，共助，公助の違いを理解する.
5. 地域包括ケアシステムの概念を理解する.
6. 介護予防の現場で適切なアセスメントが行えるよう，高齢者の実態や抱えているリスクを理解する.
7. 介護予防の現場でエビデンスに基づいた適切な指導が行えるよう，運動介入の効果や不十分な点について理解する.
8. 高齢者の転倒，骨折の現状と課題を理解し，予防法について考察する.
9. 認知症の現状と課題を理解し，予防法について考察する.

行動目標

1. 高齢化の実態をわが国全体と出身地の実態を比較しながら説明できる.
2. 世帯構成がどのように変化してきたかを理解したうえで，そのことによって生じる課題を考えることができる.
3. 病院完結型と地域完結型の医療の違いを理解したうえで，双方のメリット，デメリットを考えることができる.
4. 自助，互助，共助，公助の違いを理解したうえで，互助の部分において自身がどのように貢献できるか考えることができる.
5. 少子高齢社会の現状や地域包括ケアシステムの考え方を踏まえて，今後，自身の専門性をどのように社会に還元できるかを考えることができる.
6. サルコペニア，ロコモティブシンドローム，フレイルについて説明できる.
7. 高齢者に対するレジスタンストレーニングの有用性について説明できる.
8. 転倒，骨折の発生原因について説明できる.
9. 認知症の行動心理症状（BPSD）とその発現原因について説明できる.

調べておこう

1. 国立社会保障・人口問題研究所ホームページにある将来推計人口・世帯数を参考に，わが国全体の高齢化率の推移と75歳以上人口の推移を調べよう.
2. 同じく，出身地の高齢化率の推移と75歳以上人口の推移を調べよう.
3. 地域包括ケア研究会報告書を参考に，地域包括ケアシステムの考え方を調べよう.
4. 高齢者の地域におけるリハビリテーションの新たなあり方検討会報告書を参考に，

リハビリテーションマネジメントの考え方を調べよう.
5. 社会保障制度改革国民会議報告書の「第2部. II. 1. 改革が求められる背景と社会保障制度改革国民会議の使命」を参考に，社会保障制度改革の方向性を調べよう.
6. わが国の人口問題について調べよう.
7. 骨格筋の加齢変化について調べよう.
8. 加齢による心身機能の変化（老年症候群）や転倒に影響する高齢者の身体的特徴を調べよう.
9. 軽度認知障害（MCI）について調べよう.

A 高齢社会の現状

1 わが国の高齢化の変遷

- 65歳以上人口が総人口に占める割合を高齢化率といい，高齢化率7～14％の社会を高齢化社会，14～21％の社会を高齢社会，21％以上の社会を超高齢社会という.
- わが国では2007年に高齢化率が21％を超え，超高齢社会に突入した.
- 超高齢社会は今後も続き，2025年には高齢化率が30％を超え，2040年には35％を超えると推計されている．今後，健康寿命を延伸し，活力ある社会を実現していけるかが課題となっており，予防健康づくりの取り組みを社会全体で推進していくことが求められている.
- 高齢化の要因は大きく2つあり，1つは高齢者人口（65歳以上人口）の増加である．もう1つは生産年齢人口（15～64歳人口）の減少である.
- 高齢者人口の伸びは2025年以降から緩徐になる一方，生産年齢人口は2025年以降も減少し続ける．すなわち2025年以降は高齢者人口の伸びよりも生産年齢人口の減少の影響を強く受けて高齢化が進むこととなる（**図15-1**）.
- 身体上または精神上の障害により何らかの介護を必要とする高齢者と接する機会が多い理学療法士は，65歳以上人口の動態に加え，75歳以上の人口動態についても着目する必要がある.
- 65～69歳の要介護認定率*はわずか2.0％であり，この世代はほとんどが元気高齢者である．その一方で75歳を超えると要介護認定率は急激に上がりはじめる（**図15-2**）.
- すなわち75歳前後が介護を必要となる年齢のターニングポイントと考えることができ，いかにこの世代の要介護状態を予防できるかが今後の課題といえる.

***要介護認定** 被保険者が介護を要する状態であることを保険者が認定すること.

2 高齢化の地域差

- わが国の高齢化の進行は全国一律ではなく，地域によって異なっている．各都道府県の75歳以上人口の伸び率をみてみると，埼玉県，千葉県，神奈川県，

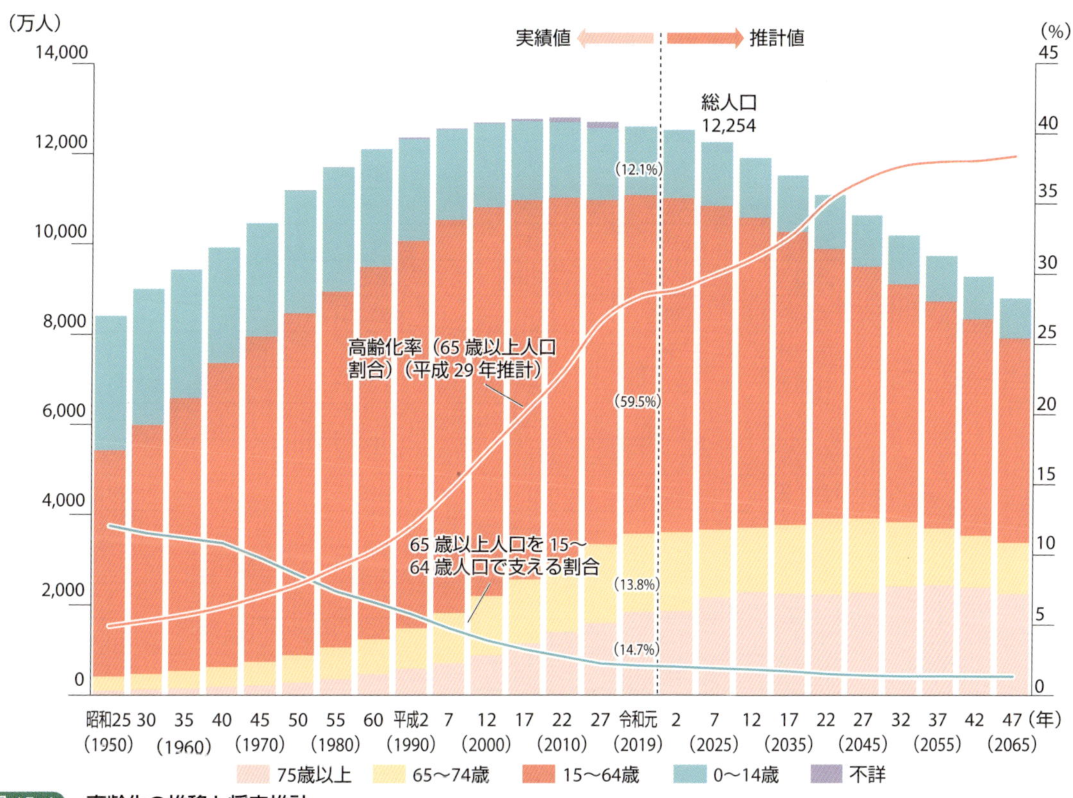

図 15-1 高齢化の推移と将来推計

[内閣府：令和2年版高齢社会白書（全体版），p. 4，を参考に作成]

資料：2015年までは総務省「国勢調査」，2019年は総務省「人口推計」（令和元年10月1日確定値），2020年以降は国立社会保障・人口問題研究所「日本の将来推計人口（平成29年推計）」の出生中位・死亡中位仮定による推計結果．

（注1）2019年以降の年齢階級別人口は，総務省統計局「平成27年国勢調査 年齢・国籍不詳をあん分した人口（参考表）」による年齢不詳をあん分した人口に基づいて算出されていることから，年齢不詳は存在しない．なお，1950年～2015年の高齢化率の算出には分母から年齢不詳を除いている．ただし，1950年及び1955年において割合を算出する際には，（注2）における沖縄県の一部の人口を不詳には含めないものとする．

（注2）沖縄県の昭和25年70歳以上の外国人136人（男55人，女81人）及び昭和30年70歳以上23,328人（男8,090人，女15,238人）は65～74歳，75歳以上の人口から除き，不詳に含めている．

（注3）将来人口推計とは，基準時点までに得られた人口学的データに基づき，それまでの傾向，趨勢を将来に向けて投影するものである．基準時点以降の構造的な変化等により，推計以降に得られる実績や新たな将来推計との間には乖離が生じうるものであり，将来推計人口はこのような実績等を踏まえて定期的に見直すこととしている．

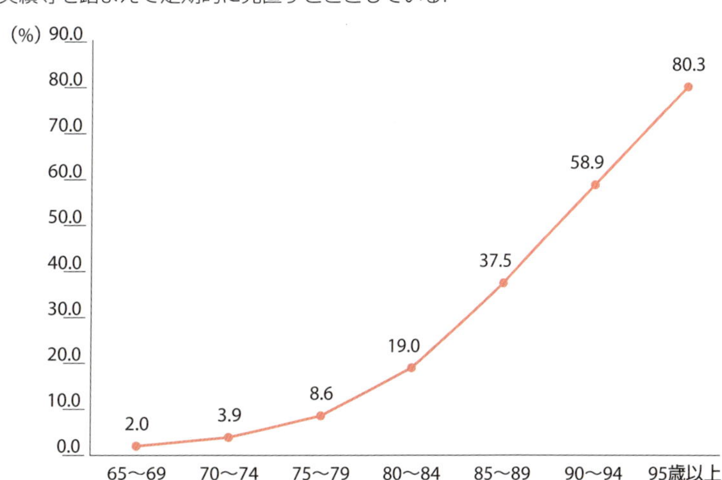

図 15-2 年齢階層別の要介護（要支援）認定率

[総務省：人口推計 令和2年9月 確定値，介護給付費等実態統計月報（令和2年9月審査分）より引用]

表 15-1　都道府県　75 歳以上人口の伸び率（2010 年比）

	75 歳以上人口（単位：千人）			伸び率（2010 年比）	
都道府県	2010 年	2025 年	2040 年	2025 年	2040 年
埼玉県	587	1,209	1,246	2.06	2.12
千葉県	554	1,072	1,085	1.93	1.96
神奈川県	789	1,466	1,555	1.86	1.97
大阪府	833	1,507	1,433	1.81	1.72
愛知県	653	1,169	1,208	1.79	1.85
京都府	286	476	460	1.66	1.61
奈良県	154	256	250	1.66	1.62
兵庫県	600	984	1,003	1.64	1.67
東京都	1,216	1,946	2,067	1.60	1.70
全　国	14,072	21,800	22,392	1.44	1.48
鳥取県	85	106	111	1.25	1.29
徳島県	114	143	140	1.25	1.23
福島県	273	341	376	1.25	1.38
岩手県	192	236	244	1.23	1.27
高知県	120	147	136	1.22	1.13
秋田県	175	209	208	1.19	1.19
島根県	119	139	134	1.17	1.13
鹿児島県	252	295	322	1.17	1.28
山形県	180	210	217	1.16	1.21

［2010 年は「国勢調査」，2025 年，2040 年は国立社会保障・人口問題研究所「日本の地域別将来推計人口（平成 30（2018）年推計）」より引用］
*表は 2025 年における伸び率の上位，下位の 9 位までと全国平均をまとめた．

大阪府，東京都など大都市圏での伸び率が高く，岩手県，島根県，鹿児島県，秋田県など地方では伸び率が低い（**表 15-1**）．

- 最も 75 歳以上人口の伸び率が高い埼玉県では 2025 年には 2010 年比で 2.06 倍，最も伸び率が少ない山形県では 2025 年には 2010 年比で 1.16 倍と予想されており，地域ごとに大きく差がある．このように，人口構造や高齢化の進展には地域差があり，それぞれの地域が固有の課題を抱えているともいえる．

3 世帯構成の変化

- 高齢者人口や高齢化率が変化するとともに，世帯の構成も変化している．
- 1980 年には 3 世代同居の割合が全体の 50％以上を占めていたが，2018 年には単独もしくは夫婦のみの世帯が全体の 59.7％と過半数を占めるようになった（**図 15-3**）．
- また単独世帯*は 2018 年には 680 万人を超え，1980 年比で 7.51 倍となった．そのうち高齢者の単独世帯は 4 割を占めており，急増する高齢単身者をいかに地域で支えていくかがわが国の課題の 1 つとなっている．

***単独世帯**　単独世帯とは世帯員が 1 人だけの世帯をいう．

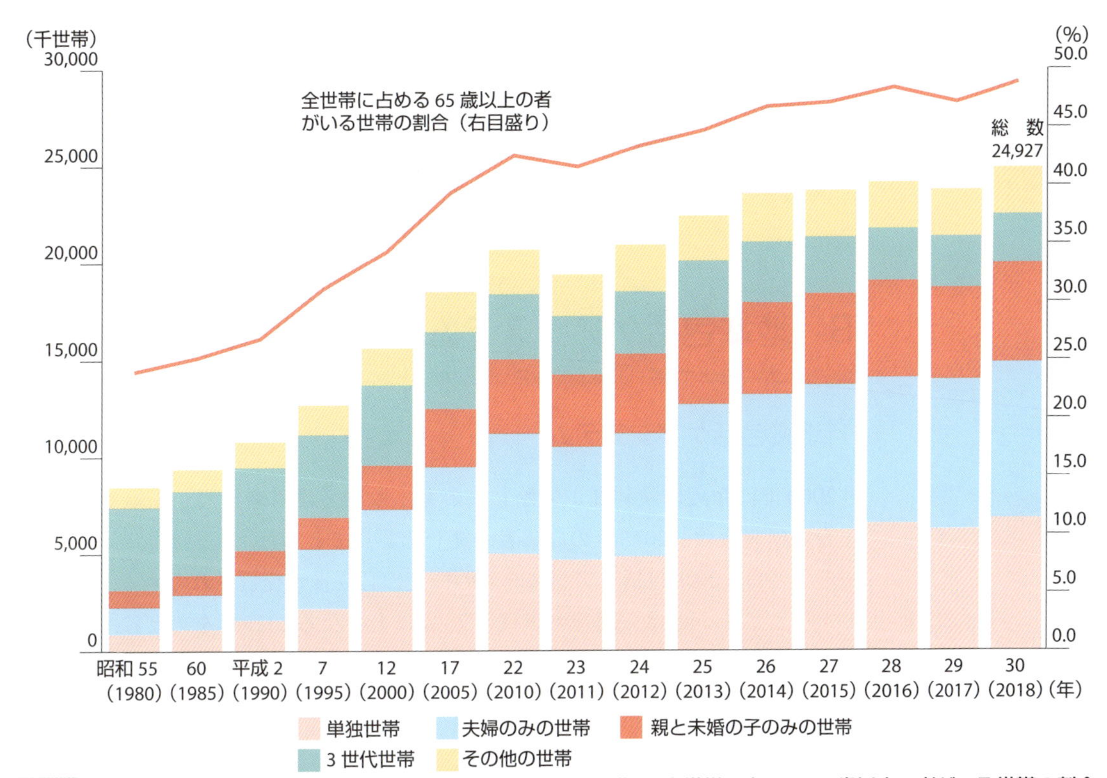

図15-3　65歳以上の者のいる世帯数および構成割合（世帯構造別）と全世帯に占める65歳以上の者がいる世帯の割合
[内閣府：令和2年版高齢社会白書（全体版），p.9を参考に作成]
資料：昭和60年以前の数値は厚生省「厚生行政基礎調査」，昭和61年以降の数値は厚生労働省「国民生活基礎調査」による
（注）平成7年の数値は兵庫県を除いたもの，平成23年の数値は岩手県，宮城県および福島県を除いたもの，平成24年の数値は福島県を除いたもの，平成28年の数値は熊本県を除いたものである．

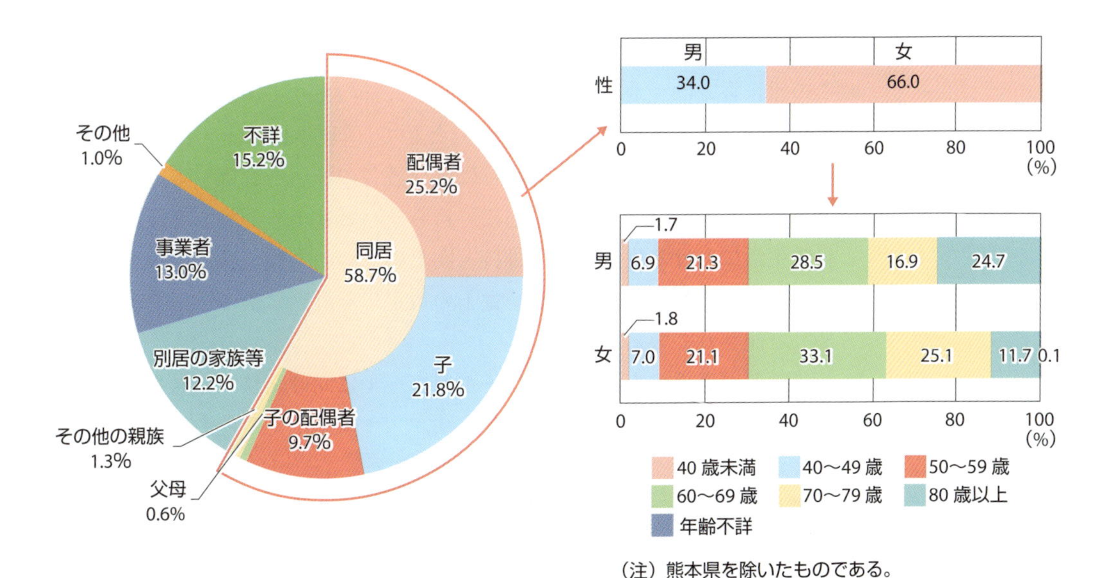

図15-4　要介護者などからみた主な介護者の続柄
[内閣府：令和2年版高齢社会白書（全体版），p.34を参考に作成]

memo

介護を要する状態になった場合，同居する配偶者が主な介護者となるケースが 25.2%と最も多い（**図 15-4**）．介護を行う配偶者の約 70%は 60 歳以上であり，高齢者が高齢者を介護する老老介護についても課題となっている．

B　地域包括ケアシステムと理学療法士の役割

1 地域包括ケアシステム

- 2000年に介護保険制度が開始したのち，厚生労働省老健局が組織した高齢者介護研究会は「2015年の高齢者介護」をとりまとめた．
- そこでは，地域包括ケアシステムの構築の必要性が提言されている．地域包括ケアシステムとは，団塊の世代が75歳以上となる2025年をめどに，重度な要介護状態となっても住み慣れた地域で自分らしい暮らしを人生の最後まで続けることができるよう，住まい，医療，介護，予防，生活支援が一体的に提供されるしくみと説明されている．
- 前述のとおり高齢化の進展状況は大きな地域差があり，保険者である市町村や都道府県が，地域の自主性や主体性に基づき，地域の特性に応じて地域包括ケアシステムを構築していくことが重要とされている．
- この概念は2010年の「地域包括ケア研究会」の報告書のなかで整備され，2011年の介護保険法改正のなかで，地域包括ケアシステムを推進する内容が明記された．
- この報告書では「地域包括ケアを支える人材のあり方～良質なケアを効率的に提供するための人材の役割分担～」として，「理学療法士・作業療法士・言語聴覚士は在宅復帰時・施設入所時に要介護者の状態を評価して計画を策定するとともに，困難なケースを中心に，自らリハビリテーションを提供する．一方，日常生活における生活機能の維持・向上のための支援（機能訓練など）は，理学療法士・作業療法士・言語聴覚士の策定した計画に基づき，介護福祉士が実施」と記されている．
- 評価に基づき課題を抽出し，ゴールとゴールに向けたプロセスを設定する能力とともに，他職種にその必要性や方法，スキルを伝える能力も求められていることがわかる．
- 高齢者の地域におけるリハビリテーションの新たなあり方検討会報告書（2015年3月）においても，質の高いリハビリテーション実現のためのマネジメントの徹底（リハビリテーションマネジメント）が明記されており，理学療法士などもその能力が問われている．
- 地域包括ケアシステムは介護分野のみで完結するものではなく，医療のかかわりも重要なことを忘れてはならない．地域包括ケアシステムを推進していくう

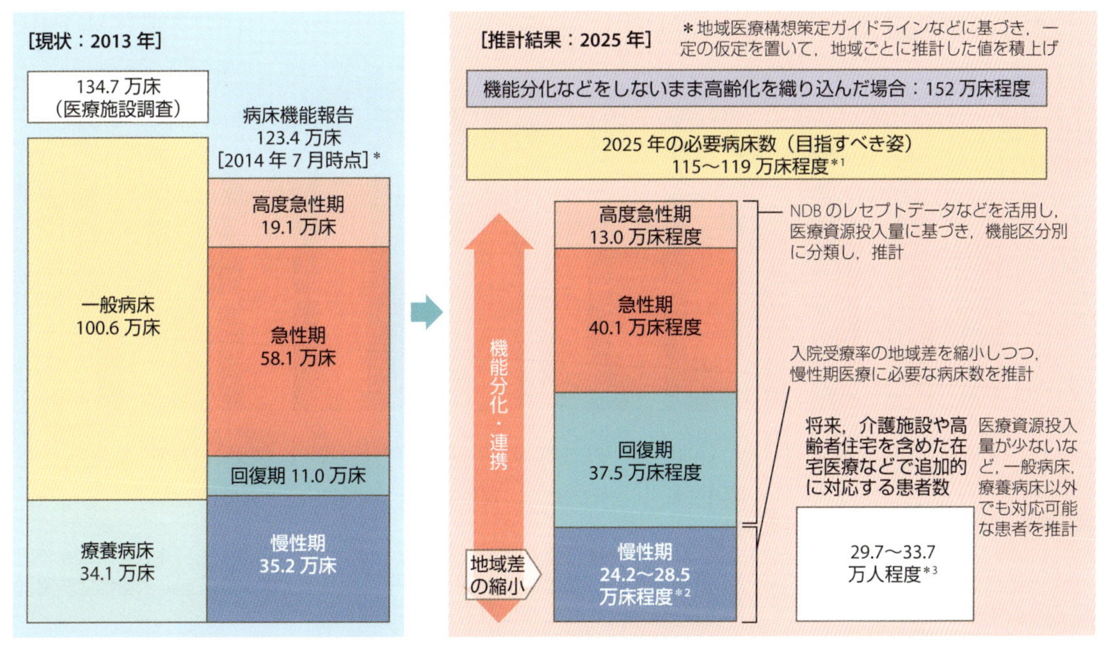

*未報告・未集計病床数などがあり，現状の病床数（134.7 万床）とは一致しない．なお，今回の病床機能報告は，各医療機関が定性的な基準を参考に医療機能を選択したものであり，今回の推計における機能区分の考え方によるものではない．

*1 パターン A：115 万床程度，パターン B：118 万床程度，パターン C：119 万床程度
*2 パターン A：24.2 万床程度，パターン B：27.5 万床程度，パターン C：28.5 万床程度
*3 パターン A：33.7 万人程度，パターン B：30.6 万人程度，パターン C：29.7 万人程度

図 15-5　2025 年の医療機能別必要病床数の推計結果（全国ベースの積上げ）
[厚生労働省社会保障制度改革推進本部：第 5 回医療・介護情報の活用による改革の推進に関する専門調査会，資料 1，p.3 を参考に作成]

えでは医療のない介護もない代わりに介護のない医療もないと捉える必要がある．

a. 病院完結型医療から地域完結型医療への移行

■内閣の社会保障制度改革推進本部に設けられた「医療・介護情報の活用による改革の推進に関する専門調査会」は2015年，将来の需要推計に基づいて推計した医療における必要病床数を報告した（**図15-5**）．その報告では，2013年時点で134.7万床あるわが国の病床数が2025年には115～119万床になると推計している．

■先に述べたように2025年に向けて高齢者数はさらに増加し，入院を要する患者が増加する．それにもかかわらず，病床数を削減するシミュレーションがなされている．

■2013年の社会保障制度改革国民会議報告書では，わが国が直面している急速な高齢化の進展が，疾病構造の変化を通じて，必要とされる医療のかたちを変化させてきたと説明している．

■すなわち，平均寿命の延伸により複数の慢性疾患を抱える高齢患者が多くなり，病院で治療が完結する病院完結型の治療ではなく，患者の住み慣れた地域や自宅での生活を地域全体で支える地域完結型の医療が社会的に求められている．

■これは「治す医療」から「支える医療」への転換であり，病床の機能分化および在宅サービスの充実，入院から在宅までのシームレスな連携体制の強化など

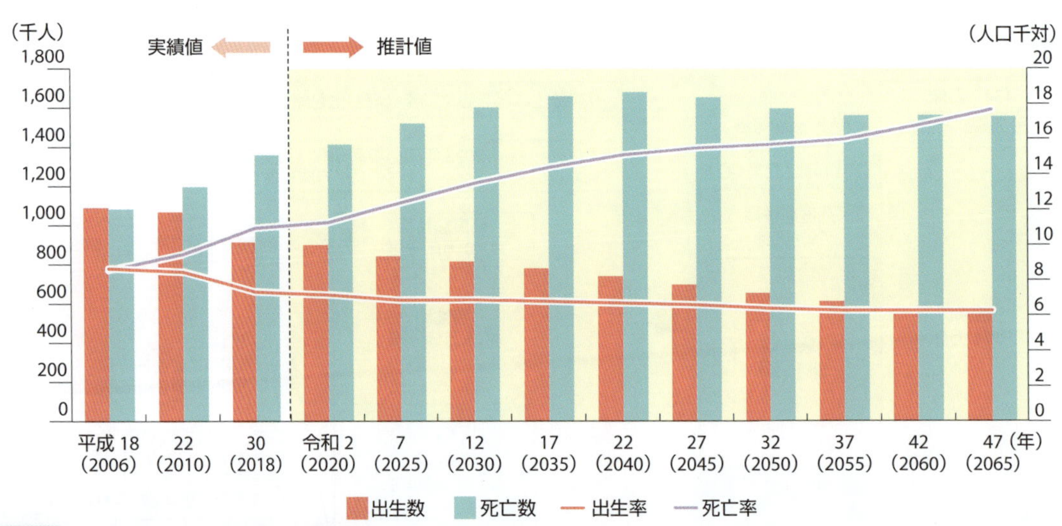

図15-6　出生数および死亡数の将来推計

資料：2006年，2010年，2018年は厚生労働省「人口動態統計」による出生数および死亡数（いずれも日本人）．2020年以降は国立社会保障・人口問題研究所「日本の将来推計人口（平成29年推計）」の出生中位・死亡中位仮定による推計結果（日本における外国人を含む）．
［内閣府：令和2年版高齢社会白書（全体版），p.5を参考に作成］

を通して，病床数を増やすことなく，増加する高齢者を地域で支えていく方針が示されている．

- わが国は2006年ごろを境に，死亡数が出生数を上回った．また高齢者人口の増加に伴い2040年前後には死亡数のピークを迎える．2040年には年間160万人以上の死亡数が推計されており（**図15-6**），2010年比でプラス40万人となる．このようにわが国は多死社会を迎えることになる．
- 2014年人口動態統計調査によれば，現在，病院での看取りが最も多く全体の約75%，自宅での看取りは約15%程度である．
- 多くの国民が自宅で最期を迎えたいと考えていること（**図15-7**），また病床を削減する方針であることなどを踏まえ，在宅を中心とした看取りへのシフトが求められている．
- 先に述べた地域全体で治し，支える地域完結型の医療の射ほどには，そのときが来たらより納得し満足できる最期を迎えるよう支援する「QOD（クォリティ・オブ・デス）」を高める医療も含まれている．
- 2018年3月には，人生の最終段階を迎えた本人・家族などと医師をはじめとする医療・介護従事者が，最善の医療・ケアをつくり上げるプロセス示した「人生の最終段階における医療・ケアの決定プロセスに関するガイドライン」が改訂され，厚生労働省から発出されているところである．
- 要介護状態になる主な原因の1つに認知症がある（**表15-2**）．2012年時点で高齢者の約7人に1人が認知症といわれている（p. 227参照）．介護を受ける国民は，できるだけ自宅で介護を受けたいと思っており（**図15-8**），認知症高齢者を含む多くの要介護者を在宅中心で支えていくしくみの構築が課題となっている．

表 15-2　要介護度別にみた介護が必要となった主な原因

(単位%)　2019（令和元）年

現在の要介護度	第1位		第2位		第3位	
総　数	認知症	17.6	脳血管疾患（脳卒中）	16.1	高齢による衰弱	12.8
要支援者	関節疾患	18.9	高齢による衰弱	16.1	骨折・転倒	14.2
要支援1	関節疾患	20.3	高齢による衰弱	17.9	骨折・転倒	13.5
要支援2	関節疾患	17.5	骨折・転倒	14.9	高齢による衰弱	14.4
要介護者	認知症	24.3	脳血管疾患（脳卒中）	19.2	骨折・転倒	12.0
要介護1	認知症	29.8	脳血管疾患（脳卒中）	14.5	高齢による衰弱	13.7
要介護2	認知症	18.7	脳血管疾患（脳卒中）	17.8	骨折・転倒	13.5
要介護3	認知症	27.0	脳血管疾患（脳卒中）	24.1	骨折・転倒	12.1
要介護4	脳血管疾患（脳卒中）	23.6	認知症	20.2	骨折・転倒	15.1
要介護5	脳血管疾患（脳卒中）	24.7	認知症	24.0	高齢による衰弱	8.9

注：「現在の要介護度」とは，2019（令和元）年6月の要介護度をいう．
[厚生労働省：政府統計「令和元年国民生活基礎調査の概況」より引用]

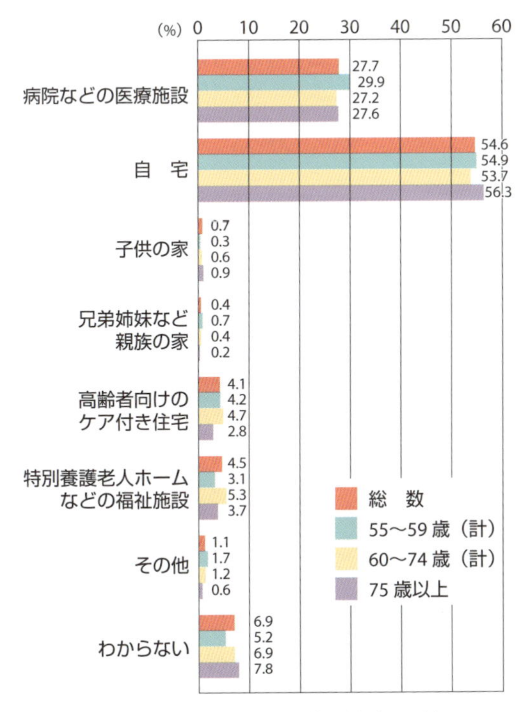

資料：内閣府「高齢者の健康に関する意識調査」(2012年)
(注) 対象は，全国55歳以上の男女

図 15-7　最期を迎えたい場所
[内閣府：平成28年版高齢社会白書，p. 30を参考に作成]

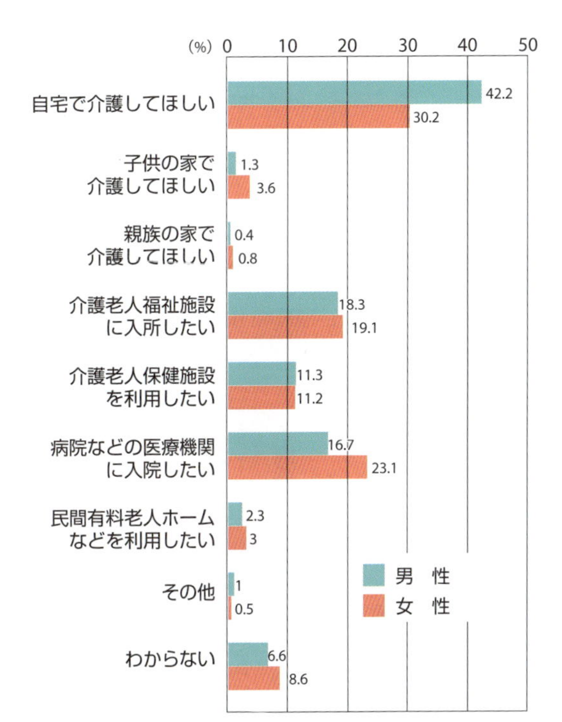

資料：内閣府「高齢者の健康に関する意識調査」(2012年)
(注) 対象は，全国55歳以上の男女．数値は60歳以上の男女

図 15-8　介護を受けたい場所
[内閣府：平成28年版高齢社会白書，p. 30を参考に作成]

2 高齢社会における理学療法士の役割

■地域包括ケアの概念には，自分のことは自分で行うという自助，ボランティアや住民活動など医療や介護保険に頼らない支え合いとしての互助，医療保険や介護保険といった社会保障サービスとしての共助，生活保護など最後のセーフ

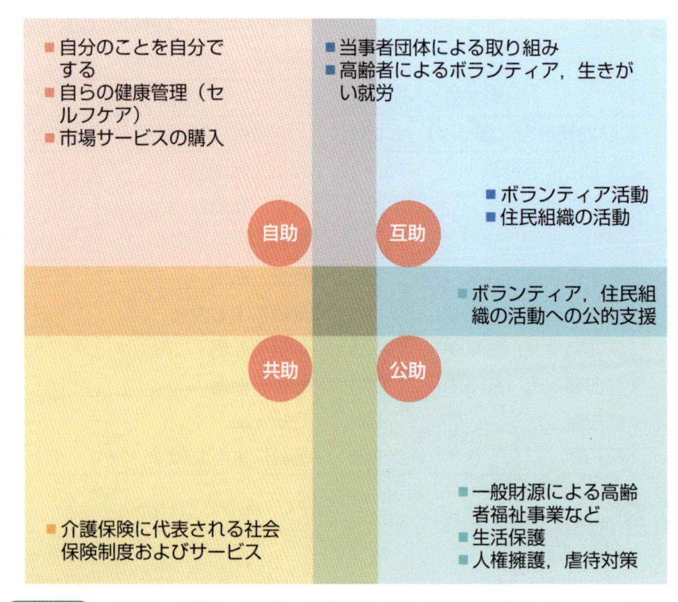

[費用負担による区分]
- 「公助」は税による公の負担，「共助」は介護保険などリスクを共有する仲間（被保険者）の負担であり，「自助」には「自分のことを自分でする」ことに加え，市場サービスの購入も含まれる．
- これに対し，「互助」は相互に支え合っているという意味で「共助」と共通点があるが，費用負担が制度的に裏づけられていない自発的なもの．

[時代や地域による違い]
- 2025 年までは，高齢者のひとり暮らしや高齢者のみ世帯がよりいっそう増加．「自助」「互助」の概念や求められる範囲，役割が新しいかたちに．
- 都市部では，強い「互助」を期待することが難しい一方，民間サービス市場が大きく「自助」によるサービス購入が可能．都市部以外の地域は，民間市場が限定的だが「互助」の役割が大．
- 少子高齢化や財政状況から，「共助」「公助」の大幅な拡充を期待することは難しく，「自助」「互助」の果たす役割が大きくなることを意識した取り組みが必要．

図 15-9　「自助，互助，共助，公助」からみた地域包括ケアシステム

[地域包括ケア研究会：地域包括ケアシステム構築における今後の検討のための論点，－概要版－，p.2，三菱 UFJ リサーチ & コンサルティング株式会社，2013<https://www.murc.jp/uploads/2013/04/koukai130423_gaiyou.pdf>（最終アクセス：2021 年 10 月）より引用]

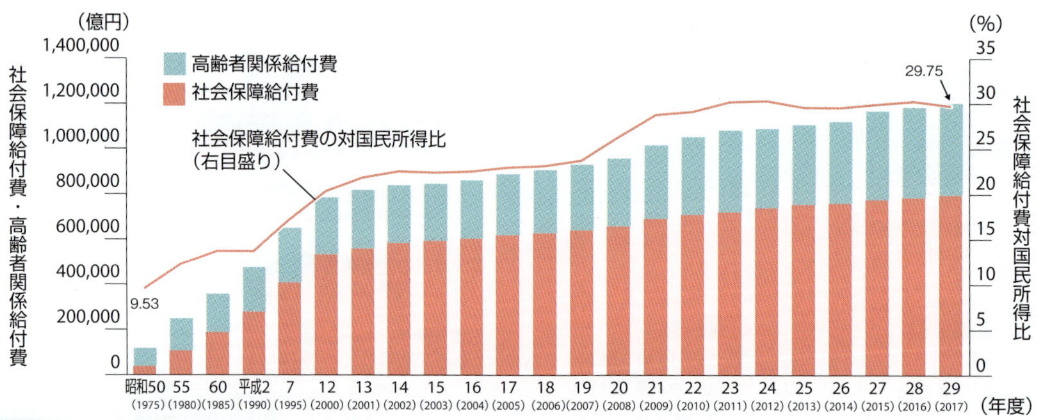

図 15-10　社会保障給付費の推移

[内閣府：令和 2 年版高齢社会白書（全体版），p.14 を参考に作成]
資料：国立社会保障・人口問題研究所「平成 29 年度社会保障費用統計」
（注 1）高齢者関係給付費とは，年金保険給付費，高齢者医療給付費，老人福祉サービス給付費および高年齢雇用継続給付費を合わせたもので昭和 48 年度から集計
（注 2）高齢者医療給付費は，平成 19 年度までは旧老人保健制度からの医療給付額，平成 20 年度は後期高齢者医療制度からの医療給付額および旧老人保健制度からの平成 20 年 3 月分の医療給付額などが含まれている．

ティーネットとしての公助が分けて整理されている（**図 15-9**）．

- 2017 年度の社会保障給付費（年金，医療，福祉その他を合わせた額）は 120.2 兆円を超え，国民所得に占める割合は，1975 年度の 9.53％から 29.75％と急上している（**図 15-10**）．
- 持続可能な社会保障制度を維持していくためには，共助や公助のみに頼るので

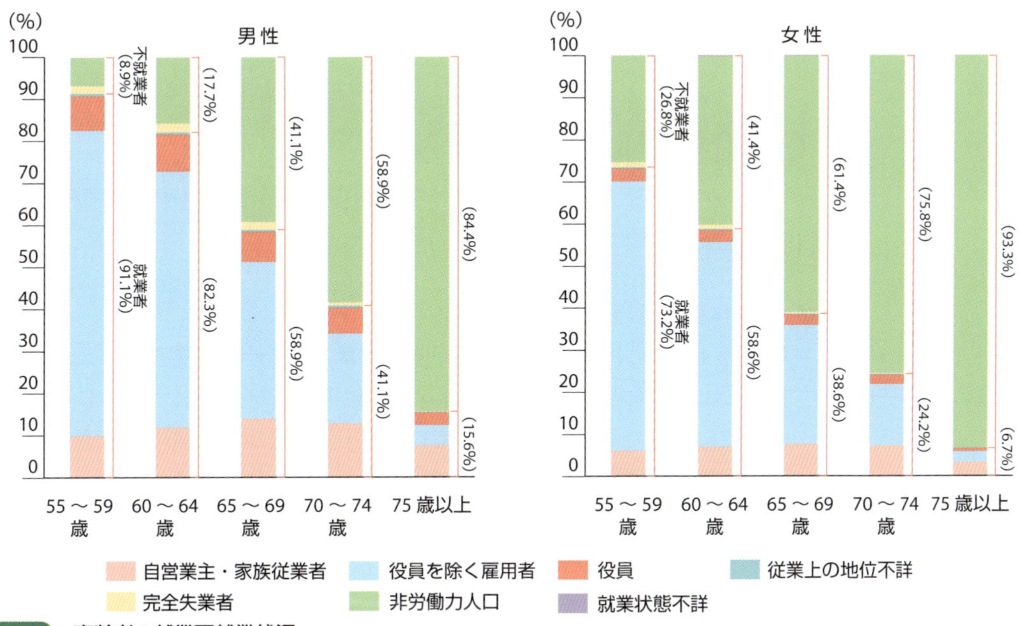

図 15-11　高齢者の就業不就業状況
[内閣府：令和2年版高齢社会白書を参考に作成]
資料：総務省「労働力調査」（令和元年）
（注）四捨五入の関係で，足しても100%にならない場合がある.

はなく，自助や互助を基本とした支え合いのしくみを成熟させる必要がある.

■自助や互助の活動は専門的な知識をもたない一般住民を基本とした活動であり，その活動にどのように専門職がかかわり，より効果的な自助・互助の活動として展開できるかが重要となる．理学療法士においても積極的に地域の活動に参加することが求められている.

■1965年ごろのわが国は65歳以上の高齢者1人を20～64歳の層が9.1人で支える人口構成であったが，2050年には1人の65歳以上の高齢者を20～64歳の層1.2人で支える肩車型の人口構成になると推計されている.

■高齢者の就業状況をみてみると，60～64歳の男性の就業割合は82.3%，65～69歳で58.9%，70～74歳で41.1%，75歳以上で15.6%と年齢を重ねるごとに就業者の割合が減っている（**図15-11**）.

■15～64歳の生産年齢人口が減少し高齢者が増加するわが国においては，年齢を問わず支えられる人が支えていく社会のかたちが必要であり，理学療法士はそういった健康寿命の延伸や産業分野での生産性効率などにも専門性を発揮する必要がある.

■たとえば各自治体では介護予防事業が実施されているが，そういった予防事業に理学療法士が参加していくことも重要である.

■2017年の介護保険法改正で新設された保険者機能強化推進交付金は，各自治体が行う自立支援・重度化防止の取り組みなどに対しインセンティブを設けて地域の予防健康づくりを推進する政策であるが，そのインセンティブの対象となる取り組みのなかに，介護予防事業へのリハビリテーション専門職の関与が含まれていることにも注目したい.

C　介護予防の取り組み

1 介護予防

a. 介護保険と介護予防事業

■2000年4月から開始された介護保険制度は，第1号被保険者（65歳以上）および第2号被保険者（40～64歳の特定疾患罹患者）が，日常生活に介護・支援が必要になった際に，介護度に応じたサービスを受けることができる制度である．介護度は要支援1，2，要介護1～5の計7区分に分類される.

■要介護認定者数と介護給付費は経年的に右肩上がりの状態が続いており，介護保険料は2000年の開始当初で全国の自治体平均が2,911円であったのに対して2021年には6,014円にまで上昇した.

■2006年度より，国民の健康寿命をできる限り延ばすとともに，真に喜ぶに値する長寿社会を作ることを目指し，介護予防事業が公的な事業として各地で実施されるようになった．しかし，この介護予防事業開始から約10年経過した現在でも要介護認定者数は増加を続けているため，2015年に事業の大きな見直しがなされることとなった.

■この見直しの1つとして，理学療法士や作業療法士，言語聴覚士といったリハビリテーション専門職も積極的に介護予防事業にかかわるべきということが明文化された．これを契機に地方自治体と各種リハビリテーション専門職の職能団体との協業が強化されることとなった.

memo

■介護予防の場でも高齢者個々人の機能レベルに応じた指導が行えるよう，介護予防アルゴリズムが作成され，現場での利用が進められている（**図15-12**）．このアルゴリズムはいくつかの質問に答え，A～Iまでの計9つのタイプに分類し，それぞれの機能特性に応じた運動処方を行うこととしている.

■介護予防現場のような集団指導でのリハビリテーション専門職が果たすべき主要な役割は，対象者のアセスメントである．しかし，1時間で20名程度の対象者のアセスメントが求められる場合があり，現実的には全例に対してアセスメントを施すことは難しい.

■このアルゴリズムのもう1つの役割は，トリアージとしての機能であり，運動指導を行うにあたり，とくに注意すべき対象者をスクリーニングする.

■本アルゴリズムを用いて，介護予防事業への参加者をスクリーニングすると，優先的に個別アセスメントを実施すべきと判定される者（タイプAに該当する者）は10～20%程度であることがわかっている．つまり，前述の例では20名の高齢者のなかで優先的に個別アセスメントをすべきなのは5名以内となり，この人数ならば実現可能である.

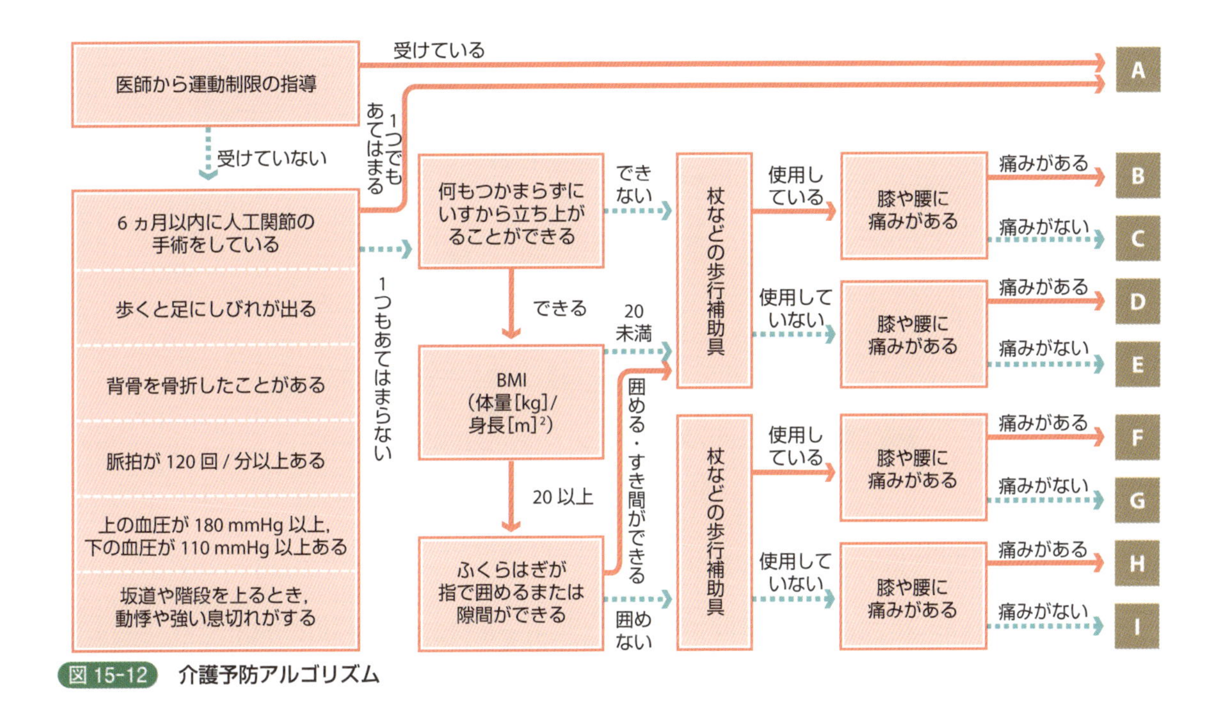

図15-12 介護予防アルゴリズム

■介護予防事業には，65歳以上の全員を対象としている事業と，65歳以上で介護が必要になる可能性の高い方を対象とする事業がある．

■各自治体では，「基本チェックリスト」などを使い，生活機能の低下が疑われ要介護となる可能性の高い方を早期に発見し介護予防対策が行えるよう取り組んでいる．

■介護予防事業には，要介護認定を抑制する効果が認められており，さらに発展的に拡大していくことが求められている．

■前述のように制度が整備されつつあるなかで，専門職としてはソフト面の提示も行っていく必要がある．しかしながら，介護予防事業の場において，リハビリテーション専門職が果たすべき役割は明確になっていない．

■一方，医療現場においてはさまざまなガイドラインなどが報告され，それらに従った医療行為の実施が求められている（EBM，EBR）．今後，介護予防の現場でも，エビデンスに基づいたトレーニングプログラムの実施が求められるようになることが予想される．

EBM：evidence based medicine
EBR：evidence based rehabilitation

b. 介護予防における一次予防，二次予防，三次予防

■介護予防領域においては，一次予防，二次予防，三次予防という考え方がある．

■一次予防とは，いわゆる元気高齢者に対して実施されるものであり，二次予防とは後述するフレイルと呼ばれる要介護の前段階にあるような高齢者に対して実施される対策のことを指す．なお，一般的な介護予防事業とは，二次予防のことを指す場合が多い．

■三次予防は，予防という概念からは逸脱するかもしれないが，要支援・要介護状態にあるような高齢者の重度化予防の対策のことを指す．

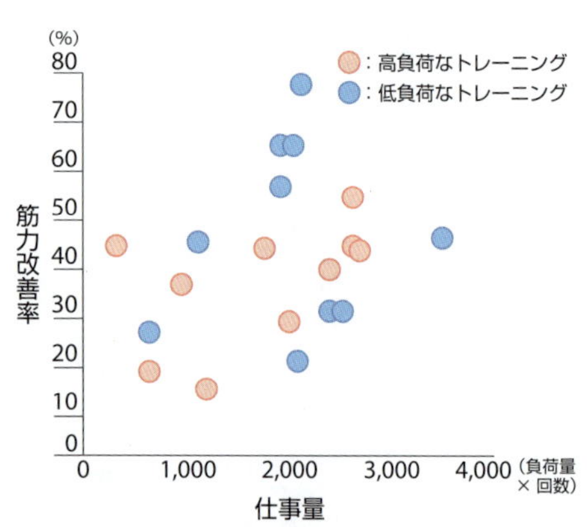

図 15-13　レジスタンストレーニングと筋力改善効果のイメージ

2 介護予防の実際

a. フレイル，サルコペニア，ロコモティブシンドロームの予防

- フレイル，サルコペニア，ロコモティブシンドロームともに共通して有用な予防策は運動である．なかでも，レジスタンストレーニングは有用とされており，負荷，回数，セット数，期間，頻度などを十分に考慮して実施することで筋力増強効果，筋量増加効果が認められる．
- **図15-13**では，高負荷，低負荷に関らず，仕事量依存的に筋力が増加していることがわかる．
- このように，レジスタンストレーニングには筋力増強効果が認められるが，フレイル，サルコペニアの高齢者に対してはレジスタンストレーニング単独では効果が不十分な場合がある．
- とくに，フレイル，サルコペニアの高齢者では通常の食生活のなかで摂取されるタンパク質量が減少しており，筋タンパク質の合成力が低下していると考えられている．そのため，タンパク質，アミノ酸の摂取を促しながらレジスタンストレーニングを実施する必要がある．
- フレイル，サルコペニアの高齢者は腎不全や糖尿病などの基礎疾患を抱え，食事摂取制限が設けられていることも少なくない．そういった場合には主治医などと相談のうえ実施することが重要である．

memo

今後，さらに高齢化が強まると予想されるわが国において，高齢者に対する介護予防は喫緊の課題である．介護予防に関する情報をいかに地域に発信していくか，そこにどのようなかたちで理学療法士が関与していくのかということも議論していく必要があるだろう．

b. 転倒・骨折の予防

- 高齢者の転倒・骨折は，直接の受傷以外にも転倒後症候群 post fall syndrome などを経て要支援・要介護状態につながる主要な要因の1つとして考えられて

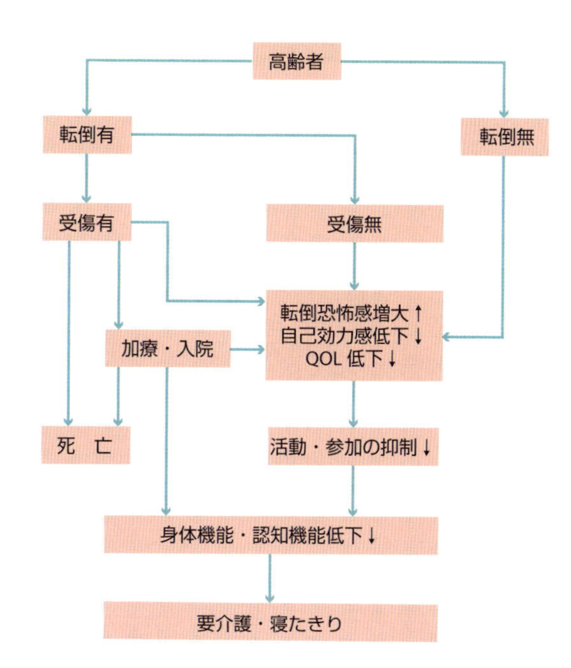

図 15-14 転倒が高齢者に与える影響

おり，介護予防における重要なテーマとなっている（図15-14）.

- 転倒・骨折予防の取り組みは，明確に3段階の予防レベルに区分することは難しいが，主に地域在住高齢者を対象とした介護予防などで行われる転倒・骨折予防について3段階に分けて説明する.
- 最近では，地域の住民が主体となって体操を実施する，いわゆる「通いの場」の活動も活発に行われている.
- これまでの介護予防の取り組みでは，高齢者は専門家の支援（指導）の受け手としての位置づけであった．これからは，対象者自身が主体的に転倒予防に資する行動が取れるように促すことがポイントとなる.

①一次予防としての転倒・骨折の予防

- 一次予防では，多数を対象とするため個々の転倒リスクに対して個別的，特異的な介入を加えることには限界がある．そのため，転倒・骨折予防を目的として集団的，非特異的な介入を行う.
- 一般的に，①転倒・骨折予防に関する知識，認知の向上を図る「普及啓発」の取り組み，②「身体活動」に着目し，活動量の向上や体づくりを促す取り組み，③転倒しにくい「環境調整（環境整備）」などが行われる（表15-3）.

②二次予防としての転倒・骨折の予防

- 二次予防では，転倒・骨折のリスクファクターとそのリスクレベルによって層化された比較的小規模な集団に対して，リスクファクターに応じた特異的な介入を実施する.
- 転倒・骨折の予防と関連する評価方法には，転倒に関するリスクファクターを個別に評価する方法と，さまざまなリスクファクターを抱合した包括的な評価方法があり，種々の指標が発表されている（表15-4）．これらの評価指標は，二次予防の対象者（ハイリスク者）のスクリーニングツールとして用いられる

表15-3　介護予防における転倒・骨折予防の取り組みの例

一次予防としての取り組み	普及啓発活動	■新聞，テレビ，情報誌など，マスコミを用いた情報提供 ■介護予防手帳，転倒予防のパンフレット，チラシなどの作成，配布 ■転倒予防に関する講演会，研修会，イベントなどの実施 ■転倒予防リーダーや転倒予防ボランティアの養成　など
	身体活動の賦活化	■身体機能や骨密度などの各種測定会の実施 ■ウォーキングコースや公園の整備 ■自宅でできる体操の紹介 ■ご当地体操などの開発（パンフレットやDVD配布） ■（対象を限定しない）転倒予防教室の実施 ■体操を用いた住民主体の「通いの場」の創設　など
	環境調整	■バリアフリー化の推進（高齢者の移動に配慮した安全な街づくり） ■照度の調整ほか，照明設備の整備 ■正しい靴（履物）の選び方や，適切な歩行補助具などの普及啓発　など
二次予防としての取り組み	運動介入	■筋力トレーニング（主に下肢筋力向上を目的としたトレーニング） ■バランストレーニング ■有酸素運動 ■柔軟（ストレッチ）体操 ■太極拳，ヨガ，ピラティス ■二重（多重）課題トレーニング（足踏みしながらしりとりをするなど） ■上記を組み合わせた複合プログラム　など
	栄養介入	■栄養教育 ■食生活指導 ■配食サービス　など
	その他	■本人や家族などの支援者に対する転倒リスクマネジメントの教育指導 ■ヒッププロテクターの紹介，適切な歩行補助具などの導入 ■眼鏡の調整など（視覚系への介入） ■服薬調整 ■運動，栄養を含め上記を組み合わせた包括的な介入　など

ほか，介入の成果を評価するアウトカム指標としても使用される場合がある．

■二次予防の介入には，①運動介入，②栄養介入，③服薬調整，④本人および家族などの支援者への教育的介入，⑤ヒッププロテクターなど転倒・骨折予防用品・機器の導入などがある（**表15-3**）．また，近年では，注意分散能力が転倒と関係していることが注目されている．介入時に，二重（多重）課題を用いたトレーニング，例えば，足踏みをしながらしりとりを行うなどのトレーニングが実施され効果を上げている．

■二次予防の介入では，「どのような対象に対して（リスクファクター）」「何を目標に（アウトカム）」「どのような介入（プログラム）」を行うのかを明らかにしたうえで，適切な介入方法と評価指標を用いることが肝要である．加えて，所期の目標が達成されたのかをモニタリングすることが必須である．

■転倒・骨折の予防を目的とした介入では，単独の介入方法によるものはエビデンスレベルが高いものは少ない．一方，運動介入と栄養介入，教育介入を組み合わせるなどした包括的な介入のエビデンスレベルが高い．また，運動介入においても，筋力トレーニングのみ，あるいはバランストレーニングのみといった介入よりも，筋力，バランス，柔軟性などを包括的にトレーニングするプロ

表 15-4　転倒・骨折の予防と関連する評価指標の例

包括的な評価	主に心身の虚弱性などを評価するもの
	■基本チェックリスト ■おたっしゃ 21 ■老研式活動能力指標 ■ Life-Space Assessment ■ Elderly-Status Assessment Set（E-SAS） ■ Motor Fitness Scale（MFS） ■ロコモ 25，ロコチェック　など
	転倒リスク全般を評価するもの
	■ Fall Risk Index 21（FRI21）
身体機能面の評価	複数の機能検査を組み合わせたもの
	■ Functional Balance Scale ■健脚度® ■ロコモ度テスト　など
	単独項目
	■歩行速度 ■ Timed Up & Go Test ■ Functional Reach Test ■片脚立ち時間 ■つぎ足歩行（タンデム歩行） ■重心動揺検査 ■筋力（下肢筋力，足趾把持力，握力，立ち座りテストなど） ■転倒歴（転倒回数） ■内耳機能検査　など
心理面の評価	■転倒恐怖感 ■転倒自己効力感 ■うつ検査 ■ QOL 評価 ■認知機能検査　など

グラムのエビデンスレベルが高い．

③三次予防としての転倒・骨折の予防

- 転倒・骨折予防における三次予防は，転倒による受傷者や，転倒・骨折との関連性が高い疾患・症候群の罹患者に対するリハビリテーション（主に運動療法）と（再）転倒予防対策と位置づけられる．
- 三次予防としての転倒・骨折予防の取り組みとしては，①運動療法を中心とした早期リハビリテーションの実施による転倒リスクの軽減，②転倒予防（ケア）プランなどの作成，③杖など適切な歩行補助具などの処方，④手すりの整備，段差の解消などの環境調整，⑤ICT（情報通信技術），ロボティクスなど工学系の支援技術の活用などがある．

ICT：information and communication technology

- 転倒時の受傷として多いのは，大腿骨近位部骨折をはじめとした骨折や頭部外傷などである．受傷後できるだけ早期にリハビリテーション（運動療法）などを実施し，早期の機能回復を図ることが重要である．
- 転倒・骨折のリスクがとくに高いと考えられる疾患や症候群には，循環器系疾患，認知症，視力障害，内耳機能障害，脳卒中，パーキンソン Parkinson 病（パーキンソン症候群を含む），変形性関節症，骨粗鬆症などの運動器系疾患，筋肉減少症（サルコペニア）などがある．これらの疾患や症候群に対しては，疾患そのものに対するアプローチと合わせて，患者の転倒を予防する視点での介入，支援が必須である．

- 一方，転倒後の受傷の有無にかかわらず，転倒後に生じる転倒後症候群には留意が必要である．転倒後に生ずる転倒恐怖感は，日々の活動に対する自己効力感（セルフエフィカシー）を低下させる．その結果，活動・参加の阻害因子となり，身体活動量や精神活動が減衰し要支援，要介護の遠因となりうる．転倒経験者の転倒恐怖感や自己効力感の状況に着目しそれらを改善するための対策が必要である．

memo

高齢者の転倒・骨折の予防に関しては，質の高い研究も多く発表されている．しかし，単独の介入方法で確実な転倒・骨折の予防効果が確認されているものは少ない．また，対象や環境が限定されている研究や，相当の資金やマンパワーが投入されたと想像されるものもある．いずれにしても，介護予防の現場で転倒・骨折予防を実践する際には，対象者像と介入方法のマッチング，マンパワーや費用などを慎重に吟味し，実情に合わせてできるだけ多面的，包括的な取り組みが検討されるべきである．

c．認知症の予防

- 2015年厚生労働省の65歳以上の高齢者の認知症患者数と有病率の将来推計についてみると，2012年は認知症患者数が462万人と，65歳以上の高齢者の7人に1人（有病率15.0%）であったが，2025年には約700万人，5人に1人になると見込まれている．
- 認知症対策は国をあげての喫緊で重要な課題であり政府は2019年6月「認知症施策推進大綱」をとりまとめた．
- 「認知症施策推進大綱」の基本的な考え方として，認知症の人が家族の視点を重視しながら「共生」と「予防」を車の両輪として施策の推進をあげ，①普及啓発・本人発信支援，②予防，③医療・ケア・介護サービス・介護者の支援，④認知症バリアフリーの推進・若年認知症の人への支援・社会参加支援，⑤研究・開発・産業促進・国際展開の5つの柱を掲げている．

①認知症の亜分類

- 認知症は，アルツハイマー病による認知症，前頭側頭型認知症，レビー小体病を伴う認知症，血管性認知症の主に4つに分類される（DSM-5）．それぞれの特徴を**表15-5**に示す．

②認知症の発症予防（一次予防，二次予防）

- 生活習慣や生活環境を良好に保ち，健康増進を図るとともに，認知症の発症の予防を推進する（一次予防）．
- 認知症の発症予防には，運動，口腔にかかわる機能の向上，栄養改善，睡眠，社会交流，趣味や余暇活動，生涯教育への参加，認知機能をトレーニングするなど日常生活における心身機能を健全に保ち，積極的に活動する取り組みが効果的である．
- 日ごろから心身の健全な生活を送るために，公益財団法人認知症予防財団では

表 15-5 認知症の特徴

	アルツハイマー病による認知症	前頭側頭型認知症	レビー小体病を伴う認知症	血管性認知症
病理・病態	脳神経細胞の変性と脱落 頭頂葉, 後頭葉, 側頭葉の萎縮	前頭葉, 側頭葉の萎縮	大脳皮質から脳幹の神経細胞内のレビー小体の出現	脳血管の動脈硬化, 脳血管障害
症状の特徴	記憶障害 失見当識 知的機能の低下 被害妄想 視空間認知障害 人物誤認 失行（着衣, 観念）	人格変化 反社会的行動 こだわり 無関心・無頓着 無視, 馬鹿にする態度 食行動異常 滞読言語	記憶障害軽微 進行性 幻視 抑うつ症状 パーキンソン症状（歩行障害, 筋固縮）	知的機能低下にむら（まだら） 感情失禁 自発性低下 抑うつ症状 幻視 失語, 失行, 失認

表 15-6 認知症　予防の 10 カ条

1.	塩分と動物性脂肪を控えたバランスのよい食事を
2.	適度に運動を行い足腰を丈夫に
3.	深酒とタバコはやめて規則正しい生活を
4.	生活習慣病（高血圧, 肥満など）の予防, 早期発見, 治療を
5.	転倒に気をつけよう　頭の打撲は認知症招く
6.	興味と好奇心をもつように
7.	考えをまとめて表現する習慣を
8.	こまやかな気配りをしたよい付き合いを
9.	いつも若々しくおしゃれ心を忘れずに
10.	くよくよしないで明るい気分で生活を

[公益財団法人認知症予防財団〈http://www.mainichi.co.jp/ninchishou/yobou.html〉（最終アクセス:2021 年 10 月）より引用]

「認知症　予防の 10 カ条（**表 15-6**）」を作成している.

- 国民 1 人ひとりの主体的な行動を促しまたは援助するために, 公助の医療機関, 地域連携型認知症疾患医療センター, 地域包括支援センター, 介護保険法による訪問事業, 介護老人保健施設などから, 共助的かつ私的な活動の老人クラブ, 自治会の体操教室, 認知症サロンやカフェなど, 地域の実情に応じたさまざまな活動を後押しすることが重要である.
- 認知症は, 加齢, 遺伝性のもの, 高血圧, 糖尿病, 脂質異常症, 脳卒中・肥満などの生活習慣病, 喫煙, 頭部外傷, 難聴などが発症の危険因子である.
- 認知症の症状や発症の予防, 軽度認知障害（MCI）に関する知識の啓発活動が重要である. 軽度認知障害とは, 認知機能の低下が認められるが, 日常生活には支障をきたしておらず, 健常とはいえないが認知症でもない中間の状況である.
- 理学療法士は軽度認知障害が疑われる者に対し, 症状の評価と心身活動の向上を図る必要がある. 心身機能の低下が単に心身活動の低下によるものか, 身体に器質的な障害が生じているのか，認知症への移行前の段階なのかを注意深く評価・観察する．

- 身体活動の向上のため，有酸素運動，バランスの良い食事，楽しくストレスが生じないような活動を促す．運動はやや早めの歩行，ジョギングなどがよい．複数の課題を同時に実施するデュアルタスクが有効であるため，安全性を確保したうえで，たとえばしりとりや計算をしながらの歩行を実施する．脳活動の賦活としては，興味に応じて楽器演奏，描画，脳トレーニング本の活用が有効である．
- 認知症の発症を予防する，あるいは心身機能低下の進行遅延のために積極的な介入が必要である（二次予防）．改訂長谷川式簡易認知能評価スケール（p. 67，表4–11参照）などのスクリーニングテストで定期的にチェックをすることが勧められる．
- 本人や家族の迅速かつ適切な機関への相談，かかりつけ医による健康管理，かかりつけ歯科医による口腔機能の管理，かかりつけ薬局による服薬指導，リハビリテーション専門職の地域ネットワークなどを通して，必要があれば，地域の医療機関，認知症疾患医療センターなどと連携し早期診断や早期対応，治療を図っていかなければならない．

BPSD：behavioral and psychological symptoms of dementia

③認知症の行動心理症状（BPSD）への対応（三次予防）

- 認知症の症状には，脳機能障害が直接影響する記憶障害，見当識障害，知的機能障害（理解力，判断力），失語，失行，失認，遂行機能障害などの中核（基本）症状と中核症状に伴って出現するBPSDがある．
- BPSDは自発性低下，不眠・不穏，夜間せん妄，不機嫌・易刺激的，興奮，幻覚，妄想，抑うつ，無為，作話，人物誤認，多弁・多動，徘徊，独語，叫声，攻撃・暴力，破衣，不潔（弄便（ろうべん）），異食，弄火，収集癖，盗癖，わいせつ行為，拒食，自傷，自殺企図など多岐にわたる．
- BPSDが出現しているときには，本人に何らかの不安，不快な状況が生じている．そのため，まずはしっかりと本人の話を聞き，要因を本人の立場になって推測し，服薬状況のチェックを行う．心理的に安心安堵感を与え，転倒などの安全に配慮し，個々の症状に対応する（個々の症状への対応については参考文献を参照のこと）．
- 症状の発現には，心身の健康状態，身体合併症，服薬などの身体的要因や，家族，友人，支援者の交流，住環境などさまざまなストレスや心理状態，環境要因が大きく左右する．
- したがって，認知症症状の悪化，進行の遅延・防止には，さまざまな配慮が必要であり，症状変化に応じて，医療・介護などが有機的に連携し，発症予防，増悪時，人生の最終段階まで，適時・適切に切れ目なくサービスが提供される循環型の対応が求められる（三次予防）．
- 一次予防から三次予防まで，医療，介護などが有機的に連携して適時・適切に切れ目がなく，最もふさわしい場所でサービスが提供できるようなしくみを築き上げることが求められている．

学習到達度自己評価問題

1. 高齢化率とはなにか，説明しなさい.
2. 2010年比で2025年までの75歳以上人口の伸び率が高い都道府県を上位3つ答えなさい.
3. 3世代同居の世帯と単独もしくは夫婦のみ世帯を比較した際，全体に占める割合が多い世帯構成はどちらか答えなさい（2013年時点）.
4. 2013年時点のわが国の病床数を基準とした場合，わが国は2025年に向けて病床数を増やす方向かそれとも減らす方向か答えなさい.
5. 地域完結型の医療において推進される医療は「治す医療」か，それとも「支える医療」か答えなさい.
6. 病院で看取りを行うケースと自宅で看取りを行うケースで多いのはどちらか答えなさい.
7. 介護を受けたい場所や最後を迎えたい場所として国民の希望が多い場所はどこか.また自身が介護を受ける際，希望する場所はどこか．その理由も含めて，周りの人とも意見を交換してみよう.
8. ボランティアや住民活動など医療保険や介護保険に頼らない支え合いは，自助，互助，共助，公助のどれにあたるか．また理学療法士として，ボランティアや住民活動にどのようにかかわることができるか，考えよう.
9. わが国もしくは海外の少子高齢化の課題に対して，理学療法士はどのような貢献ができるかを考えよう.
10. 高齢者に対してレジスタンストレーニングによって筋力向上効果を求める場合，負荷量設定にはどのような点を考慮する必要があるか説明しなさい.
11. 高齢者に対してレジスタンストレーニングを実施しても，十分な効果が得られない場合がある．その際，どのような介入を検討する必要があるか説明しなさい.
12. 高齢期の転倒・骨折が問題となる理由を説明しなさい.
13. 効果的な転倒・骨折予防対策を実施するための注意点について説明しなさい.
14. 予防の3段階で実施されている転倒・骨折予防の視点（ポイント）を説明しなさい.
15. 認知症の行動心理症状（BPSD）について説明しなさい.
16. BPSDの発現メカニズムについて説明しなさい.
17. 認知症対策とその基本的考え方について説明しなさい.
18. 認知症の4分類について説明しなさい.

参考文献

第1章　ライフステージと高齢者像

1) 社団法人日本老年医学会（編）: 老年学医学テキスト, 第3版. メジカルビュー社, 2008

2) 鎌田ケイ子, 川原礼子（編）: 新体系看護学全書, 老年看護学①老年看護学概論・老年保健. メヂカルフレンド社, 2012

3) 石神昭人: 老化のメカニズム, 臨床検査**59**(8): 724-728, 2015

4) 内閣府: 平成25年度高齢期に向けた「備え」に関する意識調査<http://www8.cao.go.jp/kourei/ishiki/kenkyu.html>（最終アクセス: 2021年10月）

5) 内閣府: 平成26年度高齢者の日常生活に関する意識調査<http://www8.cao.go.jp/kourei/ishiki/kenkyu.html>（最終アクセス: 2021年10月）

6) Roebuck J.: When does "old age begin?" : the evolution of the English definition. *Journal of Social History***12**(3): 416-428, 1979

7) 厚生労働省: e-ヘルスネット: 高齢者<https://www.e-healthnet.mhlw.go.jp/information/dictionary/alcohol/ya-032.html>（最終アクセス: 2021年10月）

8) 荒井秀典: 高齢者の定義について. 日本老年医学会雑誌**56**(1): 1-5, 2019

9) 厚生労働省: 令和2年簡易生命表の概況. 令和2年簡易生命表（男),（女)<https://www.mhlw.go.jp/toukei/saikin/hw/life/life20/index.html>（最終アクセス: 2021年10月）

8) 厚生労働省: 健康日本21<https://www.mhlw.go.jp/www1/topics/kenko21_11/top.html>（最終アクセス: 2021年10月）

9) 厚生労働省: 令和2年簡易生命表の概況, 令和2年簡易生命表（関連資料, 生命表のダウンロード)<http://www.mhlw.go.jp/toukei/saikin/hw/life/life20/dl/life18-12.xls>（最終アクセス: 2021年10月）

10) The Psychology Notes HQ: Havighurst' s developmental tasks theory<http://www.psychologynoteshq.com/development-tasks/>（最終アクセス: 2021年10月）

11) The Psychology Notes HQ: Erikson' s Eight Stages of Development<http://www.psychologynoteshq.com/erikson-eight-stages/>（最終アクセス: 2021年10月）

12) 深瀬裕子, 岡本祐子: 老年期における心理社会的課題の特質, Eriksonによる精神分析的個体発達文化の図式第VIII段階の再検討. 発達心理学研究**21**(3): 266-277, 2010

13) 細田多穂（監), 植松光俊ほか（編): シンプル理学療法学・作業療法学シリーズ, 人間発達学テキスト. 南江堂, 2014

14) Rowe JW, Kahn RL.: Human aging: usual and successful. *Science***237**(4811): 143-149, 1987

15) 上田礼子: 生涯人間発達学, 第2版増補版. 三輪書店, 2012

16) 奈良 勲, 鎌倉矩子（監), 大内尉義（編): 標準理学療法学・作業療法学, 老年学, 第4版. 医学書院, 2014

17) Salomon JA, et al.: Healthy life expectancy for 187 countries, 1990-2010: a systematic analysis for the Global Burden Disease Study 2010. *Lancet***380**(9859): 2144-2162, 2012

18) 鳥羽研二: 日本内科学会生涯教育講演会, 8 老年症候群と総合的機能評価, 日内会誌**98**(3): 101-106, 2009

19) 内閣府: 平成24年度版高齢社会白書, 第1章高齢化の状況, 第2節高齢者の姿と取り巻く環境の現状と動向, 3 高齢者の健康・福祉, (1) 高齢者の健康<https://www8.cao.go.jp/kourei/whitepaper/w-2012/zenbun/pdf/1s2s_3_1.pdf>（最終アクセス: 2021年10月）

20) 内閣府: 平成26年度高齢者の日常生活に関する意識調査結果: 第2章調査結果の概要, 1 基本的生活, (11) 将来の日常生活への不安（Q7）<http://www8.cao.go.jp/kourei/ishiki/h26/sougou/zentai/pdf/s2-1-2.pdf>（最終アクセ

ス: 2021年10月)
21) 河合千恵子ほか: 老年期における死に対する態度, 老年社会科学**17**(2): 107-116, 1996
22) 経済産業省商務情報政策局サービス政策課サービス産業室: 安心と信頼のある「ライフエンディング・ステージ」の創出に向けた普及啓発に関する研究会 報告書, pp.8-9, 2012
23) 内閣府: 平成29年度版高齢社会白書: 第1章高齢化の状況, 第2節高齢者の姿と取り巻く環境の現状と動向 <https://www8.cao.go.jp/kourei/whitepaper/w-2017/zenbun/29pdf/1s2s_01.pdf> (最終アクセス: 2021年10月)
24) Holmes TH, Rahe RH: The social readjustment rating scale. *J Psychosom Res***11**: 213-218, 1967
25) 橋本 望:「悲嘆」概念の変遷に関する一考察—喪失という体験に迫る試み—, 東京大学大学院教区学研究科紀要**48**: 213-219, 2008
26) 岡林秀樹ほか: 配偶者との死別が高齢者の健康に及ぼす影響と社会的支援の緩衝効果, 心理研**68**(3): 147-154, 1997
27) 岡村清子: 老年期における配偶者との死別と孤独感一死別後経過年数別に見た関連要因一, 老年社会科学**14**: 73-81, 1992
28) 河合千恵子, 佐々木正宏: 配偶者の死への適応とサクセスフルエイジング— 16年間にわたる縦断研究からの検討—, 心理研**75**(1): 49-58, 2004
29) 坂口幸弘. 柏木哲夫: 焦点 I 喪失と悲嘆の行動科学死別後の適応とその指標, 日保健医療行動会報**15**: 1-10, 2000
30) Cavan RS, et al.: Personal adjustment in old age. Chicago: Science Research Associates. *Jornal of clinical psychology***6**(2): 209, 1950
31) 黒川由紀子ほか: 老年期における精神療法の効果評価—回想法をめぐって—, 老年精医誌**6**(3): 315-329, 1995
32) 野村信威, 橋本 宰: 老年期における回想の質と適応との関連, 発達心理研**12**(2): 75-86, 2001
33) 下仲順子: 展望 老年心理学研究の歴史と研究動向, 教心理年報**37**: 129-142, 1998
34) 下仲順子: 高齢者の心理と臨床心理学, 7. 高齢者と心理的適応. pp.94-109, 培風館, 2007
35) 佐藤浩一ほか (編著): 自伝的記憶の心理学, 第13章高齢者における回想と自伝的記憶, pp.163-174, 北大路書房, 2008
36) 日本老年行動科学会 (監): 高齢者の「こころ」事典, pp.1-4, 12, 13, 中央法規, 2000
37) 渋谷昌三: Agingの社会心理学的考察, 山梨医大紀要**15**: 87-96, 1998
38) 鎌田ケイ子, 川原礼子 (編): 新体系看護学全書, 老年看護学①老年看護学概論・老年保健, 1老いとは. pp.2-7, メヂカルフレンド社, 2012
39) 内閣府: 平成27年度第8回高齢者の生活と意識に関する国際比較調査: 3調査結果の詳細, (5) 就労<https: //www8.cao.go.jp/kourei/ishiki/h27/zentai/pdf/kourei_h27_3-5.pdf> (最終アクセス: 2021年10月)
40) 菅原育子ほか: 中高年者の就業に関する意識と社会参加—首都圏近郊都市における検討—, 老年社会科学**35**(3), 2013
41) 厚生労働省: 2019年国民生活基礎調査の概況, Ⅲ世帯員の健康状況, 1自覚症状の状況<https://www.mhlw.go.jp/toukei/saikin/hw/k-tyosa/k-tyosa19/index.html> (最終アクセス: 2021年10月)
42) 金 憲経ほか: 高齢者の転倒関連恐怖感身体機能—転倒外来受診者について—, 日老医誌**38**(6): 805-811, 2001
43) Garre Olmo J, et al.: Prevalence of frailty phenotypes and risk of mortality in a community-dwelling elderly cohort, *Age Ageing***42**(1): 46-51, 2013
44) 井原一成: フレイルとうつ (特集 フレイルという視点からみた高齢者の精神科医療), 老年精医誌**27**(5): 504-510, 2016
45) 内閣府: 平成26年度高齢者の日常生活に関する意識調査結果<https://www8.cao.go.jp/kourei/ishiki/h26/sougou/zentai/pdf/s2-1-2.pdf> (最終アクセス: 2021年10月)
46) ラーシュ・トーンスタム: 老年的超越—年を重ねる幸福感の世界—, 晃洋書房, 2017
47) スポーツ庁: 平成30年度体力・運動能力報告書<https://www.mext.go.jp/sports/b_menu/toukei/chousa04/

tairyoku/kekka/k_detail/1421920.htm>（最終アクセス: 2021年10月）
48) 日本老年学会・日本老年医学会: 日本老年学会・日本老年医学会「高齢者に関する定義検討ワーキンググループ」報告書，2017<https: //www.jpn-geriat-soc.or.jp/info/topics/pdf/20170410_01_01.pdf>（最終アクセス: 2021年10月）
49) 総務省統計局: 令和2年国勢調査<https://www.stat.go.jp/data/kokusei/2020/kekka.html>（最終アクセス: 2021年10月）
50) 総務省統計局: 統計トピックスNo.126, 統計からみた我が国の高齢者―「敬老の日にちなんで」, 高齢者の就業<https://www.stat.go.jp/data/topics/topi1260.html>（最終アクセス: 2021年10月）
51) 内閣府: 令和元年度高齢者の経済生活に関する調査結果<https://www8.cao.go.jp/kourei/ishiki/r01/zentai/pdf/s2.pdf>（最終アクセス: 2021年10月）
52) 内閣府: 令和2年度版高齢社会白書（全体版），第1章第3節-2，就業の状況<https://www8.cao.go.jp/kourei/whitepaper/w-2020/zenbun/pdf/1s3s_02.pdf>（最終アクセス: 2021年10月）
53) 内閣府: 令和2年度版高齢社会白書（全体版），第1章第1節-3，家族と世帯<https://www8.cao.go.jp/kourei/whitepaper/w-2020/zenbun/pdf/1s1s_03.pdf>（最終アクセス: 2021年10月）
54) 内閣府: 平成30年度高齢者の住宅と生活環境に関する調査結果, 第3章調査結果の解説<https://www8.cao.go.jp/kourei/whitepaper/w-2020/zenbun/pdf/1s1s_03.pdf>（最終アクセス: 2021年10月）
55) 内閣府: 平成30年度高齢者の住宅と生活環境に関する調査結果<https://www8.cao.go.jp/kourei/ishiki/h30/zentai/pdf/s2.pdf>（最終アクセス: 2021年10月）
56) 黒川由紀子: 回想法－高齢者の心理療法, 誠心書房, 2005
57) Lewis M, Butler RN: Life-review therapy. Putting memories to work in individual and group psychotherapy, *Geriatrics* **29**(1): 165-173,1974
58) 森岡正芳: 臨床ナラティブアプローチ, ミネルヴァ書房, 2015
59) 野村豊子: 痴呆性高齢者への回想法―グループ回想法の効果と意義, 看護研究 **29**: 224-243, 1996
60) 為国佳子ほか: 痴呆患者に対する回想法の試み, 日精看会誌 **42**: 156-158, 1999
61) 山崎久美子, 林　千晶: 高齢者のクオリティ・オブ・ライフに及ぼすライフレビュー法の効果研究, 日保健医療行動会報 **25**: 185-195. 2016
62) 志村ゆずほか: 看護における回想法の発展をめざして: 文献展望, 長野県看護大学紀要 **5**: 41-52, 2003
63) 野村豊子: 回想法とライフレビュー, 中央法規出版, 1998
64) 山下稔哉ほか:“語り”を通した百寿者の支援, 山口県立大学学術情報 **3**, 2010
65) 厚生労働省政策統括官（統計・情報政策担当）: グラフでみる世帯の状況―国民生活基礎調査（令和3年）の結果から―<https://www.mhlw.go.jp/toukei/list/dl/20-21-h29.pdf>（最終アクセス: 2021年10月）
66) 内閣府: 令和2年度版高齢社会白書（全体版）<https://www8.cao.go.jp/kourei/whitepaper/w-2020/zenbun/03pdf_index.html>（最終アクセス: 2021年10月）
67) 岡崎純也: 複雑性悲嘆治療の実際, トラウマティック・ストレス **16**(1): 6-10, 2018
68) 富田拓郎ほか: 悲嘆の心理過程と心理学的援助, カウンセリング研究 **30**(1): 49-67, 1997
69) 工藤朋子ほか: 訪問看護師が捉えた利用者遺族を地域で支える上での課題, *Palliat Care Res* **11**(2): 201-208, 2016

第2章　加齢に伴う身体機能・精神機能の変化

1) 奈良　勲, 鎌倉矩子（監）: 標準理学療法学・作業療法学 老年学, 第4版. 医学書院, 2014
2) 松本和則ほか（編）: 老年医学, 第2版. 中外医学社, 2008
3) Roy J.Shephard（著）, 柴田　博ほか（翻訳）: シェパード老年学―加齢, 身体活動, 健康, 大修館書店, 2005
4) 井口昭久（編）: これからの老年学, サイエンスから介護まで, 第2版. 名古屋大学出版会, 2008
5) 大内尉義, 秋山弘子（編集代表）, 折茂　肇（編集顧問）: 新老年学, 第3版. 東京大学出版会, 2010
6) 谷本芳美ほか: 日本人筋肉量の加齢による特徴, 日老医誌 **47**(1): 52-57, 2010

7）松本和則，嶋田裕之（編）: コメディカルのための専門基礎分野テキスト，老年医学，第2版．中外医学社，2008
8）大内尉義: 高齢者における循環器疾患の管理と問題．月刊循環器CIRCULATION, pp.6-10, 医学出版，2012
9）近藤和泉: 高齢者のフレイル（虚弱）とリハビリテーション，MEDICAL REHABILITATION**170**: 55-56, 2014
10）川野雅資（監修），守本とも子（編）: 老年看護学（看護学実践 -Science of Nursing-），pp.61-64, PilarPress, 2010
11）社団法人日本老年医学会（編）: 老年医学テキスト，第3版．メジカルビュー社，2008
12）下仲順子（編）: 現代心理学シリーズ老年心理学，改訂版．培風館，2012
13）福屋武人（編）: 老年期の心理学．学術図書出版社，2005
14）権藤恭之（編）: 高齢者心理学．朝倉書店，2008
15）長谷川明弘ほか: 高齢者における「生きがい」の地域差 ―家族構成，身体状況ならびに生活機能との関連―，日老医誌**40**: 390-396, 2003
16）Melzer I et al.: Association between ankle muscle strength and limit of stability in older adults. *Age Ageing***38**: 119-123, 2008
17）池添冬芽ほか: 加齢による大腿四頭筋の形態的特徴および筋力の変化について－高齢女性と若年女性との比較－．理学療法学**34**（5）: 232-238, 2007
18）Harridge SD et al.: Knee extensor strength, activation, and size in very elderly people following strength training. *Muscle Nerve***22**: 831-839, 1999
19）Macaluso A, et al.: Contractile muscle volume and agonist antagonist coactivation account for differences in torque between young and older women. *Muscle Nerve***25**: 858-863, 2002
20）谷本芳美ほか：日本人筋肉量の加齢による特徴．日老医誌 **47**（1）: 52-57，2010
21）越智隆弘：最新整形外科学大系（23），スポーツ傷害．pp.4-6，中山書店，2007
22）加賀谷淳子：高齢者の筋作業能力．体力科学，**52** suppl.: 47-54，2003
23）内閣府: 令和元年度版高齢者白書（全体版），第1章第2節 -3, 学習・社会参加<https: //www8.cao.go.jp/kourei/whitepaper/w-2019/zenbun/pdf/1s2s_03.pdf>（最終アクセス: 2021年10月）

第3章　老年症候群

1）荒井秀典: フレイルの意義．日老医誌**51**: 497-501,2014
2）Fried LP, et al.: Cardiovascular Health Study Collaborative Research Group. Frailty in older adults: evidence for a phenotype. *J Gerontol A Biol Sci med Sci***56**（3）: 146-156, 2001
3）Xue QL, et al.: Initial manifestations of frailty criteria and the development of frailty phenotype in the Women' s Health and Aging Study II. *J Gerontol A Biol Sci med Sci***63**（9）: 984-990, 2008
4）Cruz-Jentoft AJ, et al.: Sarcopenia: European consensus on definition and diagnosis: Report of the European Working Group on Sarcopenia in Older People. *Age Ageing***39**（4）: 412-423, 2010
5）Chen LK, et al.: Sarcopenia in Asia: Consensus Report of the Asian Working Group for Sarcopenia. *J Am Med Dir Assoc***15**: 95-101, 2014
6）飯島勝矢: サルコペニア危険度の簡易評価法「指輪っかテスト」．臨床栄養**125**: 788-789, 2014
7）葛谷雅文: 虚弱（フレイル）の原因としての低栄養とその対策，*MB Med Reha***170**: 126-130, 2014
8）大内尉義（監）: 日常診療に活かす老年病ガイドブック1, 老年症候群の診かた．メジカルビュー社，pp.75-80, 2004
9）日本老年医学会（編）: 老年医学系統講義テキスト．pp.156-159, 西村書店，2013
10）社団法人日本老年医学会（編）: 老年医学テキスト，第3版．pp.107-109, メジカルビュー社．2008
11）大高洋平: 高齢者の転倒予防の現状と課題，日本転倒予防学会誌**1**（3）: 11-20, 2015
12）古賀隆一郎ほか: 高齢骨折患者における転倒恐怖感に影響する要因の検討，日職災医会誌**62**（1）: 23-26, 2014
13）萩野　浩: 図で見る骨粗鬆症2013, 転倒の発生状況およびその危険因子，*Osteoporo Jpn***21**（1）: 50-51, 2013
14）竹村真里枝，原田　敦: 高齢者運動器症候群（ロコモ）の予防とリハビリテーション―活気のある生活にするた

めに—高齢者の骨折, *J Clin Rehabil* **21**(12): 1168-1176, 2012

15) 林　泰史: 高齢者のリハビリテーション, 寝たきり防止のためのリハビリテーション. ジェロントロジー NEW HORIZON **13**(2): 130-135, 2001

16) Nakamura K: A "super-aged" society and the "locomotive syndrome". *J Orthop Sci* **13**: 1-2, 2008

17) Nakamura K: The concept and treatment of locomotive syndrome: its acceptance and spread in Japan. *J Ortho P Sci* **16**: 489-491, 2011

18) 公益社団法人日本整形外科学会: ロコモチャレンジ! 日本整形外科学会ロコモティブシンドローム予防啓発公式サイト <https: //locomo-joa.jp/>(最終アクセス: 2021年10月)

19) 荒井秀典: サルコペニアとフレイル～ロコモとの相違について考える～. 体力科学 **65**: 148, 2016

20) Yoshimura N, et al.: Epidemiology of the locomotive syndrome: TheResearch on Osteoarthritis/Osteoporosis Against Disability study2005-2015. *Mod Rheumatol* **19**: 1-20, 2016

21) Yamada K, et al.: Age independency of mobility decrease assessed using the Locomotive Syndrome Risk Test in elderly with disability: across-sectional study. BMC Geriatr **18**: 28, 2018

22) 下方浩史ほか: ロコモ, サルコペニア, フレイルと転倒. Loco CuRE **4**(3): 208-213, 2018

23) 厚生労働省: 令和3年国民生活基礎調査 <https://www.mhlw.go.jp/toukei/saikin/hw/k-tyosa/k-tyosa19/>(最終アクセス: 2021年10月)

24) 日医総研:要介護認定の手引き <https: //www.jmari.med.or.jp/research/research/wr_16.html>最終アクセス: 2021年10月)

25) 林　泰史: 痴呆性老人と(身体的)合併症, 痴呆性老人と寝たきり・廃用症候群. 老年精医誌 **11**(10): 1114-1119, 2000

26) 朝田　隆: 都市部における認知症有病率と認知症の生活機能障害への対応. 平成24年度総括・分担研究報告書(厚生労働科学研究費補助金認知症対策総合研究事業), pp.1-65, 2013

27) Murphy E: The prognosis of depression in old age. *Br J Psychiatry* **142**: 111-119, 1983

28) Rabins PV, et al.: Criteria for diagnos ingreversible dementia caused by depression: validation by 2-year follow-up. *Br J Psychiatry* **14**: 488-492, 1984

29) Reding M et al.: Depression in patients referred to a dementia clinic. A three-year prospective study. *Arch Neurol* **42**: 894-896, 1985

30) Brown WJ, et al.: Leisure time physical activity in Australian women: relationship with well-being and symptoms. *Res Q Exerc Sport* **71**: 206-216, 2000

31) Brown WJ, et al.: Prospective study of physical activity and depressive symptoms in middle-aged women. *Am J Prev Med* **29**: 265-272, 2005

32) Azevedo Da Silva M, et al.: Bidirectional association between physical activity and symptoms of anxiety and depression: the Whitehall II study. *Eur J Epidemiol* **27**: 537-546, 2012

33) Steffeus DC, Potter GG: Geriatric depression and cognitive impairment. *Psxcol. med* **38**: 163-175, 2008

34) Sheline YI, et al.: Regional white matter hyperintensity burden in automated segmentation distinguishes late-life depressed subjects from comparison subjects matched for vascular risk factors. *Am J Psychiatry* **165**(4): 524-532, 2008

35) 石田和人ほか: 抑うつ状態に対する理学療法学的効果の検証ならびに病態生理学に基づいた作用機序の基礎的検討, 理学療法学 **43**(2): 254-255, 2016

36) 小曽根基裕ほか: 高齢者の不眠. 日老医誌 **49**(3): 267-275, 2012

37) Baglioni C, et al.: Insomnia as a predictor of depression: a meta-analytic evaluation of longitudinal epidemiological studies. *J Affect Disord* **135**(1-3): 10-19, 2011

38) Artero S, et al.: Risk profiles for mild cognitive impairment and progression to dementia are gender specific. *J Neurol Neurosurg Psychiatry* **79**: 979-984, 2008

39) 厚生労働省: 平成30年度「第1回認知症地域支援体制推進全国合同セミナー」資料, 03_厚労省資料<https://www.dcnet.gr.jp/pdf/download/support/research/center1/tokyo0001kourousyou.pdf>（最終アクセス: 2021年10月）
40) 守尾一昭: 脱水症の病態, 病型: 高齢者に特徴的な病態, 病型はあるか？ Geriat Med**46**(6): 559-566, 2008
41) Nakanishi N, et al.: Urinary and fecal incontinence in a community-residing older population in Japan. *J Am Geriatr Soc***45**: 215-219, 1997
42) 日本大腸肛門学会（編）: 便失禁診療ガイドライン, 2017年版, pp.132, 南江堂, 2017
43) 日本整形外科学会, 日本骨折治療学会（監修）: 大腿骨頚部/転子部骨折診療ガイドライン, 第2版, 南江堂, 2011
44) 厚生労働省政策統括官（統計・情報政策担当）: グラフでみる世帯の状況ー国民生活基礎調査（平成28年）の結果からー<https://www.mhlw.go.jp/toukei/list/dl/20-21-h28_rev2.pdf>（最終アクセス: 2021年10月）
45) 公益法人日本整形外科学会: 変形性膝関節症|症状・病気を調べる<https://www.joa.or.jp/public/sick/condition/knee_osteoarthritis.html>（最終アクセス: 2021年10月）
46) 厚生労働省: 平成30年版厚生労働白書, ー障害や病気などと向き合い, 全ての人が活躍できる社会にー, 図表1-2-4脳血管疾患患者数の状況<https://www.mhlw.go.jp/stf/wp/hakusyo/kousei/18/backdata/01-01-02-04.html>（最終アクセス: 2021年10月）
47) 難病情報センター：パーキンソン病（指定難病6）<https://www.nanbyou.or.jp/entry/314>（最終アクセス: 2021年10月）
48) 国立がん研究センター：がん情報サービス, 最新がん統計<https://ganjoho.jp/reg_stat/statistics/stat/summary.html>（最終アクセス: 2021年10月）
49) 小曽根基裕, 黒田 彩子, 伊藤 洋：高齢者の不眠, 日老医誌 **49**(3): 267-275, 2012
50) Baglioni C, et al.: Insomnia as a predictor of depression: a meta-analytic evaluation of longitudinal epidemiological studies. *J Affect Disord* **135** (1-3): 10-19, 2011
51) Artero S, et al.: Risk profiles for mild cognitive impairment and progression to dementia are gender specific. *J Neurol Neurosurg Psychiatry* **79**(9): 979-984, 2008
52) 古茶大樹：高齢者の幻覚・妄想, 日老医誌 **49**(5): 555-560, 2012
53) 野村総一郎, 樋口輝彦（監）：第16章認知症, 標準精神医学, 第6版 医学書院, 2015
54) 日本うつ病学会気分障害の治療ガイドライン検討委員会：日本うつ病学会治療ガイドライン, 高齢者のうつ病治療ガイドライン, 日本うつ病学会, 2020

第4章　高齢者の生活機能評価

1) Jones CJ, et al.: A 30-s chair-stand test as a measure of lower body strength in community-residing older adults. *Res Q Exerc Sport***70**: 113-119, 1999
2) Lord SR, et al.: Sit-to-stand performance depends on sensation, speed, balance, and psychological status in addition to strength in older people. *J Gerontol A Biol Sci Med Sci***57**: M539-543, 2002
3) Bohannon RW, et al.: Decrease in timed balance test scores with aging. *Phys Ther***64**: 1067-1070, 1984
4) Guralnik JM, et al.: A short physical performance battery assessing lower extremity function: association with self-reported disability and prediction of mortality and nursing home admission. *J Gerontol***49**: M85-94, 1994
5) Podsiadlo D, Richardson S: The timed "Up & Go": a test of basic functional mobility for frail elderly persons. *J Am Geriatr Soc***39**: 142-148, 1991
6) ATS Committee on Proficiency Standards for Clinical Pulmonary Function Laboratories: ATS statement: guidelines for the six-minute walk test. Am *J Respir Crit Care Med***166**: 111-117, 2002
7) 鳥羽研二ほか: 転倒リスク予測のための「転倒スコア」の開発と妥当性の検証. 日老医誌**42**: 346-352, 2005
8) Seichi A, et al.: Development of a screening tool for risk of locomotive syndrome in the elderly: the 25-question Geriatric Locomotive Function Scale. *J Orthop Sci***17**: 163-172, 2012

9) 細田多穂（監），星　文彦ほか（編）: 理学療法学評価学テキスト, 16章ADL・QOL評価. pp.185-193, 南江堂, 2010
10) 細田多穂（監），星　文彦ほか（編）: 理学療法学評価学テキスト, 20章高次脳・精神知能検査. pp.245-250, 南江堂, 2010
11) 福井俊哉: 認知症診断に役立つ臨床検査—最新の検査を理解するために—, 認知・心理テスト, 認知症の最新医療 **2**: 34-41, 2012
12) Chu LW, et al.: Incidence and predictors of falls in the Chinese elderly. *Ann Acad Med Singapor* **34**: 60-72, 2005
13) Nasreddine ZS, et al.: The Montreal Cognitive Assessment, MoCA. A Brief screening tool for mild cognitive impariment. *J Am Geriatr Soc* **53**: 695-699, 2005
14) 鈴木宏幸ほか: Montreal Cognitive Assessment（MoCA）の日本語版作成とその有効性について. 老年精医誌 **21**: 198-202, 2010
15) Kosberg JI, Cairl RE: The cost of care index: A case management tool screening informal care providers. *Gerontologist* **26**: 273-278, 1986
16) 溝口　環ほか: Cost of Care Indexを用いた老年患者の介護負担度の検討, 日老医誌 **32**: 403-409, 1995
17) Zarit SH, et al.: Relatives of the impaired elderly: Correlates of feeling of burden. *Gerontologist* **20**: 649-655, 1980
18) Zarit SH, Zarit JM: The Memory and Behaviour Problems Checklist 1987R and the Burden Interview. Pennsylvania State University Gerontology Center: University Park PA, 1990
19) Arai Y, et al.: Reliability and validity of the Japanese version of the Zarit Caregiver Burden Interview. *Psychiatry and Clinical Neuroscience* **51**(5): 281-287. 1997
20) 荒井由美子: 家族介護者の介護負担, 医療 **56**(10): 601-605, 2002
21) 荒井由美子: 介護負担度の評価, 総合リハ **30**(11): 1005-1009, 2002
22) 上田　敏: リハビリテーション医学の世界. pp.148-165, 三輪書店, 1992
23) Suzukamo Y, et al.: Validation testing of a threecomponent model of Short Form-36 scores. *Journal of Clinical Epidemiology* **64**: 301-308, 2011
24) Fukuhara S, et al.: Translation, adaptation, and validation of the SF-36 Health Survey for use in Japan. *Journal of Clinical Epidemiology* **51**(11): 1037-1044, 1998
25) Fukuhara S, et al.: Psychometric and clinical tests of validity of the Japanese SF-36 Health Survey, *Journal of Clinical Epidemiology* **51**(11): 1045-1053, 1998
26) 福原俊一, 鈴鴨よしみ: SF-36vTM2 日本語版マニュアル, iHope International, 2015
27) 池上直己ほか: 臨床のためのQOL評価ハンドブック．pp.34-44，医学書院，2001
28) 杉下守弘, 朝田　隆: 高齢者用うつ尺度短縮版—日本版（Geriatric Depression Scale -Short Version- Japanese, GDS-S-J）の作成について, 認知神科学 **11**: 87-90, 2009
29) 鳥羽研二: 従来のQOLスケールで判定不能な高齢者に対する新しい客観的機能評価の開発と応用, 平成12～14年度厚生労働省長寿科学総合研究授業報告書, 2002

第5章　高齢者の理学療法を実施するうえでの留意事項

1) Cohen HJ, et al.: A controlled trial of inpatient and outpatient geriatric evaluation and management. *N Engl J Med* **346**: 905-912, 2002
2) Spirduso W, et al.: Physical dimensions of aging. Champaign IL, pp.264, Human Kineitcs, 2005
3) Buchner DM, Wagner EH: Conceptual model of risk factors for frailty. *Clin Geriatr Med* **8**: 1-17, 1992
4) Lees SJ, Booth FW: Sedentary death syndrome. *Can J Appl Physiol* **29**(4): 447-460; discussion 444-446, 2004
5) Gill TM, et al.: The dynamic nature of mobility disability in older persons. *J Am Geriatr Soc* **54**(2): 248-254, 2006
6) Feretti G, et al.: the interplay of central and peripheral factors in limiting maximal O2 consumption in men after prolonged bed rest. *Journal of Physiology*（Lond）**501**: 677-686, 1997

7）日本リハビリテーション医学会診療ガイドライン委員会（編）: リハビリテーション医療における安全管理・推進のためのガイドライン, 第2版, 診断と治療社, 2018
8）東京都健康長寿医療センター研究所（編）:食品摂取の多様性スコア（DVS）に関する論文リスト<http://www2.tmig.or.jp/spch/dvs_papers_list.html>（最終アクセス：2021年10月）
9）Kimura M, et al.: Community based intervention to improve dietary habits and promote physical activity among older adults: a cluster randomized trial. *BMC Geriatrics* **13**(8):2013

第６章　高齢者の骨・関節障害と理学療法①　大腿骨頸部骨折

1）Gary A. Shankman（著）, 鈴木 勝（翻訳）: 整形外科的理学療法, ―基礎と実践―, 原書第3版. 医歯薬出版, 2012
2）島田洋一, 高橋仁美（編）: 整形外科術後理学療法プログラム, 第2版. メジカルビュー社, 2013
3）整形外科リハビリテーション学会（編）: 整形外科理学療法ナビゲーション, 下肢・体幹, 第2版. メジカルビュー社, 2014
4）奈良 勲（監）, 鶴見隆正, 隆島研吾（編）: 標準理学療法学専門分野, 日常生活活動学・生活環境学, 第4版. 医学書院, 2012
5）Fukui N, et al.: Predictors for ambulatory ability and the change in ADL after hip fracture in patients with different levels of mobility before injury: a 1-year prospective cohort stud. *J Orthop Trauma* **26**: 163-171, 2012
6）なごや福祉用具プラザ（編）: 福祉用具ハンドブック, これで安心！！ 買う前に読む福祉用具の選び方, 第3版. 大井企画, 2013

第７章　高齢者の骨・関節障害と理学療法②　変形性膝関節症

1）Felson DT, et al.: Osteoarthritis: new insights. Part 1: the disease and its risk factors. *Ann Intern Med* **133**: 635-646, 2000
2）厚生労働省: 令和2年国民生活基礎調査, 性別にみた介護が必要となった主な原因の構成割合<https://www.mhlw.go.jp/toukei/list/dl/20-21-h29.pdf>（最終アクセス: 2021年10月）
3）日本整形外科学会: 新概念「ロコモティブシンドローム（運動器症候群）」<http://www.joa.or.jp/jp/public/locomo/index.html>（最終アクセス: 2021年10月）
4）中村耕三: ロコモティブシンドローム（運動器症候群）, 日老医誌 **49**: 393-401, 2012
5）Muraki S, et al.: Independent association of joint space narrowing and osteophyte formation at the knee with health-related quality of life in Japan: A crosssectional study. *Arthritis and Rheumatism* **63**(12): 3859-3864, 2012
6）大森 豪: 内側型変形性膝関節症の発症危険因子, *Jpn J Rehabil Med* **45**: 85-89, 2008
7）金 俊東ほか: 加齢による下肢筋量の低下が歩行能力に及ぼす影響, 体力科学 **49**(5): 589-596, 2000
8）厚生労働省: 介介護予防のための生活機能評価に関するマニュアル（改訂版）<https://www.mhlw.go.jp/topics/2009/05/dl/tp0501-1c_0001.pdf>（最終アクセス: 2021年10月）
9）村永信吾ほか: 運動機能（歩行機能）と筋力評価, *Prog Med* **30**: 3055-3060, 2010
10）運動所要量・運動指針の策定検討会: 健康づくりのための運動指針2006 <https://www.mhlw.go.jp/bunya/kenkou/undou01/pdf/data.pdf>（最終アクセス: 2021年10月）

第８章　高齢者の中枢神経障害と理学療法①　脳血管障害（脳卒中）

1）Swayne OB, et al.: Stages of motor output reorganization after hemispheric stroke suggested by longitudinal studies of cortical physiology. *Cereb Cortex* **18**(8): 1909-1922, 2008
2）Duncan PW, et al.: Measurement of motor recovery after stroke. Outcome assessment and sample size requirements. *Stroke* **23**(8): 1084-1089, 1992
3）Nudo RJ, et al.: Use-dependent alterations of movement representations in primary motor cortex of adult squirrel monkeys. *J Neurosci* **15**, **16**(2): 785-807, 1996

4) Stroke Unit Trialists' Collaboration: Organised inpatient (stroke unit) care for stroke. *Cochrane Database Syst Rev* **2013** (9): 2013
5) Shimodozono M, et al.: Benefits of a repetitive facilitative exercise program for the upper paretic extremity after subacute stroke: a randomized controlled trial. *Neurorehabil Neural Repair* **27** (4): 296-305, 2013

第9章　高齢者の中枢神経障害と理学療法②　パーキンソン病

1) 野崎　園: パーキンソン病を極める, パーキンソン病の基礎知識, ディサースリア臨床研究 **4** (1): 16-18, 2014
2) 松井秀彰, 高橋良輔: パーキンソン病の発症機構, BRAIN and NERVE **61** (4): 441-446, 2009
3) 三井良之, 楠　進: Parkinson病, 近畿大医誌 **35** (2): 125-133, 2010
4) 水野美邦: パーキンソン病の診かた, 治療の進めかた. 中外医学社, 2012
5) Evans JR, et al.: The natural history of treated Parkinson's disease in an incident, community based cohort. *J Neurol Neurosurg Psychiatry* **82** (10): 1112-1118, 2011
6) Beiske AG,et al.: Pain in Parkinson's disease: Prevalence and characteristics. *PAINR* **141** (1-2): 173-177, 2009
7) Chaudhuri KR, et al.: International multicenter pilot study of the first comprehensive self-completed nonmotor symptoms questionnaire for Parkinson's disease: the NMSQuest study. *Mov Disord* **21** (7): 916-923, 2006
8) 日本老年医学会, 日本医療研究開発機構研究費・高齢者の薬物治療の安全性に関する研究研究班 (編): 高齢者の安全な薬物療法ガイドライン2015. メジカルビュー社, 2015
9) Keus SH, et al.: Evidence-based analysis of physical therapy in Parkinson's disease with recommendations for practice and research. *Mov Disord* **22** (4): 451-460; quiz 600, 2007
10) 日本神経学会 (監),「パーキンソン病治療ガイドライン」作成委員会 (編): パーキンソン病治療ガイドライン2011. 医学書院, 2011
11) 社団法人日本理学療法士協会: 理学療法診療ガイドライン, 第1版, パーキンソン病. 社団法人日本理学療法士協会, 2011
12) エビデンスに基づいたパーキンソン病理学療法の分析と臨床と研究のための勧告. *Mov Disord* 日本語版 **1** (1): 13-22, 2007

第10章　高齢者の代謝障害と理学療法　糖尿病

1) 日本糖尿病学会 (編著): 糖尿病診療ガイドライン2019. 南江堂, 2019
2) 日本糖尿病学会 (編著): 糖尿病治療ガイド2020-2021. 文光堂, 2020
3) 日本糖尿病学会・日本老年医学会 (編著): 高齢者糖尿病診療ガイドライン2017, 南江堂, 2017
4) 日本糖尿病学会・日本老年医学会 (編著): 高齢者糖尿病治療ガイド2021, 文光堂, 2021
5) 日本糖尿病療養指導士認定機構 (編著): 日本糖尿病療養指導ガイドブック2021, メディカルレビュー社, 2021
6) 細田多穂 (監), 山崎裕司ほか (編): 内部障害理学療法学テキスト, 第3版. 南江堂, 2017
7) 清野　裕ほか (監), 大平雅美ほか (編): 糖尿病の理学療法, メジカルビュー社, 2015
8) 佐藤祐造 (編): 糖尿病運動療法指導マニュアル, 南江堂, 2011

第11章　高齢者の循環障害と理学療法　心疾患

1) 日本循環器学会ほか: 心血管疾患におけるリハビリテーションに関するガイドライン (2012年改訂版) <https://www.jacr.jp/web/pdf/RH_JCS2012_nohara_h_2015.01.14.pdf> (最終アクセス: 2021年3月)
2) 医療情報科学研究所 (編), 稲田英一 (著): イメカラ循環器, メディックメディア, 2010
3) 医療情報科学研究所 (編纂): 病気がみえるvol.2, 循環器疾患. メディックメディア, 2003
4) 日本心臓リハビリテーション学会 (編纂): 心臓リハビリテーション必携―指導士資格認定試験準拠. 日本心臓リハビリテーション学会, 2011
5) 居村茂幸 (監): ビジュアル実践リハ, 呼吸・心臓リハビリテーション, 第2版. 羊土社, 2015

6）山本周平ほか: 入院期高齢心疾患患者の最大歩行速度に関する検討, 心臓リハ **13**(2): 304-308, 2008

第12章　高齢者の呼吸器障害と理学療法　呼吸器疾患

1）宮川哲夫（責任編集), 黒川幸雄ほか（編): 理学療法MOOK4 呼吸理学療法, 第2版. 三輪書店, 2009
2）中島雅美, 中島喜代彦（編): PT・OT基礎から学ぶ画像の読み方 国試画像問題攻略, 第2版. 医歯薬出版, 2016
3）3学会合同呼吸療法認定士認定委員会: 第16回3学会合同呼吸療法認定士認定講習会テキスト, 2011
4）木田厚端（編): 慢性呼吸不全の包括的呼吸ケア—ヘルス・ケア・プロフェッショナルのための実践ガイド. 南江堂, 2007
5）奈良 勲（編集主幹), 木林 勉, 森山英樹（編): 実学としての理学療法概観, 文光堂, 2015
6）森本 榮（編): 理学療法MOOK10 高齢者の理学療法, 第2版. 三輪書店, 2011
7）沼田克雄: 入門・呼吸療法. 克誠堂出版, 2004
8）芳賀敏彦, 溝呂木忠（編): 図説呼吸理学療法 急性期管理からリハビリテーションまで. メディカル葵出版, 2004
9）3学会合同呼吸療法認定士認定委員会（編): 新呼吸療法テキスト. アトムス, 2011
10）江藤文夫, 里宇明元（監), 安保雅博ほか（編): 最新リハビリテーション医学, 第3版. 医歯薬出版, 2005
11）日本呼吸器学会COPDガイドライン第4版作成委員会（編): COPD（慢性閉塞性肺疾患）診断と治療のためのガイドライン, 第4版. メディカルレビュー社, 2013
12）Cardiovascular and Pulmonary Physical Therapy: Evidence to Practice, 5th Edition by Donna Frownfelter PT DPT MA CCS RRT FCCP, Elizabeth Dean PhD PT, 2012

第13章　高齢者の悪性腫瘍（がん）と理学療法

1）国立がん研究センター: がん情報サービス<https://ganjoho.jp/public/index.html>(最終アクセス: 2021年10月)
2）Mohile SG, et al.: Practical assessment and management of vulnerabilities in older patients receiving chemotherapy: ASCO Guideline for geriatric oncology. *J Vlin Oncol* **36**(22): 2326-2347, 2018
3）細田多穂（監), 山崎裕司ほか（編): 内部障害理学療法学テキスト, 第3版. 南江堂, 2017
4）辻 哲也（編): がんのリハビリテーション. 医学書院, 2020
5）石川 朗, 種村留美（総編): 15レクチャーシリーズ リハビリテーションテキスト, がんのリハビリテーション. 中山書店, 2020
6）八島妙子（編): 老年看護ぜんぶガイド（プチナース2020年05月臨時増刊号). プチナース **29**(6): 2020

第14章　地域在住高齢者と理学療法士

1）公益社団法人全国老人保健施設協会: 協会の概要<http://www.roken.or.jp/kyokai/greeting>（最終アクセス: 2021年10月）
2）厚生労働省: 平成31年介護給付費等実態統計. 2019
3）厚生労働省: 平成30年介護サービス・事業所調査の概況. 2018
4）厚生労働省: 平成28年介護サービス施設・事業所調査. 2016
5）ガイドライン特別委員会理学療法診療ガイドライン部会: 理学療法診療ガイドライン, 第1版（2011). 社団法人日本理学療法士協会, 2011
6）細田多穂（監), 備酒信彦ほか（編): シンプル理学療法学シリーズ, 地域リハビリテーション学テキスト, 第3版. 南江堂, 2018
7）浅川育世（編): ビジュアルレクチャー地域理学療法学, 第3版. 医歯薬出版, 2019
8）NPO法人日本医療ソーシャルワーク研究会（編): 医療福祉総合ガイドブック, 2021年度版. 医学書院, 2021
9）阿部 勉（編): 生活期リハ・訪問リハで役立つフィジカルアセスメントリスク管理ハンドブック. 合同会社gene, 2014

10) 厚生労働省: 運動器の機能向上マニュアル（改訂版）<https://www.mhlw.go.jp/topics/2009/05/dl/tp0501-1d.pdf>（最終アクセス: 2021年10月）

第15章　高齢者の健康寿命の延伸

1) 国立社会保障・人口問題研究所<http: //www.ipss.go.jp/>
2) 地域包括ケア研究会: 地域包括ケア研究会報告書<https://www.mhlw.go.jp/houdou/2009/05/dl/h0522-1.pdf>（最終アクセス: 2021年10月）
3) 厚生労働省: 高齢者の地域におけるリハビリテーションの新たなあり方検討会報告書<https://www.mhlw.go.jp/file/05-Shingikai-12301000-Roukenkyoku-Soumuka/0000081900.pdf>（最終アクセス: 2021年10月）
4) 社会保障制度改革国民会議: 社会保障制度改革国民会議報告書～確かな社会保障を将来世代に伝えるための道筋～ <https://www.kantei.go.jp/jp/singi/kokuminkaigi/pdf/houkokusyo.pdf>（最終アクセス: 2021年3月）
5) 内閣府: 令和2年度版高齢社会白書（全体版）<https://www8.cao.go.jp/kourei/whitepaper/w-2020/zenbun/03pdf_index.html>（最終アクセス: 2021年10月）
6) Yamada M, et al.: Community-based exercise program is cost-effective by preventing care and disability in Japanese frail older adults. *J Am Med Dir Assoc* **13**(6): 507-511, 2012
7) Chen LK, et al.: Sarcopenia in Asia: consensus report of the asian working group for sarcopenia. *J Am Med Dir Assoc* **15**(2): 95-101, 2014
8) Yamada M, et al.: Prevalence of sarcopenia in community-dwelling Japanese older adults. *J Am Med Dir Assoc* **14**(12): 911-915, 2013
9) Yoshimura N, et al.: Prevalence of knee osteoarthritis, lumbar spondylosis, and osteoporosis in Japanese men and women: the research on osteoarthritis/osteoporosis against disability study. *J Bone Miner Metab* **27**(5): 620-628, 2009
10) Fried LP, et al: Cardiovascular Health Study Collaborative Research Group. Frailty in older adults: evidence for a phenotype. *J Gerontol A Biol Sci Med Sci* **56**(3): M146-156, 2001
11) Yamada M, Arai H: Predictive Value of Frailty Scores for Healthy Life Expectancy in Community-Dwelling Older Japanese Adults. *J Am Med Dir Assoc* **16**: 1002. e7-11, 2015
12) Csapo R, Alegre LM: Effects of resistance training with moderate vs heavy loads on muscle mass and strength in the elderly: A meta-analysis. *Scand J Med Sci Sports* **26**(9): 995-1006, 2016
13) 鳥羽研二（監）: 高齢者の転倒予防ガイドライン. メジカルビュー社, 2012
14) 中村耕三（編）: ロコモティブシンドローム. メジカルビュー社, 2012
15) 島田裕之（編）: サルコペニアと運動, エビデンスと実践. 医歯薬出版, 2014
16) 大渕修一ほか（監）: 完全版 介護予防マニュアル. 法研, 2015
17) Gillespie LD, et al.: Interventions for preventing falls in older people living in the community. *Cochrane Database Syst. Rev* **15**(2): CD007146, 2009
18) 日本認知症学会（編）: 認知症テキストブック. 中外医学社, 2008
19) 服部英幸（編）: BPSD初期対応ガイドライン. ライフ・サイエンス, 2012
20) 厚生労働省: 認知症施策推進総合戦略（新オレンジプラン）<https: //www.mhlw.go.jp/file/04-Houdouhappyou-12304500-Roukenkyoku-Ninchishougyakutaiboushitaisakusuishinshitsu/01_1.pdf>（最終アクセス: 2021年10月）
21) 認知症ねっと<https: //info.ninchisho.net/>
22) 高橋三郎, 大野 裕（監訳）: DSM-5 精神疾患の診断・統計マニュアル, 医学書院, 2014

索　引

数字索引

1 repetition maximum（1RM） 85
1RM（1 repetition maximum） 85
1 回拍出量 20
1 型糖尿病 135
2 型糖尿病 135
2 ステップテスト 41
2.4m 歩行速度 54
5 回いす立ち上がりテスト 50
6 分間歩行距離 55

和文索引

合図（cue） 128
悪性腫瘍 48
握力 57
足関節底背屈運動 105
アセスメント能力 188
アテローム血栓性脳梗塞 113
アポトーシス 16
アルツハイマー病による認知症 226
安静時振戦 124
安全限界 84
安楽体位 164

溢流性尿失禁 44
意味記憶 25, 26
意欲の指標 72
インスリン抵抗性 135
インスリン分泌不全 135
インスリン様成長因子 1 23
インスリン療法 139
引退 10

ウインドケッセル機能 20
ウェスクラー成人知能検査 24
うつ 32, 38
うつ症状 71
運動器 200
運動器症候群 40, 104
運動機能 17
運動強度 84
運動症状 124
運動療法 166, 225

エイジングパラドックス 10
栄養過多 80
栄養管理 82
栄養サポートチーム 82
栄養障害 80
栄養不足 80
エストロゲン 23
壊疽 136
エピソード記憶 25, 26
エラー蓄積説 3
遠隔記憶 25
鉛管様現象 124
嚥下 22
嚥下障害 32
円背 16

老い 4
　──受容 8

外向性 28
介護負担 58
介護保険 46, 47, 220
介護保険制度 46, 201
介護予防 220
　──アルゴリズム 221
　──事業 220, 221
　──通所リハビリテーション 200
介護医療院 194
介護老人福祉施設 194
介護老人保健施設 193
回想法 12
外側足底板 102
改訂長谷川式簡易知能評価スケール 66, 228
外転枕 93
回復期リハビリテーション病棟 117
開放性 29
科学的介護 192
化学療法 177
拡張期血圧 20
拡張機能 20
過去への執着 12
下肢挙上運動 104
片脚立位テスト 51
課題指向型トレーニング 117
寡動 124, 131
仮面用顔貌 125
加齢 1, 90, 93
がん 45, 48
　──分類 176
簡易栄養状態評価表 82
感覚記憶 26
感覚機能 18
関節 16
関節鏡視下手術 102
関節軟骨 16
間接路 124
感度 53
丸薬丸め様運動 124

記憶 25
気管支透亮像 162
基礎代謝量 21, 81
気道クリーニング 170
機能性尿失禁 44
機能的自立度評価法 61
基本チェックリスト 61, 221
基本的日常生活活動 34
記銘障害 25
急性感染症 144
胸郭可動域練習 165
共助 217, 218
狭心症 47
虚血性ペナンブラ 114
虚弱 32
筋萎縮性側索硬化症 65
筋強剛 124
近時記憶 25
筋持久力 17
緊張病性興奮 29
筋肉量 16
筋力 17
筋力増強機器 104

クォリティ・オブ・デス 216
くも膜下出血 113, 115
グリーフケア 13

経口血糖降下薬 138, 139
痙固縮 112
痙縮 112
軽打法 164
ケイデンス 18
軽度認知障害 31, 35, 37, 67, 227
外科術後の呼吸理学療法 172
結晶性知能 24
血清アルブミン値 82
血糖自己測定 139
血糖値 135
健康関連 QOL 69
健康寿命 6, 69, 209
言語性検査 24
健忘 25

高位脛骨骨切り術 102
後期高齢者 6
抗コリン薬 126
公助 218
行動・心理症状 195
行動変容 87
行動変容ステージ 87
後方アプローチ 91, 93, 95
高齢者
——うつ尺度 70
——の死因 46, 47, 48
——の就業 10
——の身体的特徴 15
——の心理 9, 10, 11
高齢者像 4
誤嚥 22
誤嚥性肺炎 47
呼気介助法 166
呼吸器疾患 45, 48
呼吸練習 165, 170
国際疾病分類 76
国際生活機能分類 201
固形がん 176
固縮 124
互助 217, 218
骨 16
骨吸収 22
骨形成 22
骨折 39
骨粗鬆症 80, 90, 95, 98
骨代謝 21, 22
固有筋力 17
誤用症候群 77
コラーゲン架橋結合 16

最大心拍数 20
最大心拍予備能 84
在宅介護限界点 187
住宅環境整備 207
再転倒 92, 94, 98
サクセスフルエイジング 9
左室駆出率 20
左室肥大 20
作動記憶 26
サルコペニア 16, 22, 35, 36, 41, 58, 135, 222
三次予防 191

自覚的運動強度 86, 141, 154
刺激伝導系 21
脂質代謝 21
自助 217, 218
ジスキネジア 126
姿勢反射障害 124
膝関節 JOA スコア 100
シックデイ 137, 139
自転車エルゴメータ 166
社会的フレイル 35
社会保障給付費 218
収縮期血圧 20
粥状動脈硬化 23
手段的日常生活活動 34, 104
術後せん妄 92, 93
手術療法 177
小字症 125
上皮細胞由来 176
食後高血糖 136
食事療法 138
心筋梗塞 47, 136
心筋酸素需要量 20
神経症傾向 28
心原性脳塞栓症 113
人工骨頭置換術 91, 93, 96
——施行 95
人工膝関節全置換術 103, 107
人工膝単顆置換術 103
心疾患 45, 48
身体活動 87
身体活動量 138
身体的フレイル 35
振動法 164
深部静脈血栓症 92, 93, 105
心不全 150
深部体温 23
心房細動 21

睡眠 23
睡眠障害 32, 37
スクイージング 164
すくみ足 125
スクリーニング 206
すりガラス陰影 162

生活機能障害 34
生活の質 48
生活不活発病 75
静止時振戦 131
誠実性 29
正常圧水頭症 115
精神・心理的フレイル 35
成長ホルモン 23
生理的老化 2, 3
世帯構成 212
石灰化 20
摂取エネルギー量 138
摂食障害 32
切迫性尿失禁 44
切迫性便失禁 45
セデンタリー・デス・シンドローム 75
セルフエフィカシー 87, 226
前期高齢者 5, 6
前頭側頭型認知症 226
前方アプローチ 91, 93
せん妄 32, 37

造血器由来 176
総合的機能評価 177
喪失体験 13
躁病性興奮 29
足関節底背屈運動 105
即時記憶 25
組織プラスミノゲンアクチベータ 114
速筋線維 17

体温調節 23, 79
——機能 23

体格指数 100
退職 10, 11
体性感覚 112
大腿骨近位部骨折 45, 48, 90
大腿骨頸部骨折 45, 89, 90, 95
大腿骨転子部骨折 45, 90
大動脈 20
タイプⅡ線維 17
立ち上がりテスト 41
脱臼 93, 95
——肢位 93, 95, 97
脱水 43, 78
脱調節 150, 151
短期記憶 25, 26
短期集中個別リハビリテーション実施加算 202
単身世帯 11, 12
タンパク質 222
タンパク質・エネルギー低栄養状態 42

地域課題 191
地域完結型医療 215
地域包括ケア研究会 214
地域包括ケアシステム 189, 214
地域連携型認知症疾患医療センター 227
知能 24
遅発性脳血管攣縮 115
長期記憶 25, 26
超高齢者 6
超高齢社会 210
調和性 29
直接路 124
陳述記憶 25

追想障害 25
通所介護 200
通所・訪問リハビリテーションのデータ収集システム（VISIT） 192
通所リハビリテーション 187, 200
通所リハビリテーションサービス 198

ディーツの分類 178
低栄養 32, 80
テイクテン 82
低血糖 136
デイサービス 200
定年退職 8
テストステロン 23
手続き記憶 25, 26
転倒 32, 39, 80, 90, 93
転倒恐怖感 94, 98
転倒後症候群 92
転倒スコア 56

土肥-Anderson の基準 86
動作性検査 24
糖代謝 21
糖尿病 45, 47, 48, 135
——三大合併症 136
糖尿病性網膜症 18
動脈血酸素分圧 20
糖輸送担体 4 21
特異度 53
特定高齢者 61
特定疾患 48
特定疾病 46, 47
特別養護老人ホーム 194
閉じこもり 92, 94, 205
独居機能 34
突進現象 125
ドパミン 125
ドパミンアゴニスト 125
トレッドミル 166

内分泌 23
ナラティブ・アプローチ 12

二次予防 221
日常生活活動 60
日常生活自立度 60
日内変動 126
入所リハビリテーション 187
尿ケトン体 144
尿失禁 32, 44
認知症 22, 32, 36, 92, 93, 98
——の行動心理症状 228
認知症施策推進大綱 226
認知症短期集中リハビリテーション 201

寝たきり 32, 39, 91, 92
寝たきり度 60

脳血管障害 45, 46, 48, 111
脳梗塞 114, 136
脳出血 113
脳深部刺激療法 126
脳卒中 45, 46, 48, 112
脳動脈瘤頸部クリッピング術 115
脳動脈瘤コイル塞栓術 115
ノンレム睡眠 23

パーキンソン病 45, 46, 48, 123
ハートビル法 77
肺炎 92, 93, 161
徘徊 27, 38
肺気腫 160
肺性心 162
肺塞栓症 92, 93
バイタルサイン 152, 154
排尿障害 22
肺の弾性収縮力 20
廃用症候群 74, 75, 91, 93, 98
歯車様現象 124
発汗 23
発達課題 6
ハッフィング 172
パテラセッティング 104
バリアフリー法 77
パルスオキシメータ 119
ハンズオフアプローチ 187
ハンズオフスキル 188
ハンズオンスキル 188

非運動症状 124
非感染性疾患 86
膝関節 JOA スコア 100
非上皮細胞由来 176
非ステロイド性抗炎症薬 102
悲嘆 13
非陳述記憶 25, 26
非定型的症状 31
ヒュー・ジョーンズ分類 160
病院完結型医療 215
病期（ステージ）分類 176
病的老化 2, 3

ファンクショナルリーチ 51
ふいご機能 20

フィジカルアセスメント 206
フーバー徴候 161
夫婦のみ世帯 11, 12
腹圧性失禁 44
複雑性悲嘆 13
腹部重錘負荷法 165
不整脈 21
プッシャー現象 112
フレイル 10, 22, 35, 41, 58, 135, 222
プログラム説 3
プロテオグリカン 16

平均寿命 6, 14
平衡感覚 19
閉塞性換気障害 20
変形性関節症 99
変形性膝関節症 45, 48, 99, 100
便失禁 44

放射線療法 177
訪問リハビリテーション 187, 203
ポールウォーキング 148
ホーン・ヤール重症度分類 125
歩行率 18
ポジショニング 164
ボランティア活動 30

マクロファージ 23
末梢性ドパ脱炭酸酵素配合剤 125
末梢動脈疾患 136
慢性炎症 20, 21, 23
慢性気管支炎 160
慢性閉塞性肺疾患 47, 159

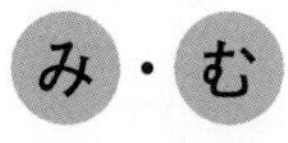

ミニメンタルステート検査 65

無動 124, 131

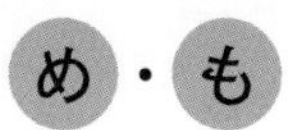

めまい 19, 78
免疫 23
免疫療法 177
免疫老化 23

モントリオール認知評価検査 68

有効限界 84
有酸素運動 141, 154
指輪っかテスト 36

要介護原因 45, 46, 47
要介護認定率 210

ライフイベント 8, 9, 10, 11, 13
ライフレビュー法 12
ラクナ梗塞 113

理学療法診療ガイドライン 198
リハビリテーション 225
——中止基準 79, 86
——マネジメント 187, 188
リハビリテーション医療における安全管理・推進のためのガイドライン 78
リハビリテーション・マネジメント加算 201
流涎 125
流動性知能 24
緑内障 18
リラクセーション 164, 170

レジスタンストレーニング 141, 154, 222
レビー小体病を伴う認知症 226
レボドパ 124
レム睡眠 23

老化 1, 2, 3, 14, 45, 93
老化の特徴 2
——進行性 2
——内在性 2
——普遍性 2
——有害性 2
老眼 18
老視 18
漏出性便失禁 45
老人性難聴 18
老年期の発達課題 6
老年症候群 32
ロコモティブシンドローム（ロコモ） 40, 41, 57, 58, 104, 135, 222
ロコモ度 41
ロコモ 25 41
ロコモパンフレット 2020 年度版 42

ワーキングメモリ 26

欧文索引

activities of daily living（ADL） 60
ADL（activities of daily living） 60
aging 1
aging paradox 10
Alb 82
ALS (amyotrophic lateral sclerosis) 65
amyotrophic lateral sclerosis (ALS) 65

BADL（basic ADL） 34
Barthel index（BI） 61, 62
basal energy expenditure（BEE） 81
basic ADL（BADL） 34
BEE（basal energy expenditure） 81
behavioral and psychological symptoms of dementia（BPSD） 36, 195, 228
BI（Barthel index） 61, 62
BMI（body mass index） 15, 100
body mass index（BMI） 15, 100
Borg スケール 86
BPSD（behavioral and psychological symptoms of dementia） 36, 195, 228

C 反応性タンパク質 162
CCI（cost of care index） 58
CGA（comprehensive geriatric assessment） 177
chronic obstructive pulmonary disease（COPD） 47, 159
CI 療法 117
cognitive frailty 35
complicated grief 13
comprehensive geriatric assessment（CGA） 177

constraint induced movement therapy 117
COPD（chronic obstructive pulmonary disease） 47, 159
cost of care index（CCI） 58
C-reactive protein（CRP） 162
CRP（C-reactive protein） 162
CS-30（30-seconds chair-stand test） 50
cue 128

D

D ダイマー 105
DBS（deep brain stimulation） 126
DCI（decarboxylase inhibitor） 125
decarboxylase inhibitor（DCI） 125
deconditioning 150, 151
deep brain stimulation（DBS） 126
deleteriousness 2
diabetes mellitus（DM） 135
Dietz の分類 178
DM（diabetes mellitus） 135

EPDCA サイクル 187, 189
Erikson による発達 7
error catastroph theory of aging 3

fall risk index（FRI） 56
fall risk index–21（FRI–21） 56
FIM（functional independence measure） 61, 97
FITT の原則 181
FR（functional reach） 51
FRI（fall risk index） 56
FRI–21（fall risk index–21） 56
functional independence measure（FIM） 61, 97
functional reach（FR） 51

Garden 分類 90, 95, 96
GDS（geriatric depression scale） 70
GLF-25（The 25-question geriatric locomotive function scale） 57
glucose transporter 4（GLUT4） 21
GLUT4（glucose transporter 4） 21
grief 13

H

Hasegawa dementia scale for revised（HDS-R） 66, 201
HbA1c 135
HDS-R（Hasegawa dementia scale for revised） 66, 201
health related QOL（HRQOL） 69
Hoehn-Yahr 重症度分類 125
Hoover 徴候 161
HRQOL（health related QOL） 69
Hugh-Jones 分類 160

I

IADL（instrumental activities of daily living） 104
IADL（instrumental ADL） 34
ICD（international classification of disease） 76
ICF（international classification of functioning, disability and health） 201
IGF–1（insulin–like growth factor 1） 23
instrumental activities of daily living（IADL） 104
instrumental ADL（IADL） 34
insulin–like growth factor 1（IGF–1） 23
international classification of disease（ICD） 76
international classification of functioning, disability and health（ICF） 201
intrinsicality 2

Jacobson' s progressive relaxation 164
J-ZBI 58

Karvonen の式 85
Kellgren-Lawrence（K/L）分類 100, 106

L-DOPA 124
Lewy 小体 123
life review therapy 12
locomotive syndrome 40

M

MCI（mild cognitive impairment） 35, 37, 67, 227
mild cognitive impairment（MCI） 35, 37, 67, 227
mini nutritional assessment- short form（MNA-SF） 82
mini-mental state examination（MMSE） 65, 96, 201
MMSE（mini-mental state examination） 65, 96, 201
MNA-SF（mini nutritional assessment-short form） 82
MoCA（Montreal cognitive assessment） 68
Montreal cognitive assessment（MoCA） 68
MOS short-form-36-item 69

narrative approach 12
NCDs（non communicable diseases） 86
New Borg Scale 167
New York Heart Association（NYHA） 151
non communicable diseases（NCDs） 86
non-steroidal antiinflammatory drugs（NSAIDs） 102
NSAIDs（non-steroidal antiinflammatory drugs） 102
NST（nutrition support team） 82
nutrition support team（NST） 82
NYHA（New York Heart Association） 151
NYHA 心機能分類 151

OA（osteoarthritis） 99
one-leg standing test 51
osteoarthritis（OA） 99

paced breathing 166
PAD（peripheral arterial disease） 136
PaO$_2$ 20
Parkinson' s disease（PD） 123
pathological aging 2
PD（Parkinson' s disease） 123

PEM（protein-energy malnutrition） 42, 80
percussion 164
performance status（PS） 179, 180
peripheral arterial disease（PAD） 136
physical frailty 35
physiological aging 2
pneumonia 161
post fall syndrome 92
program theory of aging 3
progressiveness 2
protein-energy malnutrition（PEM） 42, 80
PS（performance status） 179, 180

QOL（quality of life） 48
quality of life（QOL） 48

rate of perceived exertion（RPE） 141, 154
recombinant tissue plasminogen activator（rt-PA） 111, 114
reminiscence therapy 12
right neck rotation 112
RPE（rate of perceived exertion） 141, 154
rt-PA（recombinant tissue plasminogen activator） 111, 114

SCU（stroke care unit） 116
sedentary death syndrome 75
senescence 1
SF-36 69
SF-36v2 69
short physical performance battery（SPPB） 52
SLR（straight leg raising） 104
social frailty 35
SPDCA サイクル 189
SPPB（short physical performance battery） 52
squeezing 164
straight leg raising（SLR） 104
stroke care unit（SCU） 116

TAKE10! 82
The 25-question geriatric locomotive function scale（GLF-25） 57
timed "up and go" test（TUG） 52
TKA（total knee arthroplasty） 103
TNM 分類 176
total knee arthroplasty（TKA） 103
TUG（timed "up and go" test） 52

UKA（unicompartmental knee arthroplasty） 103
unicompartmental knee arthroplasty（UKA） 103
universality 2

VI（vitaling index） 72
vibration 164
vitaling index（VI） 72

WAIS（Wechsler adult intelligence scale） 24
WAIS-III（Wechsler adult intelligence scale-third edition） 68
wearing off 126
Wechsler adult intelligence scale（WAIS） 24
Wechsler adult intelligence scale-third edition（WAIS-III） 68
Wechsler memory scale-revise（WMS-R） 68
Wechsler 記憶検査 68
Wechsler 成人知能検査第 3 版 68
WMS-R（Wechsler memory scale-revise） 68

Zarit burden interview（ZBI） 58
Zarit 介護負担尺度 58
ZBI（Zarit burden interview） 58

シンプル理学療法学シリーズ
高齢者理学療法学テキスト（改訂第２版）

2017年３月５日　第１版第１刷発行 2020年１月30日　第１版第３刷発行 2021年12月10日　第２版第１刷発行 2024年１月30日　第２版第２刷発行	監修者 細田多穂 編集者 山田和政，小松泰喜，木林　勉 発行者 小立健太 発行所 株式会社 南 江 堂 〒113-8410　東京都文京区本郷三丁目42番6号 ☎(出版)03-3811-7236　(営業)03-3811-7239 ホームページ http://www.nankodo.co.jp/ 印刷／製本 シナノ書籍印刷 組版 明昌堂

Physical Therapy for Geriatrics

定価は表紙に表示してあります．
落丁･乱丁の場合はお取り替えいたします．
ご意見･お問い合わせはホームページまでお寄せください．

Printed and Bound in Japan
ISBN 978-4-524-22824-9